Cilla & Rolf Börjlind

Zwarte dageraad

A.W. Bruna Uitgevers

Oorspronkelijke titel
Svart gryning
© Cilla and Rolf Börjlind 2014 by Agreement with Grand Agency.
Vertaling
Corry van Bree
Omslagbeeld
© Valentin&Byhr / Shutterstock
Bewerking Nederlands omslag
De Weijer Design
© 2015 A.W. Bruna Uitgevers, Amsterdam

ISBN 978 94 005 0218 5
NUR 305

Verborgen
In de menigte
Deze haargrens van kwaad

Bruno K. Öijer
uit *Svart som silver*

Hotel Sheraton, Stockholm, 2005

De barman observeerde de vier mannen die binnenkwamen, op de manier zoals een geroutineerde bartender zijn gasten observeert. Vooral als ze anders zijn.

Deze mannen waren dat.

Niet voor wat betreft hun kleding, die was uitermate correct. Ze droegen donkere kostuums, witte overhemden en stropdassen. De barman registreerde iets anders.

Misschien was het de homogeniteit, de mannen bewogen zich bijna in formatie, vlak naast elkaar, met dezelfde gecontroleerde bewegingen. Was het veiligheidspolitie? Dat zou kunnen, ze hadden allemaal gemillimeterd haar en een Zweeds uiterlijk.

De mannen gingen in een box helemaal achter in het lokaal zitten.

Het was net na negen uur en er zaten een paar gasten verspreid in de ruimte, het snelle getingel van de pianist temperde de gesprekken enigszins. Niemand verhief zijn stem, nieuwe bestellingen werden met een vinger naar de ober aangegeven, de sfeer was anoniem, zoals meestal in een hotelbar.

Buiten viel een lichte regen.

De barman ving de blik van de lange, slanke ober op en knikte naar de box. De ober knikte met tegenzin terug, hij hield er niet van om ergens naartoe gestuurd te worden; de vloer was zijn domein en als er nieuwe gasten kwamen, dan was hij degene die bepaalde wanneer hij naar hen toe ging. Hij wreef met een paar vingers over zijn gouden oorring en slenterde naar de box alsof hij toevallig in die richting liep. Een paar meter bij het gezelschap vandaan haalde hij een aansteker tevoorschijn, waarna hij de kaars in de houder op de tafel van de mannen aanstak.

'Hebben jullie al een keuze gemaakt?' vroeg hij zonder zijn meest

7

onderdanige stem te gebruiken. Dit waren geen gasten die ertoe uitnodigden om een gesprek mee te voeren, ze hadden helemaal geen belangstelling voor hem, behalve als leverancier van hun drankjes.

'Vier whisky zonder ijs, Glenfiddich,' zei de man die helemaal achteraan zat. De ober maakte een razendsnelle afweging, zou hij vragen of ze een dubbele whisky wilden of die gewoon inschenken?

'Willen jullie er pinda's bij?' vroeg hij in plaats daarvan.

'Nee.'

De ober maakte een lichte buiging en draaide zich om naar de bar. De mannen in de box keken hem na.

'Homo,' zei een van hen.

De anderen gaven geen commentaar op de opmerking. De man die de bestelling had gedaan, haalde briefjes tevoorschijn en spreidde die uit op de tafel. Hij bewoog met één hand over de briefjes alsof het kaarten waren die hij wilde schudden.

'Staat er op allemaal een naam?'

'Ja.'

De mannen pakten een briefje, draaiden het om en lazen het woord dat erop stond, daarna verbrandden ze de briefjes een voor een boven de vlam van de kaars. Het duurde even, lang genoeg voor de ober om terug te keren met de bestelling. Hij zette vier glazen op de tafel, legde er witte servetten naast en liep weer weg.

Toen hij op een gepaste afstand was, hieven de mannen de whiskyglazen, keken elkaar aan en zeiden zachtjes:

'Eer.'

'Hiërarchie.'

'Discipline.'

'Trouw.'

Ze tikten hun glazen tegen elkaar en namen een slok whisky. Een van hen stopte zijn hand in zijn binnenzak en haalde een vel papier tevoorschijn. Hij vouwde het open, legde het op de tafel en trok de kaars naar zich toe.

'Dit is een concept,' zei hij.

De anderen bogen zich naar voren. Een van hen wierp een blik op de ober, hij bevond zich aan de andere kant van het lokaal. De man met het vel papier schraapte zijn keel voordat hij begon voor te lezen.

'De richtlijnen voor het nieuwe Rijk.'

'Is dat de titel?'

'Ja. Het is een voorstel.'

'Goed.'

De man keek weer naar het papier.

'De nationaalsocialistische revolutie in Zweden moet bereikt worden door omscholing met het volk. Dat...'

'Van.'

'Van?'

'Omscholing ván het volk, niet mét.'

De man met het vel papier haalde een balpen uit zijn binnenzak en verbeterde het woord. Daarna begon hij opnieuw.

'De nationaalsocialistische revolutie in Zweden moet bereikt worden door omscholing van het volk. Dat zal gebeuren met behulp van sterke, gedisciplineerde mensen. Onze beweging wordt omgevormd tot een politiek dominante orde. Een bewakingsdienst. Het doel is een vrije staat onder onze leiding.'

De man las nog een paar minuten verder. Hij besloot met: 'Onze weg is de enige manier om Zweden te redden.'

De man keek op. 'Klinkt dat goed?'

'Ja. Theoretisch gezien wel. De vraag is hoe we het populariseren, hoe we de boodschap zo formuleren dat gewone mensen begrijpen waarom het noodzakelijk is.'

'Door precies te zeggen waar het op staat. Dat ons volk ten onder gaat, dat ons ras met uitroeiing bedreigd wordt, dat alles wat we in ere houden langzamerhand ontheiligd wordt.'

'En weggevaagd.'

'Precies. Dat moet iedereen begrijpen, dat is toch duidelijk, of niet?'

'Ja. En tenslotte hebben we Åkesson nu, hij mag ermee aan de slag gaan, hij is zo glad als een aal. Als hij zijn voet tussen de deur krijgt, dan is die over een paar jaar open.'

'Moeten we voorbeelden bij de tekst geven? Wie degenen zijn die ons bestaan bedreigen?'

'Dat is volgens mij niet nodig, dat weet iedereen. Negers. Joden. Zigeuners.'

'Immigranten.'

'Homo's.'

Een paar van de mannen keken naar de ober. Hij zag hun blikken, maar begreep dat ze niets wilden bestellen. De blikken signaleerden iets anders. Hij draaide zich om naar de barman.

'Die mannen in de box.'
'Ja?'
'Onaangename types.'
'Gasten.'

De barman liep weg met een paar glazen die afgewassen moesten worden. Hij was het eens met de ober, de mannen in de box straalden iets onprettigs uit waar hij zijn vinger niet op kon leggen, maar hij was niet van plan om dat aan zijn collega te vertellen. Hij hield dat soort gedachten liever voor zichzelf.

Dat was beter.

De mannen in de zwarte kostuums bleven nog twee uur in de box zitten. De ober schonk hun glazen af en toe bij. Hun alcoholconsumptie zou het stemvolume moeten verhogen, maar dat gebeurde niet. Wat aan die tafel werd besproken, bleef daar. Toen het bijna middernacht was, pakte een van de mannen een pakje in cadeaupapier en schoof dat naar de man die tegenover hem zat.

'Voor mij?'
'Je bent vandaag jarig. Het is van ons allemaal.'
'Bedankt.'

De man zette zijn bril recht en haalde het papier van het pakje. Hij tilde het deksel van het rode doosje en haalde er een plastic kamersleutel uit van hotel Continental, dat een huizenblok verderop lag. De man keek op en zag dat de anderen glimlachten.

'Kamer 304, derde verdieping,' zei een van hen.
'Je hebt tenslotte al een halfjaar geen wijf meer gehad.'

De man glimlachte en stond op. De anderen bleven zitten. Toen de man met de sleutel was verdwenen, hieven ze hun glazen weer.

'Zullen we een gokje wagen?'
'Wanneer hij terug is?'
'Ja.'
'Over een halfuur.'
'Op zijn hoogst.'

De mannen lachten zo hard dat het geluid de barman bereikte. Hij keek naar de box en zag dat een van de mannen zijn lege glas hief. De barman klopte met zijn vinger op de toonbank en trok de aandacht van de ober, die naar de tafel liep om de glazen bij te schenken.

De man die het cadeau had gekregen, zat al een tijdje naakt bij het raam op de derde verdieping. Het schijnsel van het verkeerslicht op straat scheen door het raam naar binnen en gleed afwisselend groen en rood over zijn gezicht. Zijn blik volgde een kleine lichtbruine kakkerlak die langs de vloerplint liep. Hij had zijn bril afgezet en hield hem op zijn schoot; één poot was afgebroken. Het kamerbrede hoteltapijt krulde op tussen zijn tenen.

Na een tijdje ging hij staan.

De mannen in de box hadden hun glas bijna leeg toen een van hen met een glimlach zei: 'Daar komt hij.'

Ze keken naar de man die de bar drie kwartier geleden had verlaten. Langer dan een halfuur, maar het scheelde niet veel. De man liep naar hen toe en ging zitten. Zijn haar was nat van de regen. De mannen zagen dat zijn voorhoofd glom en dat zijn bril een beetje vreemd zat.

'Wat is er met je bril gebeurd?' vroeg een van hen.

'De poot is eraf. En nu heb ik een cadeautje voor jullie.'

De man zette het rode doosje dat hij had gekregen naast de kaars. Een van de mannen opende het en bekeek de inhoud een paar seconden.

'Gadverdamme, wat smerig.'

Hij schoof het doosje weg.

'Wat heb je verdomme gedaan?'

De man met de kapotte bril boog zich naar voren en blies de kaars uit.

Ze fietste altijd dezelfde route, van de rand van Nyhamnsläge naar Björkeröds byaväg in natuurreservaat Östra Kullaberg. Aan het eind van die weg stopte ze. Op slechte dagen pauzeerde ze daar even, dronk water en fietste terug. Op goede dagen maakte ze een wandeling in het bos.

Dat was Olivia Rönning deze ochtend ook van plan.

Ze fietste zonder haast over de hoofdweg, het was net na zeven uur en haar dienst begon pas om tien uur. Ze keek naar de grijze hemel. Er hing regen in de lucht, maar dat was altijd zo in dit jaargetijde, daar kon ze haar plannen niet op afstemmen. Ze hield haar ogen op de greppel-rand gericht en liet haar gedachten de vrije loop. Het was fijn dat haar fietstochten haar hersenen stimuleerden. De combinatie van zuurstof en beweging bracht haar hersenen op gang en ze dacht aan dingen die niet alleen met haar werk te maken hadden. Vandaag dacht ze aan Ove Gardman. Hij was de reden dat ze hier was terechtgekomen, als poli-tieagent in Höganäs. Ze had in Strömstad gesolliciteerd om in de buurt van Ove te zijn, die een woning op Nordkoster had, maar die baan had ze niet gekregen. In plaats daarvan was het deze baan geworden, voor een periode van zes maanden. 'Je bent in elk geval aan de juiste kant van Zweden,' had Ove gezegd. Toen er twee maanden voorbij waren, had Ove het aanbod gekregen om onderzoek te doen in Costa Rica, iets wat hij niet kon afslaan.

En nu zat ze hier, in Höganäs, en ze moest nog vier maanden blijven.

Het was geen droombaan, eerder andersom. Ze had nog niemand leren kennen en ze had alleen contact met haar collega's, contacten die oppervlakkig en moeizaam waren. Er waren bijna alleen mannen op het bureau en dat beïnvloedde het jargon.

Daar kon ze niet goed tegen.

Olivia was het niet gewend om zich in te houden. In het begin had ze meer energie gestoken in het weerleggen van vooroordelen over immigranten dan dat ze concreet politiewerk deed. Dat had geleid tot een onuitgesproken isolatie. Het was niet zo dat ze buitengesloten werd, maar ze werd ook niet meegevraagd voor een biertje na het werk. Dat vond ze niet erg, want ze kon zich goed voorstellen waartoe de alcohol zou leiden als het ging over 'degenen die anders zijn dan wij'. Een omschrijving die ze gebruikten als ze niet ronduit wilden zeggen wat ze dachten en voelden.

Ze sloeg van de Kockenhuslaan af naar de Byaväg. De woningen lagen hier verder uit elkaar, sommige waren grote boerderijen. Ze zag nauwelijks mensen buiten. Toen ze het eind van de weg bereikte stapte ze af en zette haar fiets tegen een grote dennenboom. Het zou fijn zijn om een flinke wandeling te maken. Ze trok de groene haarwokkel uit haar paardenstaart, zodat het lange, zwarte haar los over haar schouders viel, hing de wokkel aan het stuur en liep het bos in.

Ze had hier vaker gelopen en wist dat ze uit een aantal paden kon kiezen. De meeste had ze uitgeprobeerd. Nu koos ze het pad dat naar rechts liep, tussen de dennenbomen door. Ze hield ervan om hier te wandelen. Het was heel afwisselend terrein, dicht bos onderbroken door rotsen, een goede combinatie van heuvels en vlakke gedeelten. Vaak ontmoette ze andere wandelaars, maar vandaag gebeurde dat niet.

Misschien komt dat doordat er kans op regen is, dacht ze. Of het is het tijdstip. Ze liep in een gelijkmatig tempo en kwam veel sneller dan anders op de plek waar het pad zich splitste. Ze bleef staan. Rechtdoor liep het pad over een steile helling naar boven, rechts ging het naar de kust. Misschien kan ik Nimis, het beroemde sculptuurproject bij Håle Stenar, vandaag bekijken?

Ze begon in de richting van de zee te lopen.

Het kostte tijd om het kunstwerk te bereiken – deels liep ze over drassige grond, deels door laag, stekelig struikgewas – en toen ze de zee eindelijk zag was ze buiten adem. Ze wist niet precies waar Nimis lag, dus liep ze over de steile helling langs de kust. Ze had in elk geval het gevoel dat het in westelijke richting lag. Na een tijdje zag ze de toppen van een paar merkwaardige houten torens en een heel steil pad dat bijna loodrecht naar het water leidde. Gingen mensen hier naar beneden? Heel eng. Ze moest echter wel, want het was de enige manier om het sculptuurproject te bereiken.

Ze steunde met één hand op de grond en liep voorzichtig het pad af. Na een paar minuten bereikte ze een lange, half overdekte houten trap die uit planken en takken bestond. Dat was blijkbaar de ingang. Ze had over Nimis gelezen. Kunstenaar Lars Vilks had een eigen rijk gecreëerd dat hij Ladonia had genoemd. Tegenwoordig was hij echter bekender omdat hij een rotondehond van de profeet Mohammed had gemaakt, waarna de veiligheidsdienst zijn woning in Kullabygden vierentwintig uur per dag moest bewaken.

Olivia liep de houten trap af naar het strand en zag een spookland-schap voor zich. De kunstenaar had vijfendertig jaar lang drijfhout en takken verzameld en had daarvan enorme torens met gangen en ka-mers gebouwd. Een van de torens had een hoogte van vijfentwintig meter. Aan een andere was een zwart stuk stof bevestigd dat door de wind in stukken was gescheurd. Het grijze, onregelmatige bouwwerk was meer dan honderd meter lang en was het meest bijzondere dat ze in haar zesentwintigjarige leven had gezien.

Ze klom voorzichtig tussen de stellages en hoorde de wind in de smalle torens janken. Haar haar fladderde rond haar gezicht. Ze keek uit over de ronde rotsblokken en zag hoe het water van de zee over het strand spoelde. Plotseling had ze het gevoel dat ze hier weg wilde. De plek straalde een koude, doodse sfeer uit. Ze liep naar de grootste toren en klom erin om het begin van de lange houten trap terug te vinden. Op dat moment dacht ze dat ze in de verte een beweging zag. Ze bleef staan.

'Hallo?'

Ze hoorde alleen het jankende geluid van de wind en het droge ge-klepper van losse stukken hout en bleef een paar seconden staan. Ze zag geen beweging meer, maar rook een zwakke geur van sigaretten-rook. Olivia draaide zich om en begon zo snel als ze kon de trap op te lopen. Het was krap, ze bleef vastzitten aan een kleine plank en trok een gat in haar trui. Olivia probeerde sneller te lopen, maar haar voet bleef achter een plank haken en ze voelde dat ze hem verstuikte. Het laatste stuk van de overdekte trap moest ze zich met haar handen om-hoogtrekken. Daarna hoefde ze alleen de steile helling nog op te lopen. Ze worstelde zich naar boven en ging zitten toen ze de rand had be-reikt. Ze voelde aan haar voet, die pijn deed. Waarom wilde ik per se hiernaartoe? Ze keek naar het spookachtige tafereel. Het enige wat op het strand bewoog, was de zwarte kapotte lap stof in de top van een van de torens.

Ze kwam overeind en begon te lopen. Het ging niet goed. Door haar pijnlijke voet kon ze alleen strompelen en na een paar minuten bleef ze staan. Ze leunde tegen een kromme boom met grote zwarte takken en probeerde op adem te komen. Plotseling draaide ze haar hoofd snel om. Ze had het gevoel dat ze niet alleen was, dat er iemand tussen de bomen stond. Het enige wat ze echter zag waren bomen en in de verte een paar donkere rotsblokken. Ze begon weer te strompelen, zo snel als ze kon. Ze had er geen idee van waar het pad lag dat naar de weg leidde, maar ze wist dat er overal paden door het gebied liepen, vroeg of laat zou ze er een tegenkomen.

Het duurde bijna twintig minuten voordat ze het pad in de verte zag liggen. Door de vlakke grond was het gemakkelijker om vooruit te komen en kon ze iets meer snelheid maken. Ze keek voor zich en plotseling zag ze haar fiets staan, tussen de bomen en het struikgewas dat in de wind bewoog. Hij stond nog bij de grote dennenboom waar ze hem had achtergelaten. Ze strompelde het laatste stuk naar de boom, duwde de fiets het pad op en wilde net opstappen toen ze een stuk papier op de grond zag liggen. Ze bukte zich. Het was een uitgescheurde kaart. Ze stopte het stuk papier in haar jaszak, stapte op haar fiets en reed weg zonder zich om te draaien.

In Mölle ontdekte ze pas dat de groene haarwokkel weg was.

Had ze de schaduw maar gezien of de takjes achter de grote haag horen breken, maar dat was niet zo. Ze werd veel te veel in beslag genomen door het spelen met haar geliefde kleinkind Emelie, in de kleine zandbak die midden op het grasveld stond.

Emelie speelde dat ze een krokodil was. Ze lag op haar buik in het zand en maakte kronkelende bewegingen. Haar oma Judith lachte. Dit waren geluksmomenten voor haar, als ze alleen was met Emelie en weer kind kon zijn. Dat gebeurde niet vaak, hoewel ze in de buurt woonde. Emelie was drie en ging naar de crèche, 's avonds waren haar vader en moeder thuis en hun weekenden brachten ze meestal door met andere gezinnen met kinderen. Maar af en toe was Judith nodig als oppas, zoals vandaag. Emelies moeder was op vakantie en omdat Emelie een beetje hangerig was, had haar vader het beter gevonden dat ze niet naar de crèche ging. Judith paste graag op. Ze had een klein tuincentrum met een theehuis, maar dat konden anderen een paar uur waarnemen. En nu zat ze hier, in de tuin van het mooie houten huisje in Arild. De regenwolken waren verdwenen en de zon, die aan de helderblauwe hemel stond, was misschien minder warm dan in de zomer, maar verwarmde toch een beetje.

'Oma, nu moet jij de krokodil zijn!'

Emelie gebaarde naar Judith en verwachtte dat de tweeënzestigjarige vrouw op haar buik in het zand zou gaan kronkelen, maar dat ging Judith te ver. Ze trok haar lichtblauwe batikjurk omhoog en ging op haar knieën zitten.

'Ik ben een nijlpaard,' zei ze.

Emelie lachte en kreeg kuiltjes in haar wangen, waardoor haar oma haar wilde optillen en omhelzen omdat ze zo schattig was.

Op dat moment ging de telefoon in de keuken.

Een tijdje geleden was er ook al gebeld, maar Judith had niet opgenomen. Misschien is het Sebastian? dacht ze nu. Misschien moet ik toch opnemen?

Ze ging staan, veegde het zand van haar jurk en zei tegen Emelie dat ze in de zandbak moest blijven.

'Oma is zo weer terug, ik ga alleen de telefoon opnemen.'

Judith liep de trap op en de keuken in. Ze pakte de hoorn en kreeg een verkoper aan de lijn, die ze vriendelijk probeerde uit te leggen dat ze geen belangstelling had voor de warmtewisselaar waardoor haar energierekening met een verbazingwekkende elf procent zou dalen. Toen de verkoper heel even ademhaalde viel ze hem in de rede: 'Sorry, maar ik woon hier niet, dus u zult een andere keer terug moeten bellen.'

Ze verbrak de verbinding, liep de keuken weer uit en de trap af. Emelies vader Sebastian stond bij de zandbak.

'Hallo!' riep ze. 'Waarom ben je zo vroeg thuis?'

Sebastian gaf geen antwoord. Hij keek naar zijn dochter in de zandbak. Emelie lag op haar buik, alsof ze nog steeds speelde dat ze een krokodil was, maar haar hoofd was een halve slag gedraaid en ze keek met open, levenloze ogen naar haar vader.

*

Er was eigenlijk niets mis met Frans Jönsson, behalve zijn naïeve en slecht verborgen vooroordelen. Hij was een product van het milieu waarin hij leefde en miste misschien het vermogen om zelf na te denken. Hij was net boven de dertig en zag er goed uit, met vriendelijke bruine ogen en een sportief lichaam. Misschien waren zijn lippen een beetje te vol, maar daar kon Frans niets aan doen. Hij praatte onophoudelijk, over van alles en nog wat. Als je samen in een politiewagen rijdt kan dat na een paar uur nogal enerverend worden, vooral als je absoluut niet geïnteresseerd bent in de gespreksonderwerpen. Op dit moment was dat de slechte waardering van het publiek voor de politie.

'Wij moeten toch de rotklussen opknappen,' zei Frans. 'Niemand anders beëindigt een messengevecht of neemt de mishandelaar van zijn vrouw in de houdgreep, niet dan?'

Olivia knikte.

'En wat is onze dank daarvoor? Alleen gezeur. Gezeur, gezeur, gezeur... ik word daar zo verdomd moe van. Jij niet?'

Frans, die achter het stuur zat, draaide zijn hoofd en keek naar Olivia. Ze haalde haar schouders op. Ze waren net klaar met een, volgens

Frans, volkomen zinloze snelheidscontrole buiten Jonstorp. Olivia had haar uniformjas opengeknoopt omdat het warm was in de auto en even later voelde ze zijn blik weer. Hij keek vaak naar haar, op de manier waarop mannen zolang ze zich kon herinneren naar haar keken, een beetje aarzelend en smachtend, alsof ze probeerden iets te zien wat ze niet te zien kregen.

'Ik bedoel, neem nou dat zigeunerregister,' zei hij. 'Hoe verkeerd is die discussie geëindigd? Hoeveel ellende hebben we niet over ons heen gekregen? En waarom? We hebben toch altijd registers met misdadigers gehad? Hoe moeten we anders werken?'

Frans schudde zijn hoofd, zijn bruine golvende haar viel over zijn voorhoofd.

'Voor mijn part hadden ze tevens andere registers mogen samenstellen,' ging hij verder.

Tevens? Frans had de grappige gewoonte om ouderwetse woorden en uitdrukkingen te gebruiken.

'Vind jij niet?'

'Absoluut,' antwoordde Olivia. 'Eigenlijk moeten we een register opstellen met verstandelijk gehandicapten en homo's, dan kunnen we die samenvoegen met het zigeunerregister en ontdekken we misschien een gehandicapte zigeunerhomo die fruit bij de Ica heeft gestolen. Daar zouden we waarschijnlijk een compliment voor krijgen.'

Frans lachte.

'Ja, misschien moeten we dat inderdaad doen.'

'Vind je?'

Olivia zag dat Frans heel even onzeker werd, dus legde ze haar hand op zijn arm en lachte ook.

Op dat moment hoorden ze het alarm via de radio.

In Arild was een driejarig meisje dood gevonden.

Aditi keek naar de vrouwen voor haar.

'Haal allemaal diep adem,' zei ze. 'En hou jullie ogen dicht. Strek jul
lie armen en draai jullie handen langzaam. Laat jullie hart kloppen.'

Liv Andersson zat met gesloten ogen in lotushouding terwijl ze
hoorde hoe Aditi's zachte stem zich vermengde met de diepe ademhaling van de leerlingen.

'Geloof in jezelf. Jullie hebben zoveel kracht. Door jullie hart open te
stellen kunnen jullie jezelf en ook anderen helen.'

De vrouwen in het mooie, spaarzaam gedecoreerde lokaal in Aditi's
ashram, een retraite in Chiang Rai in Noord-Thailand, waren volkomen geconcentreerd.

'Nu wil ik dat jullie je ogen langzaam openen en de kracht voelen die
het Anahata-chakra jullie geeft. Haal diep adem en voel de energie en
de liefde door jullie hart stromen.'

Aditi kruiste haar armen over haar borstkas.

'Namaste!'

Liv deed haar ogen langzaam open. Ze voelde een bijzondere kalmte
in haar lichaam. Een heel nieuw gevoel. Harmonie. Puurheid. Precies
wat ze hier had willen vinden.

De andere vrouwen stonden langzaam op, legden de matjes waarop
ze hadden gezeten terug en verlieten de ruimte zwijgend. Liv bleef
achter, ze wilde geen afscheid nemen van het gevoel dat ze had. Ze
keek naar de spiritueel leidster, die zachtjes praatte met een paar vrouwen die op weg naar buiten waren. Vandaag was Aditi helemaal in het
groen gekleed, de kleur van Anahata, het hartchakra. Haar blonde haar
zat in een elegante knot. Alleen de kleine rimpeltjes bij haar groene
ogen verraadden haar leeftijd.

Mooie Aditi. Haar hele wezen straalde harmonie en liefde uit.

Liv hoopte dat ze dat ook zou doen als ze de vijftig was gepasseerd.
Dat ze het evenwicht dat ze hier dankzij Aditi had gevonden, zou kun-

nen vasthouden. Ze rechtte haar rug, strekte haar benen en ging langzaam staan. Aditi liep met een warme glimlach op haar gezicht naar haar toe.

'Hoe voel je je, Liv?'

'Fantastisch.'

Aditi sloeg haar arm om Liv heen.

'Mooi. Neem dat gevoel met je mee, plus dit.'

Aditi hield haar een fles water voor, die Liv dankbaar aanpakte.

'Ga naar de tuin en neem alle kleuren en geuren in je op. Geniet van de stilte en de liefde die je met je meedraagt.'

Plotseling ging er een deur open en Aditi's assistent kwam het lokaal binnen. Een beetje haastiger dan gebruikelijk was in de retraite, waar alles werd gekenmerkt door rust en harmonie. Liv voelde dat Aditi's arm rond haar middel verstijfde voordat ze die wegtrok om Sirikit te woord te staan. De twee vrouwen praten zachtjes in het Thais en Liv zag hoe Sirikit over Aditi's schouder naar haar keek. Praatten ze over haar? Aditi draaide zich om en liep naar haar terug. Liv probeerde haar gezichtsuitdrukking te lezen. Was er iets gebeurd?

'Liv.'

Aditi pakte haar handen vast en kneep er hard in.

'Ja?'

'Je moet naar huis bellen.'

'Maar we mogen onze telefoons toch niet gebruiken tijdens...'

Aditi onderbrak haar.

'We maken een uitzondering, het is belangrijk.'

Belangrijk? Wat was er gebeurd? Liv voelde hoe het bereikte evenwicht in haar lichaam enigszins verstoord raakte. Was er iemand ziek geworden? Of gewond geraakt? Haar moeder? Was ze van die ellendige wankele trap gevallen?

'Zeiden ze niet waar het over ging?'

'Nee. Maar je kunt met mijn telefoon bellen. Ga mee.'

Aditi sloeg haar arm weer om Liv heen en leidde haar voorzichtig uit de kamer en door de lange gewelfde gang. Liv rook de geur van de witte bloemenslingers die rond de Boeddhabeelden in de gang hingen. Jasmijn. Ze hield van de zware geur, maar plotseling vond ze die doordringend, bijna verstikkend.

Aditi deed de deur voorzichtig achter hen dicht. Liv liep naar het bureau en ging op de zachte, oranje bureaustoel zitten. Inmiddels was er niets meer over van het evenwichtige gevoel. Haar hand trilde terwijl ze het telefoonnummer intoetste.

De stem die ze hoorde toen er werd opgenomen, was niet van Sebastian. De stem die het huiveringwekkende nieuws vertelde. Datgene wat niet mocht, wat niet kon, maar wat toch was gebeurd. Geen harmonie ter wereld kon voorkomen dat Livs lichaam reageerde toen ze het te horen kreeg.

Ze braakte over het donkere bureau met het mooie houtsnijwerk, over de glimlachende, gouden Boeddhabeeldjes die netjes naast elkaar bij de telefoon stonden. Aditi was snel bij haar en pakte haar stevig vast, alsof ze probeerde te voorkomen dat Liv in elkaar stortte. De deur ging open en Sirikit kwam met een geschrokken uitdrukking op haar gezicht naar binnen rennen. Op dat moment schreeuwde Liv, een primitieve schreeuw uit de afgrond. Aditi bleef haar stevig vasthouden en wiegde haar.

Uiteindelijk had Liv geen kracht meer over. Haar lichaam ontspande en haar kreten gingen over in snikken.

Zo bleven de twee vrouwen een hele tijd zitten. Sirikit ging ongemerkt de kamer uit en deed de deur dicht. Na een hele tijd ging Aditi rechtop zitten en veegde het haar dat aan Livs gezicht vastkleefde voorzichtig weg.

'Lieve, lieve Liv, wat is er gebeurd? Is het Judith?'

Liv probeerde diep adem te halen om voldoende kracht te verzamelen om de woorden die zo onwerkelijk waren uit te spreken.

'Emelie, het is Emelie. Ze is dood.'

Arild ligt in de gemeente Brunnby, bij de zee, een oeroud vissersdorp met een grote havenpier en een aantal pittoreske kleine vakwerkhuizen die gescheiden worden door smalle stegen. Een populair toeristenoord in de zomer, in de winter de woonplaats van bijna vijfhonderd vaste bewoners.

Hier had de moord op Emelie Andersson plaatsgevonden.

Het gebied rond de woning was afgezet, nieuwsgierigen stonden in kleine groepjes achter het plastic afzetlint. Het gerucht over wat er was gebeurd, was tot elke hoek van de kleine samenleving doorgedrongen. Ze kenden elkaar allemaal op de een of andere manier. De schok was nog steeds onmiskenbaar, iedereen praatte zachtjes met elkaar en als ze naar de tuin wezen gebeurde dat discreet. De brutaalsten waren naar het afzetlint gegaan om vragen te stellen, maar ze kregen allemaal hetzelfde korte antwoord van de politie.

'Daar kunnen we geen informatie over geven.'

In de tuin stelde de technische recherche eventuele sporen veilig. Emelies vader Sebastian Andersson was opgevangen door ambulancepersoneel en was naar het ziekenhuis gebracht. Olivia en Frans hadden geprobeerd hem een paar vragen te stellen voordat hij instortte, maar hij had geen antwoord gegeven. Zijn schoonmoeder zat op een houten bank bij een oude, knoestige appelboom. Een lange man hield haar vast.

Olivia liep naar de kleine zandbak op het grasveld. Een politiefotograaf maakte van alle kanten foto's. Emelies lichaam was weggehaald. Olivia bekeek de plek. Een moordslachtoffer moet in een plas bloed op natgeregend asfalt liggen, dacht ze, niet tussen geel speelgoed in een zonovergoten zandbak. En het mogen vooral geen kleine kinderen met akelig verdraaide hoofden zijn.

Frans en zij waren tegelijkertijd met een andere surveillancewagen bij het huis gearriveerd. Bij het hek hadden ze geaarzeld, alsof niemand als eerste naar binnen wilde gaan, daarna waren ze langzaam naar de zandbak gelopen waar Sebastian zijn dode dochter in zijn armen had gewiegd. Judith had trillend over haar hele lichaam achter hem gestaan. Ze zwegen allebei. Het was een bevroren tragedie, een zwijgend stilleven van ontzetting. Geen van de agenten durfde de stilte te verbreken, dat gebeurde pas toen Sebastian een vertwijfelde, hese brul naar de hemel uitstootte. Daardoor veranderde de macabere scène in een plaats delict met een slachtoffer en familieleden en wisten ze allemaal weer wat ze moesten doen.

Olivia liep naar de houten bank en ging op haar hurken voor de ineengedoken gestalte zitten. Ze wist dat Judith een kalmerend middel had gekregen en dat ze niet naar het ziekenhuis wilde. De arme vrouw hief haar hoofd een stukje en keek met behuilde, verloren ogen naar Olivia, alsof ze probeerde een verklaring te krijgen. Olivia wist niet wat ze moest zeggen. Wat zei je tegen een vrouw wier kleinkind net was vermoord?

'Ik kan je naar huis brengen als je dat wilt.'

Judith keek naar de zandbak waar ze Emelie heel even zonder toezicht had achtergelaten om de telefoon op te nemen. De lange man naast haar was Curre, de man met wie Judith een latrelatie had. Hij boog zich een stukje naar Olivia toe.

'Dat zou fijn zijn. Dan kom ik met de motor. Weet je waar Judith woont?'

'Nee.'

'Ik weet zelf waar ik woon,' zei Judith plotseling terwijl ze ging staan.

Curre volgde haar beweging en sloeg een arm om haar heen.

'Je kunt toch meerijden in de auto?' zei Judith.

Curre knikte en Olivia maakte een gebaar naar de auto. Ze liep voor het stel uit naar het hek en hield dat open toen ze er bijna waren. Net voordat Judith de tuin uit zou lopen, draaide ze zich om en keek weer naar de zandbak. Haar hoofd begon met heel kleine bewegingen te schudden.

'Kom, Judith.'

Curre leidde Judith door het hek en naar een politiewagen. Op het moment dat ze in de auto stapten, begon het te regenen. Voor één keer was dat een goed gevoel, dacht Olivia. Zon en verdriet hoorden niet bij elkaar.

Judith Boelsdotter woonde in Stora Görslöv. Daar had ze haar tuincentrum en theehuis, naast haar woning. Het duurde niet lang om er vanaf Arild naartoe te rijden. Het eerste stuk was het stil in de auto. Judith zat op de achterbank met Curres arm om haar schouders, Olivia keek af en toe via de achteruitkijkspiegel naar het stel. Ze wist niet goed of ze het aandurfde om de noodzakelijke vragen te stellen. Ze wist dat het heel belangrijk kon zijn om zo snel mogelijk antwoorden te krijgen, maar ze wist niet of Judith in staat was om antwoord te geven.

Plotseling verbrak Judith de stilte.

'Liv is in Thailand.'

Haar stem bereikte de voorstoelen nauwelijks. Olivia wist niet of de opmerking voor haar bedoeld was of dat het alleen een vaststelling was.

Ze ging er echter op in.

'Is dat je dochter?'

Ze kreeg geen antwoord. Olivia wist dat Emelies moeder Liv heette, maar niet dat ze in Thailand was.

'Is ze geïnformeerd?'

Olivia voelde hoe ongelofelijk formeel het klonk. Geïnformeerd? Was dat een manier om zichzelf te verbergen? Om niet persoonlijk te worden? Betrokken te raken?

'Ze weet het inmiddels,' zei Curre.

'Kun je je voorstellen hoe afschuwelijk dat is? Om dat te moeten horen als ze op vakantie is! Aan de andere kant van de aarde bijna! Wat heb ik gedaan?'

'Je hebt niets gedaan,' zei Curre.

'Maar ik was degene die op haar moest letten! Ik was de oppas!'

Curre trok Judith naar zich toe en streelde haar wang, die nat van de tranen was. Olivia begreep haar reactie. Ze kon zich de schok van de moeder ook voorstellen toen ze te horen had gekregen wat er was gebeurd. Of misschien kon ze dat niet. Er waren grenzen aan het inlevingsvermogen van een mens en waarschijnlijk was die in deze situatie bereikt: wat een moeder voelt als ze hoort dat haar kind vermoord is, was niet te bevatten.

'Wat doet ze in Thailand?'

Olivia vroeg het voornamelijk om het gesprek op gang te houden. Om andere vragen te kunnen stellen. In de achteruitkijkspiegel zag ze hoe Judith haar gezicht afveegde met haar lichtblauwe mouw. Toen ze antwoord gaf, was haar stem weer weggezakt.

'Ze bezoekt de retraite van een vriendin van me. Liv heeft belangstelling voor meditatie en yoga.'

'Wat doet ze voor werk?'

'Ze helpt me in mijn tuincentrum.'

'Aha. En Sebastian?'

Judith gaf geen antwoord en liet haar hoofd op Curres borstkas zakken.

'Hij werkt bij een asielzoekerscentrum in Hässleholm,' zei Curre.

'Weten jullie of het gezin op de een of andere manier bedreigd is?'

Nu had ze het gezegd. De vraag die ze wilde stellen en die tot meer noodzakelijke vragen kon leiden. 'Heb je iemand bij het huis gezien? Een vreemde auto in de straat? Hoe lang is Emelie alleen geweest? Heb je gezien dat Sebastian arriveerde?' Vragen die de moordonderzoekers zouden stellen, maar waar ze nu al graag antwoord op wilde hebben.

'Het is waarschijnlijk beter als je Sebastian daarnaar vraagt,' zei Curre.

Olivia knikte en sloeg af naar Stora Görslöv. Zo meteen zou het moment voorbij zijn. Ze wilde de volgende vraag net stellen toen Judith haar voor was, zo zachtjes dat het aan fluisteren grensde.

'Waarom vermoordt iemand een kind?'

De arts was een jaar of vijfendertig, droeg een bril met een dun, ovaal montuur en had een koortsblaasje op zijn onderlip. De vrouw die tegenover hem zat was inspecteur bij de Rijksrecherche en heette Mette Olsäter. Ze naderde haar pensioen en was zeventien van haar zesennegentig kilo kwijtgeraakt. Helaas was ze daartoe gedwongen.

Ze had namelijk ouderdomsdiabetes.

Vier maanden geleden was ze tijdens een bestuursvergadering in elkaar gezakt en naar het ziekenhuis gebracht. Daar was geconstateerd dat haar bloedsuikerwaarden rampzalig hoog waren, wat het gevolg was van een alarmerend lage insulineproductie. De arts, degene die op dit moment vanaf de andere kant van de tafel naar haar glimlachte, had Metformine voorgeschreven, een geneesmiddel dat helpt om de insulineproductie van het lichaam te verbeteren. Tot nu toe werkte het. Haar waarden waren gestabiliseerd en daarnaast was ze flink afgevallen. Niet door de pillen, maar door haar voedingspatroon te veranderen.

De arts deed zijn bril af en keek naar Mette.

'Hoe voel je je over het algemeen?'

'Goed. Ik moet de hele tijd plassen, ik heb 's avonds moeite met zien en ik ben voortdurend doodmoe.'

'Maar je valt af,' zei de arts met een glimlach.

'In een razend tempo, inderdaad. Ja, ik val af en dat is fijn. Maar het is een beproeving.'

'Door wat je eet?'

'Mijn man houdt van alles wat ik niet mag hebben. We hebben eigenlijk nog maar één gemeenschappelijke noemer als we aan tafel zitten.'

'En dat is?'

'Sterkedrank en wijn.'

Mette had in haar oren geknoopt dat kleine hoeveelheden pure alcohol en wijn het bloedsuikergehalte lieten dalen. Daar was haar man Mårten heel dankbaar voor. Hij was een levensgenieter en leed onder Mettes spartaanse maaltijden. Maar een beetje alcohol verlichtte de kwelling waarvan hij getuige was enigszins. Bovendien had hij op psychologisch niveau de overhand als ze over haar diabetes praatten. Mårten probeerde al jarenlang om Mette minder hard te laten werken, om elke zaak die op haar bureau belandde niet als een bulldozer aan te pakken. Tevergeefs. Mette was zoals ze was, waardoor ze bij de Rijksrecherche een legende was geworden, maar door de stress had ze nu diabetes gekregen. Dat dacht de vriendelijke man tegenover haar in elk geval.

'Als het niet erfelijk is, dan is het vrij normaal dat het veroorzaakt wordt door stress,' had hij gezegd.

In Mettes familie kwam geen diabetes voor, dus moest ze de diagnose 'stress' accepteren. Een woord dat ze zo lang mogelijk probeerde te vermijden toen ze aan Mårten uitlegde wat ze had en hoe dat kwam.

'De arts weet het niet precies,' zei ze.

'Het was dus geen stress?'

'Waarom zou het dat zijn?'

'Dat is een vrij gebruikelijke oorzaak als het niet erfelijk is.'

'Sinds wanneer ben jij arts?'

Daar bleef het bij, maar Mette begreep dat Mårten het wist en dat ergerde haar.

Ze hield niet van opmerkingen zoals 'ik heb het je toch gezegd'.

Maar nu was ze Mårten kwijt. Tijdelijk. Ze had hem en hun jongste dochter Jolene op Arlanda uitgezwaaid. Ze gingen naar Marrakech met een goede vriend van het gezin, Abbas el Fassi. Eindelijk zou ze een tijdje alleen zijn, zij met haar boetekleed. Bovendien gunde ze het Mårten om zich tegoed te doen aan alles waar ze zelf vanaf moest zien, zonder dat er een slankere maar saaie vrouw tegenover hem zat die elk in knoflook gebakken schijfje aardappel dat hij at begerig volgde.

'Dan wens ik je succes!'

De arts was opgestaan en stak zijn hand uit. Mette schudde hem. Succes waarmee?

'Bedoel je mijn voeding?'

'Ja. Hoe langer je dat in de gaten kunt houden, des te meer je afvalt en des te beter je waarden zullen worden. Het heeft allemaal met elkaar te maken.'

Wat een cliché, dacht Mette.

Toen ze door de glazen draaideur van het ziekenhuis naar buiten liep regende het. Ze keek naar het parkeerterrein. Wat zal ik gaan doen? Een halfjaar geleden zou ze meteen naar de Hötorgs-markthal gegaan zijn om haar man in de grote keuken van Kummelnäs te verrassen met een paar plastic tassen vol lekkernijen uit alle hoeken van de wereld. Nu was er geen man en had ze diabetes.

Op dat moment ging haar mobiel.

Het was een collega van de Rijksrecherche, Oskar Molin. Hij vroeg zich af of ze had gehoord over de wrede kindermoord in Arild in Skåne. Dat had ze niet. Ze was op Arlanda en in het Söder-ziekenhuis geweest en nu stond ze in de regen op een parkeerterrein en keek ze naar een parkeerbon van 700 kronen.

'Misschien betrekken ze ons erbij,' zei Molin.

'Waarom zouden ze dat doen?'

'Gewoon een voorgevoel.'

Mette beëindigde het gesprek en dacht aan Olivia. Lag Arild in haar district?

De avond had het Skånse landschap in dichte duisternis gehuld toen Olivia bij het politiebureau in Höganäs arriveerde. Ze parkeerde voor het gebouw en zag dat er ongewoon veel auto's op het parkeerterrein stonden. Extra opgeroepen personeel, vermoedde ze, om langs de deuren te gaan, sporen te volgen, getuigenissen na te trekken. Terwijl ze de trap op liep keek ze in de keuken. Het was er druk, maar er zaten alleen mannen. Ze haalde diep adem en liep het gebouw in.

Frans en zij hadden een eigen kantoor en daar ging ze naartoe. Ze kwam onderweg niemand tegen, iedereen leek zich in de keuken verzameld te hebben. Het kantoor was leeg. Haar bureau lag vol papieren en tijdschriften, dat van Frans was leeg. Ze ging zitten en wist niet of ze een rapport moest schrijven of moest wachten. Ze wist niet hoe het onderzoek georganiseerd zou worden. Ineens had ze behoefte aan koffie en ze besefte dat ze daarvoor in de keuken moest zijn.

'Hoe is het gegaan?' vroeg Frans toen ze de keuken in liep.

'Ik heb ze naar huis gebracht en daarna heb ik rondgereden.'

'Waar ben je geweest?'

Olivia vond dat ze hem geen antwoord verschuldigd was en liep naar het koffiezetapparaat. De keuken was vrij groot, een van de grootste ruimten in het bureau, en toch was het er vol. Mensen zaten op stoelen, op de tafel, op banken, velen droegen grijze T-shirts, er hing een geur van zweet en pruimtabak in de lucht. Ze voelde de blikken in haar rug priemen toen ze de koffiepot pakte en had het gevoel dat het gesprek was verstomd toen zij binnenkwam.

Dat had ze echter mis.

Ze merkte al snel dat de stilte niets met haar te maken had, er hing een soort neerslachtigheid in de ruimte. De meesten zwegen, en aan degenen die iets zeiden was te merken hoe aangedaan ze waren. Meerdere personen in de keuken hadden contact met het gezin Andersson. Eén agent speelde zaalhockey met Sebastian, een andere had met Liv

29

op de middelbare school gezeten, ze waren allemaal emotioneel, dat was aan hun gezichten te zien.

Olivia schonk een beetje teer uit de koffiepot en constateerde dat er geen melk was. Ze haatte koffie zonder melk, maar er waren ergere dingen. Ze hield de plastic beker in haar hand en vroeg zich af of ze terug moest gaan, maar werd gegrepen door de stemming in de keuken. Er hing een soort collegiale saamhorigheid in de lucht bij deze groep mensen. Ongeacht wie ze waren, ze wisten allemaal waarom ze hier waren en welke zaak ze moesten oplossen.

'Wanneer komen de onderzoekers?' vroeg iemand.

'Ze zijn onderweg.'

'Uit Helsingborg?'

'Nee, die waren druk bezig met een andere zaak. Uit Malmö.'

'Wie gaat deze zaak leiden?'

'Sven Svensson. Hij is goed, maar verdomd politiek correct.'

'Hoezo?'

'Hij kwam niet bepaald voor ons op tijdens dat registerdebat.'

Misschien vond hij het registerdebat gewoon onzin, dacht Olivia, maar ze voelde dat dit niet het moment was om daarover te beginnen. Niet hier, in deze situatie. Met deze groep mannen.

'Ik heb een tijdje geleden met Svensson gewerkt,' zei een blonde agent in burger. 'Hij is heel bijzonder.'

'In welk opzicht?'

'Tja, je weet wel, hij is een beetje excentriek. Als hij een persconferentie heeft trekt hij altijd een oude gele slip-over aan.'

'Hij is toch getrouwd met een Deense?'

'Dat klopt.'

Heel excentriek, dacht Olivia, maar ze besefte dat het gesprek werd gevoerd om niet te hoeven praten over datgene wat te moeilijk was. De moord op een driejarig meisje. Daar had ze alle begrip voor.

Toen het gesprek verstomde, ging Olivia weg. Ze liep haar kantoor in en besloot het rapport uit te stellen. Ze bekeek de feiten die ze had opgeschreven in haar notitieboekje. Namen. Leeftijden. Tijdstippen. Het laatste wat ze had genoteerd was dat Emelie Andersson in 2011 uit Ghana was geadopteerd.

Ze opende het raam en gooide het grootste deel van de koffie weg. Als er een plantenperk onder had gestaan, dan was dat verschrompeld, daarvan was ze overtuigd.

'Ga je naar huis?' Frans stond in de deuropening.

'Ja.'

'Op de fiets?'

'Ja. Hoezo?'

'Ik kan je een lift geven.'

'Waarom dat?'

'Er loopt een krankzinnige moordenaar rond!'

'Dat weten we niet.'

'Wat weten we niet?'

'Of hij hier nog is. Hij kan op dit moment net zo goed in Kopenhagen of in Stockholm zijn.'

'Of misschien is hij dat niet. Dat weten we toch niet?'

Olivia haalde haar schouders op en liep naar de deur. Frans liet haar passeren. Ze liep naar de binnenplaats achter het politiebureau waar ze haar fiets had staan en merkte dat Frans een paar stappen achter haar liep. Ze pakte haar fiets, ging erop zitten en zag dat Frans in de deuropening stond.

'Het is donker in de omgeving waar jij woont,' zei hij.

'Dat klopt.'

'Je woont toch alleen in dat huisje?'

'Ja. Daar heb ik geen problemen mee. Maar toch bedankt. Tot ziens!'

Ze fietste tegen de wind in van de binnenplaats af. Frans keek haar na.

'Daar heb ik geen problemen mee.'

Ze had het heel nonchalant gezegd, voornamelijk om zichzelf tegenover Frans een houding te geven. Om te laten zien dat ze niet bang was. Nu zat ze alleen op haar fiets en ze wist heel goed dat Frans helemaal gelijk had gehad. Emelies moordenaar kon overal zijn. Niemand wist wie het was, het kon een man of een vrouw zijn, een vreemdeling of iemand uit de omgeving. De moordenaar kon iedereen zijn en kon zich overal bevinden. Olivia keek in de duisternis naar de kant van de weg. Tot nu toe had ze de gebeurtenis van vanochtend op de Kullaberg verdrongen, de beweging die ze in een van de houten torens dacht te zien, het onbehaaglijke gevoel waardoor ze in het bos was overvallen, maar nu was het terug. Was daar iemand geweest? Ze begon harder te trappen en probeerde aan iets anders te denken. Het hielp niet. Voor haar geestesoog zag ze de kleine zandbak, de wanhopige vader met het meisje met de verdraaide nek in zijn armen, de merkwaardige stilte toen ze de tuin in liepen. Waar was de moordenaar? In de buurt?

Ze bleef trappen.

Hoe verder de straatlantaarns uit elkaar stonden, hoe sneller haar hart ging slaan. De laatste kilometers fietste ze in het aardedonker, tegen de harde wind in, met het kleine lichtschijnsel van de fietslamp een paar meter voor zich op het wegdek. Toen ze een bocht nam draaide ze zich om. Een flink eind achter haar zag ze een auto. Ze merkte dat hij net zo hard reed als zij fietste. Het was niet ver meer naar haar huis, maar op de fiets met tegenwind zou het zeker nog een kwartier duren. Werd ze gevolgd? Waarom zou dat zijn? Vlak voor zich zag ze twee grote stenen hekpalen en ze maakte een noodstop, reed met haar fiets de tuin in en sprong op de grond. Ze trok de fiets naar zich toe en verstopte zich achter een van de palen. De auto kwam dichterbij. Ze bleef uit het licht van de koplampen. Toen de auto het hek passeerde, zag ze dat het de auto van Frans was, met Frans achter het stuur. Op de stoel naast hem zat iemand. Bracht hij iemand anders naar huis? Waarom reed hij dan zo langzaam? Ze liet de auto passeren zonder zich kenbaar te maken. Toen de rode achterlichten verdwenen waren, liep ze de weg weer op, stapte na een tijdje op en fietste het laatste stuk naar huis.

'Huis' was een grote, grijze stenen woning uit het begin van de twintigste eeuw met een flinke tuin die was omringd door een brede, hoge haag. Helemaal aan het eind van de tuin stond het kleine witte stenen gastenverblijf dat Olivia huurde. Ze had de beschikking over twee kamers en een keukentje, maar dat was genoeg voor haar. Op dit moment waren de eigenaars in Spanje en Olivia verzorgde de post.

Ze keek in de brievenbus bij het hek, constateerde dat die leeg was, deed het hek achter zich dicht en liep naast haar fiets naar het gastenverblijf. De eigenaars van het grote huis hadden overal in de tuin op een timer aangesloten tuinlampen geplaatst die een schemerig licht over het grasveld verspreidden. Olivia zette haar fiets tegen de muur en pakte haar huissleutel. Ze kon het niet laten om zich om te draaien en naar de grote donkere haag te kijken. Ze hoorde de stem van Frans nog steeds in haar hoofd: *'Jij woont toch alleen in dat kleine huisje?'*

Op dat moment besefte ze wat ze was vergeten.

*

Het grote groene vervallen huis in Kummelnäs op Värmdö was indrukwekkend. Niet alleen door de architectuur en het houtsnijwerk, maar ook door de ligging. Het stond op een heuvel met uitzicht over de vaarroute naar Stockholm en lag op loopafstand van de zwemsteiger en de botenhaven.

Dat was echter niet de reden dat de familie Olsäter van het huis hield, dat kwam door de eigenaardige indeling. Niets in het huis volgde strakke lijnen. Er waren kleine zeshoekige kamers, drie meter hoge zalen en personeelsgangen die trappen en doorgangen met elkaar verbonden, terwijl de keuken bestond uit een zee van houtsnijwerk en tegels. Het was een stijl die de eigenaars had geïnspireerd om van alles mee te nemen van diverse reizen naar allerlei plekken op aarde: er was altijd wel een plek in het huis waar je kon neerzetten wat je had meegenomen. Daardoor waren de kamers ingericht met een allegaartje van exotische voorwerpen. Bovendien hadden ze vijf kinderen gekregen, van wie er vier zelf kinderen hadden, en ze waren allemaal van mening dat het huis algemeen eigendom was zolang je lid van de familie Olsäter was. Gedurende lange perioden had het gefungeerd als een collectief om te overwinteren, maar dan binnen de familie.

Daarom reageerde Mette zoals ze die avond deed. Ze was het niet gewend. Ze was gewend aan geluid, gelach, rennende voeten, muziek, kinderen en Mårten. Nu was het doodstil in het huis. Ze was alleen. Dat was ze ook niet gewend. Zolang ze zich kon herinneren was Mårten er geweest, als een biologische toevoeging aan het huis. Heel zelden, misschien een paar keer gedurende al hun jaren samen, was hij alleen op reis geweest, maar toen waren de kinderen er. En Mårtens oude moeder Ellen, die op zolder woonde. Nu was Ellen dood en was Mårten met Jolene in het buitenland. Mette was helemaal alleen in het grote huis. Ze wist niet precies waar alle kinderen en kleinkinderen waren, maar ze waren in elk geval niet hier. Het was een merkwaardige situatie voor haar.

Het eerste uur nadat ze was thuisgekomen, liep ze door de kamers en probeerde het fijn te vinden dat het zo stil en leeg was, dat ze alleen was. Dat werkte maar een paar minuten. Toen ze in de keuken belandde, de verzamelplek van het huis, voelde ze hoe ontzettend verlaten het was. Ze deed het licht boven het aanrecht aan, haalde een dode muis uit de val onder de gootsteen, gooide hem in de vuilniszak en schonk een glas wijn in.

Dat lag binnen de regels voor haar dieet.

Nadat ze bij de grote, mat geschuurde, houten tafel was gaan zitten en aan het magere aanbod in haar boodschappentas dacht, begon ze bijna te huilen. Voelde het zo om alleen te zijn? Stel dat Mårten stierf? En Jolene naar dat speciale woonproject verhuisde? Jolene had het syndroom van Down en was inmiddels twintig jaar. De laatste tijd had ze het erover dat ze wilde proberen om zelfstandig in een speciaal woonproject te wonen. Een bijzonder traumatisch onderwerp voor Mette. Ze begreep Jolene en wilde dat alles zo goed mogelijk geregeld was voor haar, natuurlijk, maar er was een keerzijde aan de medaille: Mette zou niet langer nodig zijn. Niet op de manier waarop ze dat twintig jaar lang was geweest. Gedurende de jaren was haar positie bijzonder duidelijk geweest en nu moest ze die rol misschien loslaten. Wie zou haar dan nog nodig hebben? Mårten? Hij had haar niet op dezelfde manier nodig als Jolene. Hij was haar man en had andere behoeften.

En hij kon overlijden. Hij was tenslotte bijna zeventig. Wat zou er dan gebeuren? Zou ze hier in de keuken zitten met haar boetekleed en een fles wijn en een paar suikervrije maaltijden en eenzaam oud worden? *In het ergste geval kan het tot blindheid leiden.* De arts had haar het worstcasescenario gegeven toen ze hem uithoorde over ouderdomsdiabetes. Ze zou blind kunnen worden. Dan moest ze met een witte stok in dit onmogelijke huis rond strompelen, op zoek naar het toilet om voor de zeventiende keer te plassen.

Plotseling begon ze te lachen.

Mette had heel zelden last van zelfmedelijden. Ze was in principe een buitengewoon rationele, analytische vrouw met een indrukwekkend vermogen om afstandelijk te kijken naar een probleem waarmee ze werd geconfronteerd. Tijdens haar werk bij de Rijksrecherche, maar nu ging het om haar privéleven. Daarin was ze minder afstandelijk.

Maar uiteindelijk lachte ze wel.

*

Ze was de uitgescheurde kaart vergeten die ze in haar zak had gestopt voordat ze bij de Kullaberg wegfietste. Hoe had ze die kunnen vergeten? Omdat er van alles tussengekomen was, dacht ze terwijl ze haar jack in de hal van de haak pakte. De kaart zat nog in haar zak. Ze ging de kleine zitkamer binnen en deed de vloerlamp aan. Er stond een mooie grote fauteuil die de eigenaars voor haar hadden neergezet en daar zonk ze in weg. Ze vouwde de kaart open. Die was heel gedetailleerd en besloeg een deel van Kullabygden. Eén woning was met blauwe balpen omcirkeld: het tuincentrum van Judith Boelsdotter in Stora Görslöv.

Olivia liet de kaart zakken en probeerde het verband te vinden. Wie was de kaart verloren? Waarom was juist Judiths woning omcirkeld? De oma van de vermoorde Emelie? Was dat toeval? Ze besefte dat de kaart waardevol was voor het onderzoek en vervloekte zichzelf dat ze hem had aangeraakt. Ze kwam overeind en ging op zoek naar een plastic map. Voorzichtig schoof ze de kaart in de map en legde hem op de kleine, ronde houten tafel bij de fauteuil. Ze draaide zich om, liep naar het raam en keek naar buiten. Het licht scheen door het raam en verlichtte een stukje van het gazon. Ze kon de haag niet zien. Ze liep naar de vloerlamp, deed hem uit en liep terug naar het raam. Nu ben ik niet meer zo duidelijk zichtbaar, dacht ze. Heb ik de deur op slot gedaan? Ze liep naar de hal, controleerde of de deur op slot zat, schoof de extra grendel dicht en keerde naar het raam terug. Daar stond ze een hele tijd verdiept in haar gedachten, tot de stilte plotseling werd verbroken door een scherp geluid. Ze schrok en stootte bijna een potplant op de vloer.

Het was haar mobiel, die in de keuken lag. Ze pakte hem bij de tweede keer overgaan op en zag dat het Mette Olsäter was. Precies degene die ik nodig heb, dacht ze en ze nam op.

'Hallo!' zei ze. 'Wat fijn dat je belt.'

'Hoezo?'

'Ik heb iemand nodig om mee te praten.'

'Ik ook.'

'O ja? Is er iets gebeurd?'

'Nee. Juist daarom. Doe je onderzoek naar die vreselijke kindermoord?'

'Ja.'

Olivia liep de zitkamer in en ging op de fauteuil zitten zonder de vloerlamp aan te doen. Alleen Mettes stem kalmeerde haar al.

'Hoewel, onderzoek doen,' zei ze. 'Er zijn onderzoekers onderweg vanaf Malmö, ik ben maar voetvolk.'

'Pure verspilling.'

Olivia wist dat Mette niet enthousiast was over haar baan in Höganäs.

Ze had Olivia veel liever in Stockholm onder haar vleugels genomen, maar het was niet anders.

'Hoe is het daar?' vroeg Mette.

'Op dit moment hebben we nog geen spoor van de dader. De technische recherche heeft een rapport gemaakt, maar dat gaat waarschijnlijk rechtstreeks naar de onderzoeksgroep.'

'Door wie wordt die geleid?'

'Ene Sven Svensson.'

'De augurk?'

'Wordt hij zo genoemd?'

'Vroeger wel. Tom en ik hebben af en toe met hem samengewerkt. Hij is goed. Je mag hem de groeten van me doen.'

'Dat zal ik doen.'

Hoewel ik niet weet of ik moet vertellen dat hij 'de augurk' wordt genoemd, dacht Olivia.

'Wat zegt je intuïtie?' vroeg Mette.

Mette had veel respect voor Olivia's voorgevoel, of intuïtie. Die had hun bij een paar belangrijke zaken waaraan ze samenwerkten de juiste richting gewezen. De vraag was dus niet zo vreemd voor Olivia.

'Ik weet het niet,' zei ze. 'Het voelt tot nu toe als een psychopaat.'

'Waarom?'

'Wat zou er anders voor motief kunnen zijn om een driejarig meisje te vermoorden?'

'Een moord op bestelling. Wraak.'

'Voor wat?'

Het was een retorische vraag, Mette kon dat tenslotte niet weten.

'Hoe staat het met de familieverhoudingen?' vroeg Mette.

'Daar zijn we net aan begonnen. De moeder is vanuit Thailand op weg naar huis.'

'Oké. Dus je neigt naar een psychopaat?'

Olivia liet de vraag een paar seconden op zich inwerken. Ze wist niet of ze moest vertellen waarover ze had nagedacht toen ze vanmiddag in haar eentje in de politiewagen had rondgereden. Maar het was tenslotte Mette.

'Misschien gaat het om iets heel anders,' zei ze.

'Zoals?'

'Het is meer een gevoel. Dit is niet bepaald een immigrantvriende-lijke omgeving.'

'Nee. Dus?'

'Emelie Andersson was geadopteerd, uit Ghana, en haar vader werkt bij een asielzoekerscentrum.'

'Bedoel je dat er een racistisch motief achter kan zitten?'

'Daar heb ik geen enkel bewijs voor.'

'Puur intuïtie?'

Inderdaad, het voorgevoel dat ze voor de eerste keer had gehad toen ze 's middags een paar woningen was gepasseerd met een rode vlag met een geel kruis erop, het symbool van een onafhankelijk Skåne, en dat leidde naar de gedachte aan de sterke basis die de Zweden-democraten hier hadden en daarna naar het feit dat de neonazistische beweging Zweeds Arisch Verzet in deze provincie een van zijn sterkste bolwerken had. Een gedachtegang die uitmondde in een intuïtie.

'Ja, puur intuïtie,' antwoordde Olivia.

'Oké. Je weet dat we op alle mogelijke manieren assistentie verlenen als het actueel wordt.'

'Ik geloof niet dat de plaatselijke politie er heel enthousiast over is om de Rijksrecherche hiernaartoe te halen.'

'Dat is zelden zo. Vooral als we hun zaken voor ze oplossen.'

Olivia lachte even.

'Hoe gaat het met jou?' vroeg ze. 'Jij hebt gebeld.'

'Ik heb het fantastisch naar mijn zin. Mårten en Jolene zijn met Abbas naar Marrakech, maar dat wist je toch?'

'Zijn ze vandaag vertrokken?'

'Ja.'

'En jij hebt het fantastisch?'

'Ja.'

Het bleef een paar seconden stil.

'Een beetje fantastisch,' zei Mette.

'Dus je bent alleen thuis?'

'Ja.'

'Ik begrijp het.'

Wat Olivia begreep bleef in de lucht hangen, ze vermoedde dat Mette zich eenzaam voelde en haar gezin miste, anders had ze niet gebeld. Maar Mette werd zelden persoonlijk, daarom had ze zich geconcentreerd op de moordzaak. Ze is soms zo gemakkelijk te doorzien, dacht Olivia terwijl ze tegelijkertijd dankbaar was voor het gesprek. Daardoor dacht ze niet meer aan de moordenaar die zich misschien achter

de haag verstopte en aan kwam sluipen over het slecht verlichte grasveld.

'Heb jij nog contact met Tom gehad?' vroeg Mette.

'We hebben elkaar gisteren gesproken. Hij is van plan een baan te
zoeken.'

'Bij de politie?'

'Nee, als huismeester.'

De potentiële huismeester stond in de Katarina Bangata in Stockholm en leunde tegen een boomstam. Het was laat op de avond en er waren alleen een paar eenzame hondeneigenaars op straat die in de gure wind naar buiten moesten. Tom Stilton keek naar een dronken vrouw van middelbare leeftijd die een eindje verderop probeerde om de zachte poep van haar hond met een zwart plastic zakje op te pakken. Zover kan het komen, dacht hij, waarna hij zijn blik op de gevel tegenover hem richtte. De onderste verdieping bestond uit winkels, op één na waren ze allemaal donker. Dat was het antiquariaat van Ronny Redlös. Door de etalage zag Stilton hoe vol het binnen was, niet alleen met kasten en tafels met boeken, maar ook met daklozen. Hij herkende meerderen van hen van zijn eigen jaren als dakloze, Benseman en Arvo Pärt bijvoorbeeld, een paar gezichten waren nieuw. Hij kreeg een warm gevoel in zijn borstkas toen hij zag dat Muriel er ook was, de jonge junk uit Bagarmossen die niet zo jong meer was, maar nog steeds leefde.

Hij wist waarom ze allemaal in de winkel waren.

Ronny had een paar maanden eerder een project opgezet dat hij *Voeding voor lichaam en ziel* noemde. Het idee was om daklozen een maaltijd te geven in ruil voor een halfuur luisteren naar Ronny, die voorlas uit wat hij als 'onontbeerlijke literatuur' beschouwde. Ronny was overtuigd van de kracht van literaire belevenissen en hoopte dat de afspraak van eten en drinken in ruil voor een halfuur onderdompeling in de woorden en gedachten van grote mannen en vrouwen levens zou veranderen. Niet alle daklozen die naar het antiquariaat waren gekomen, waren daarvan overtuigd, maar de verse broodjes kaas en ham met koffie, thee of een glas rode wijn zorgden ervoor dat het project een succes was. Hoewel ze niet op het eten en drinken mochten aanvallen voordat Ronny klaar was met voorlezen.

Hij kende zijn pappenheimers.

Nu zat Ronny in een grote oorfauteuil met het licht van een gebogen vloerlamp boven zich voor te lezen uit Lars Ahlins debuutroman *Het manifest van Tåbb*. Hij naderde het einde.

'Plotseling begreep ze Tåbbs kritiek op de patriarchaal-kapitalistische samenleving. Het was niet anders dan een soort afwijkende mannelijke vrucht. Het was niet zo vreemd dat de beschaving zo machinaal, technisch en oorlogszuchtig was geworden. Een mens ontstaat door samenwerking tussen man en vrouw. Moest het creëren van cultuur dan niet op dezelfde voorwaarden plaatsvinden? Moesten de mannelijk eenslachtige cultuur en civilisatie niet vervangen worden door een menselijkere, waarbij het mannelijke en vrouwelijke deel een onscheidbare verbinding aangingen?'

Ronny sloeg het boek dicht en keek naar de kwetsbare groep.

'Nou, wat vinden jullie ervan?'

Zoals gewoonlijk bleef het stil. Sommigen wachtten op het teken dat ze konden aanvallen op het eten en drinken, anderen probeerden een manier te vinden om zich uit te drukken. Ronny wachtte af. De laatste tijd waren er steeds vaker kleine aarzelende gesprekken op gang gekomen over wat hij had voorgelezen: iemand verwees naar aanleiding van de tekst naar eigen ervaringen, een ander probeerde het te begrijpen, een derde begon een eigenaardige, filosofische redenatie.

Alles was manna voor Ronny.

Deze keer duurde het extra lang. Uiteindelijk was Arvo Pärt degene die de stilte verbrak.

'Tåbb,' zei hij. 'Wat is dat in vredesnaam voor naam?'

'Hij heet Tobias,' legde Ronny uit.

Als Pärt wat aandachtiger had geluisterd, dan had hij dat geweten, maar Ronny zag ervan af om hem daarop te wijzen. Pärt had de stilte tenslotte verbroken.

'Wat bedoelt hij met die mannelijke vrucht?' vroeg Muriel met haar ijle stem. Ze was een tand in haar bovenkaak kwijtgeraakt en probeerde het zwarte gat te verbergen met haar bovenlip. Ze had een hard leven, dat wist iedereen in de winkel. Ze moest haar spichtige lichaam verkopen om geld bij elkaar te krijgen voor datgene waardoor ze vergat dat ze haar lichaam moest verkopen. Ze leefde in een onmenselijke spiraal.

'Hij bedoelt dat de maatschappij waarin we leven opgebouwd is door mannen en dat het een betere maatschappij zou zijn als vrouwen en mannen die samen zouden opbouwen.'

'Had hij het over gelijkwaardigheid?' vroeg Arvo Pärt.
'Ja, maar dat deed hij al in 1943.'
'Begrepen ze waarover hij het had?'
'Dat weet ik niet, maar dit boek is destijds door bijna honderdduizend Zweedse arbeiders gelezen, tegenwoordig kijken ze naar *Bingolotto*.'

Ronny kon de opmerking niet binnenhouden, ook al was die irrelevant en overdreven. Het weerspiegelde echter de berusting van een boekenliefhebber over de literaire vervlakking die de huidige tijd kenmerkte.

Stilton wachtte op straat, hij wilde om meerdere redenen niet worden gezien. Een daarvan was dat hij het daklozenleven achter zich had gelaten, een andere dat hij niet wilde storen. Hij wist dat hij de aandacht van Ronny's voorlezen zou wegnemen als hij naar binnen ging. Hij was als dakloze al speciaal geweest, met zijn achtergrond als recherchecommissaris bij de Rijksrecherche, en hij werd nog specialer toen hij van de straat verdween en zijn leven redelijk op orde kreeg.

Dat was helaas niet normaal.

Dus bleef hij in de duisternis staan en zag het antiquariaat in een kalm tempo leegstromen. Benseman, de lange, belezen inwoner van Norrland die een paar jaar geleden zo ernstig was mishandeld dat hij het bijna niet had overleefd, kwam als laatste naar buiten. Tegenwoordig werkte hij een paar uur per week bij Ronny. Niemand wist wat hij de rest van de tijd deed. Ooit zou Stilton het aan hem vragen.

Maar nu niet.

Zodra Benseman om de hoek verdween, ging Stilton het antiquariaat binnen en deed de deur achter zich dicht. Ronny was bezig met opruimen.

'Het was druk vanavond,' zei Stilton.

Ronny draaide zich om en knikte.

'Misschien kun jij ook een avond langskomen,' zei hij. 'Wanneer heb je voor het laatst iets zinnigs gelezen?'

'Wat is "zinnig"?'

'Woorden die iets betekenen. Gedachten die anders zijn dan de gedachten die je zelf hebt. Ben je daar nooit nieuwsgierig naar?'

'Nee.'

Ronny schudde zijn hoofd even en schonk wat rode wijn in een groot plastic glas.

'Weet je dat ik deze glazen gratis van de Coop in de Östgötagatan krijg?'

'Waarom dat?'

'Verborgen sponsoring. De eigenaar van de winkel is enthousiast over het project.'

Stilton leunde voorzichtig tegen een tafel met boeken; hij was bijna twee meter lang en woog wat een getraind lichaam van die lengte doet. De tafel hield het echter.

'Je wilde me iets laten zien,' zei hij.

'Ga zitten.'

Ronny maakte een gebaar naar de oorfauteuil, Stilton ging zitten en Ronny pakte een dik boek uit de kast naast zich.

'Dit is het. Het zat in een doos boeken die ik een tijdje geleden gekocht heb.'

Stilton pakte het boek aan. Het heette *De monnik* en was in het midden van de achttiende eeuw geschreven door de Engelsman Matthew Lewis.

'Wat is ermee? Moet ik het lezen?'

'Dat mag je doen, hoewel je daar waarschijnlijk niet nieuwsgierig genoeg voor bent, maar als je het openslaat, word je misschien wat nieuwsgieriger.'

Stilton sloeg het boek open en zag dat hier en daar stukjes papier tussen de bladzijden uitstaken. Hij trok een van de papiertjes eruit en zag dat het een krantenartikel was. Hij vouwde het knipsel open en keek ernaar. Ronny hield zijn reactie in de gaten. Die was heel duidelijk.

'Alle knipsels hebben hetzelfde onderwerp,' zei Ronny.

*

Olivia lag in bed, een eenvoudige slaapplek in een kamer met witgepleisterde muren en een raam met spijlen aan het voeteneind. Ze had de lamp op haar nachtkastje uitgedaan en probeerde haar hoofd leeg te maken. Slapen. Ze voelde hoe haar lichaam versuft raakte en ze weggleed. Ze was vermoedelijk milliseconden van de grote duisternis verwijderd toen ze vanuit het niets aan de haarwokkel dacht. De groene haarwokkel die aan het stuur had gehangen. Die was verdwenen en nu belette hij haar om in slaap te vallen. Ze wist dat ze hem goed aan het stuur had gehangen zoals ze altijd deed, hij kon er niet vanaf gevallen zijn en hij was weg toen ze naar huis fietste. Wie had hem gepakt? Degene die de kaart had laten vallen? Maar waarom? Een haarwokkel nota bene. Ze voelde dat ze niet meer in slaap zou vallen en stond op. Die verdomde vragen die altijd opdoken als ze naar bed ging. Soms wilde ze dat ze slaappillen had, of iets anders waardoor ze in slaap zou vallen.

Dat had ze echter niet.

Ze moest genoegen nemen met een glas water in het keukentje.

Soms hielp dat, soms niet, soms hielp het om op een andere plek te slapen. Ze liep de slaapkamer in, pakte het dekbed en de matras en liep naar de zitkamer. Op weg daarnaartoe controleerde ze de deur nog een keer. Daarna legde ze de matras op de vloer en kroop onder het dekbed.

Dat hielp.

Niet meteen, maar na een tijdje zakte ze weg. Het laatste wat haar hersenen registreerden was een gekwelde, fluisterende stem die vroeg: '*Waarom vermoordt iemand een kind?*'

*

Stilton hield het dikke boek in zijn handen en keek naar de donkerrode aak. Luna's aak, *Sara la Kali*, lag in de werf aan de andere kant van het water. Hij stond bij de Pålsundsbrug op Söder Mälarstrand en wist niet hoe hij het zou aanpakken. Het was helemaal donker op de aak. Hij pakte zijn mobiel en belde Luna, maar kreeg haar voicemail. Hij verbrak de verbinding. Ze was er misschien niet of ze sliep. Hij keek naar de auto's die over de kade reden en voelde hoe de wind zijn gezicht masseerde. Ik heb niet zoveel keus, dacht hij, ik kan vanavond niet meer op Rödlöga komen. Hij liep over de brug naar de aak. De houten loopplank kraakte toen hij naar het dek klom. Hij liep naar de deur die naar het onderdek leidde. Die zat op slot. Zijn sleutel lag nog op Rödlöga, hij was niet van plan geweest om naar de aak te gaan toen hij naar de stad vertrok. Stilton liep een stukje verder en voelde onder de reling. Er zat een gleuf in het hout waar altijd een reservesleutel lag.

Die lag er nu ook.

Stilton pakte de sleutel en opende de deur. Het was donker beneden, maar hij kende de weg. Hij liep naar zijn hut en opende hem. De hut was leeg. Hij had niets anders verwacht, maar had het niet zeker geweten. Hij liep op de tast naar de salon en deed een van de kleine muur-lampen aan. De ovale tafel in het midden was leeg. Geen glazen, geen tijdschriften. Hij vroeg zich af of Luna aan boord zou zijn terwijl hij de gang in keek die naar haar hut leidde.

Hij dacht even na.

Ik ga naar haar hut en klop aan of ik stel het uit tot morgen. Als ze tenminste in de hut slaapt.

Hij besloot het uit te stellen.

Hij ging bij de ovale tafel zitten en opende het dikke boek. Voorzich-tig trok hij knipsel na knipsel tussen de bladzijden vandaan en vouwde ze open. Toen hij klaar was, was de hele tafel bedekt.

Hij besefte dat het een lange nacht zou worden.

De beestachtige moord op Emelie Andersson had de plaatselijke bevolking angstig gemaakt.

In Mölle werd een reisje van de crèche afgelast, in Viken en Jonstorp werden de kinderen door hun ouders naar school gebracht, ook al woonden ze vlakbij, in Allerum kregen alle leerkrachten de opdracht om tijdens de pauzes op het schoolplein te patrouilleren. De schok van de moord in Arild had zich over heel Kullabygden en landinwaarts verspreid.

Dat was ook te merken aan de persconferentie op het politiebureau van Höganäs, die ongewoon goed werd bezocht. Journalisten van allerlei media verdrongen zich in de vergaderruimte naast de keuken. Helemaal vooraan zat onderzoeksleider Sven Svensson achter een teakhouten tafel, gekleed in een oude gele slip-over. Olivia had zich naar binnen gedrongen en stond helemaal achteraan, ze moest op haar tenen staan om een glimp van hem op te vangen. Hij ziet eruit als het toonbeeld van een moordonderzoeker, dacht ze, een beetje ouder, een beetje grijs, niet al te sportief, kalm en ervaren.

Svensson probeerde alle vragen die in veel verschillende dialecten op hem werden afgevuurd zo goed mogelijk te beantwoorden, maar hij had niet veel te bieden.

'Hoe is het meisje vermoord?'

'Dat is nog niet bekend.'

'Is ze gewurgd?'

'Als het nog niet bekend is, dan is het nog niet bekend. We komen daarop terug.'

'Wanneer?'

'Als we van mening zijn dat het moment gekomen is om het openbaar te maken.'

'Hebben jullie al een verdachte?'

'Nee.'

'Klopt het dat het meisje gevonden is door haar vader?'

'Ja.'

Olivia zag dat Svensson tijdens de hele persconferentie een kleine mondharmonica tussen zijn handen heen en weer liet glijden. Was hij van plan om te eindigen met een deuntje? Dat deed hij niet. Hij sloot af met een algemene beschouwing die hij inleidde met: 'In de huidige situatie hebben we alle hulp nodig die we van de bevolking kunnen krijgen.'

Judith Boelsdotter zat alleen in haar mooie, lichte zitkamer en keek naar de plaatselijke uitzending van de persconferentie. De camera zoomde in op Sven Svensson toen hij zijn beschouwing besloot met de opmerking: 'Ouders moeten toezicht op hun kinderen houden.'

Judith zette de televisie uit en wrong haar handen. Ze had het gevoel dat de opmerking rechtstreeks tegen haar was gericht. Ze had geen toezicht op Emelie gehouden. Als ze dat had gedaan, dan had Emelie nog geleefd. Judith liep naar het raam, opende het, vulde haar longen meerdere keren met zuurstof. De hand die het haakje van het raam vasthield trilde. Ze had er spijt van dat ze naar de uitzending had gekeken. Die was begonnen met een foto van Emelie, een lachende Emelie met een blauw lint in haar bruine, krullende haar. *Is ze gewurgd?* Judith deed het raam weer dicht en leunde met haar voorhoofd tegen het koude, handgeblazen glas. Ze had de hele nacht niet geslapen, was misschien korte momenten weggezakt. Curre had naast haar gelegen en had haar hand stevig vastgehouden tot hij in slaap viel.

Daarna was ze alleen geweest.

Een uur voor zonsopgang was ze opgestaan om naar haar plantenkas te gaan, in badjas en op pantoffels, ze zocht altijd troost tussen haar planten als ze het moeilijk had, praatte tegen ze om tot rust te komen.

Vannacht had zelfs dat haar geen troost geboden.

*

De forensisch patholoog-anatoom haalde een klein plastic skelet tevoorschijn en zette dat voor de groep neer. Er waren zes mannen en twee vrouwen aanwezig. Een van hen was Olivia; ze was door Sven Svensson gevraagd. Ze verdacht Mette ervan dat zij daar iets mee te maken had. De patholoog-anatoom wilde demonstreren in hoe weinig tijd de moord had plaatsgevonden, zodat ze konden bepalen hoe lang de moordenaar in de tuin was geweest. Heel kort, toonde hij met behulp van de kleine schedel aan. De snelle draai van het hoofd van het meisje had haar nek onmiddellijk gebroken.

'Ze was meteen dood.'

De groep absorbeerde de informatie.

'De moordenaar is dus naar het meisje in de zandbak gegaan, heeft haar vermoord en is weer verdwenen?'

'Daar lijkt het op.'

Ze trokken allemaal dezelfde zwijgende conclusie: het was een ijskoude daad. Het tijdsbestek waarin de moord was gepleegd, bedroeg hoogstens een paar minuten. De oma van het meisje was volgens haar verklaring maximaal drie tot vier minuten weggeweest en in die tijd was de vader de tuin in gekomen. Om de moord te kunnen plegen moest de dader zich in de haag bij de rand van het grasveld verborgen hebben. Vanaf die plek was het maar een paar meter naar de zandbak waar het meisje zich bevond.

'Hij heeft dus in de haag staan wachten tot hij een kans zou krijgen?'

'Of zij.'

Dat kon natuurlijk ook, al stond het idee dat een vrouw de nek van een kind had omgedraaid een stuk verder van hen af.

'Als de oma van het meisje niet door een telefoonverkoper was gebeld, dan was de vader op tijd thuis geweest en was de gelegenheid voorbij.'

'Waarschijnlijk.'

Olivia kon het niet laten om te denken aan haar ervaring op de Kullaberg, het gevoel dat iemand zich achter haar tussen de bomen verstopte. Zoals in een haag.

Dat hield ze echter voor zichzelf.

Ze had het beeld van het kleine plastic skelet en de korte, wrede verdraaiing nog steeds op haar netvlies terwijl ze door Höganäs fietste. Toen de mobiel in haar zak overging, nam ze op zonder te kijken wie het was.

'Ja, met Rönning.'

'Wat klink je afstandelijk. Ik ben het maar.'

Lenni! Haar vriendin, naar wie ze zo verlangde. Precies de stem die Olivia wilde horen om de demonstratie van de patholoog-anatoom te kunnen verdringen.

'En Rönning?' ging Lenni verder. 'Waar is Rivera gebleven? Is die onderweg naar Skåne gesneuveld?'

'Ik heb mijn naam nooit officieel veranderd.'

'Goed zo.'

'Goed zo? Jij vond Rivera hartstikke mooi!'

'Jawel, maar die hele toestand met het veranderen van je naam was alleen een poging om je moeder te straffen. En ik vind niet dat ze dat verdient.'

Nietsontziend eerlijk, zoals altijd. Bovendien had ze gelijk, ook al vond Olivia dat er andere redenen voor de naamsverandering waren.

'Het was niet alleen dat,' probeerde ze.

'Nee, maar voor het grootste deel wel. Je voelde je in de steek gelaten omdat Arne en zij je nooit verteld hebben dat je geadopteerd bent en wilde wraak nemen door de naam van je dode moeder aan te nemen. Dat hoef je niet te verbergen. Het was waarschijnlijk een fase waar je doorheen moest.'

'Misschien wel.'

'Misschien? Hallo! Nu heet je Rönning en werk je weer als agent. Wat was het dan, als het geen fase was?'

Olivia lachte.

'Oké, ik geef me gewonnen. Je hebt gelijk.'

'Dat heb ik altijd. Je klinkt buiten adem.'

'Ik fiets.'

'Sportieveling. Heb je al iets van Ove gehoord?'

'Eigenlijk niet zoveel. Hij heeft slecht bereik en geen internet.'

'Zit hij in de jungle?'

'Hij is marinebioloog.'

'En?'

'Die zitten niet zo vaak in de jungle.'

'Er zijn in de jungle toch ook waterlopen of zo. Weet ik veel.'

'Hij zit op een boot om het afsterven van koraalriffen in kaart te brengen.'

'Wat denk jij ervan?'

'Waarvan? Van ons?'

Lenni maakte een snurkend geluid.

'Nee, van het afsterven van koraalriffen. Ik bedoel jullie natuurlijk!'

'Ik weet het niet. We moeten zien. We zijn nooit bij elkaar, dat maakt het niet gemakkelijk.'

'Nee, niet als je het moeilijk maakt.'

'En jij?'

'Geen nieuwe vent in zicht, als je dat bedoelt. Maar weet je wat ik vandaag gedaan heb?'

'Nee.'

'Ik heb me aangemeld voor een rechtenstudie.'

'Wat?'

Olivia slingerde op haar fiets en verloor bijna haar evenwicht. Lenni lachte.

'Ik durf te wedden dat je bijna een greppel in reed.'

'Ja. Ik had er geen idee van dat je daar interesse voor had.'

'Ik zit vol verrassingen, daarom hou je zoveel van me. Ik weet niet of ik aangenomen word, maar ik heb toelatingsexamen gedaan en dat ging hartstikke goed. Dus nu moet je oppassen, over een paar jaar ben ik je baas.'

Olivia glimlachte. Lenni als hoofdcommissaris van politie. Dat zou ze leuk vinden. En anderen ook, daarvan was ze overtuigd.

'Ik zal voor je duimen. Jezus, wat mis ik je, Lenni.'

'En ik jou. Ik snap niet waarom je daar bent om op kippendieven te jagen terwijl je hier achter cokedealers aan kunt zitten.'

'Helaas zijn het niet alleen kippendieven. Heb je gehoord over de moord op dat kleine meisje?'

'Emelie. Natuurlijk. Wat stom van me! Ik dacht er niet bij na. Ben jij met die zaak bezig?'

'Ja, gedeeltelijk.'

'Jezus, wat zwaar.'

'Ja.'

Olivia was bijna bij het politiebureau. Ze minderde snelheid, sprong van haar fiets en begon hem naar de binnenplaats te duwen. Van de andere kant kwam Frans aanlopen. Hij nam een hap van een grote hamburger.

'Luister, ik moet ophangen. We hebben een bespreking. Ik bel je nog.'

'Doe dat. En Olivia?'

'Ja?'

'Ik vind Rönning ook een mooie naam.'

Olivia glimlachte en verbrak de verbinding. Ze keek naar Frans. Hij zwaaide vrolijk naar haar met de hand die niet droop van het vet.

Terug in Höganäs, dacht ze.

Het was bijna lunchtijd en Sven Svensson had iedereen in de ontruimde vergaderkamer van het politiebureau bij elkaar geroepen voor een bespreking. Hij wilde dat iedereen aanwezig was om rapporten, observaties en gedachten te verzamelen. Hij begon met een korte samenvatting van de status van het onderzoek, op een manier waarvan Olivia onder de indruk was. Hij straalde een onmiskenbare autoriteit uit. Dat had te maken met zijn stem, het directe aanspreken en zijn lichaamstaal.

Hij verspreidde een gevoel van veiligheid.

'We hebben van 'twee verschillende kanten gehoord dat een onbekende jogger met een blauwe rugzak in de buurt is gesignaleerd op het tijdstip waarop Emelie vermoord is,' zei Svensson. 'Met onbekend bedoel ik dat hij niet in de omgeving woont. We moeten dat controleren. We weten ook dat de technische recherche nog niets gevonden heeft op de plek waar Emelie vermoord is. Ik stel voor dat we een tijdje brainstormen over het motief. Waarom vermoord je een kind? Begin maar.'

'Hij is een psychopaat.'

Daarna werd het stil. Alsof de gedachte aan een psychopaat het enige aannemelijke was, wat waarschijnlijk ook zo was. Olivia herinnerde zich echter wat Mette de vorige avond had gezegd.

'Misschien was het een moord op bestelling,' zei ze.

'Een opdracht om een driejarig meisje te vermoorden?'

Olivia hoorde zelf hoe onlogisch het klonk.

'Ja. Een vorm van wraak. Ergens voor.'

De suggestie werd genoteerd, maar meer niet.

Svensson bracht het gesprek op de daad en het bijna onwaarschijnlijk korte tijdsbestek voor een onbekende om de moord te plegen, wat verder leidde naar de vader, Sebastian Andersson. Als hij de dader was, dan werd het tijdsbestek iets minder onwaarschijnlijk, maar het bracht andere onwaarschijnlijkheden met zich mee. Olivia noemde de meest logische.

'Waarom zou hij zijn eigen dochter vermoorden?'

'Ze was zijn eigen dochter niet.'

Frans was degene die de bizarre opmerking maakte.

'Wat bedoel je daarmee?'

'Ik bedoel dat ze geadopteerd was.'

'Wat maakt dat voor verschil?'

'Een beetje verschil is er natuurlijk.'

Olivia voelde een lichte braakneiging en Svensson onderbrak het gesprek.

'Omdat we geen idee hebben van het motief voor de moord, denk ik dat we ons moeten beperken tot de feiten. Feit één is dat niemand behalve de dader de moord heeft zien plegen. Feit twee is dat niemand de vader de tuin in heeft zien gaan, en niemand heeft iemand zien weggaan. Feit drie is dat de vader bij zijn dode dochter stond toen zijn schoonmoeder de veranda af liep. Dat is het enige wat we tot nu toe weten. Het onderzoek moet uitwijzen of hij de moord al dan niet gepleegd heeft.'

'Is hij verhoord?'

'Heel kort. Hij bevindt zich nog steeds in een shocktoestand, maar hij beweert dat hij niemand bij of in de buurt van de plaats delict heeft gezien. Alleen zijn schoonmoeder.'

'Wat heeft het technisch onderzoek opgeleverd?'

'Niets opvallends. We krijgen het volledige rapport in de loop van vandaag. Andere ideeën?'

Olivia stak haar hand in haar jaszak en haalde de plastic hoes met de kaart eruit.

'Ik heb dit gisterochtend gevonden.'

'Wat is het?'

'Een uitgescheurde kaart. Iemand heeft de plek omcirkeld waar Emelies oma Judith Boelsdotter woont.'

Svensson pakte de kaart aan.

'Waar heb je die gevonden?'

'In natuurreservaat Kullaberg, bij Himmelstorpsgården. Ik was daar aan het fietsen.'

'Heb je daar iemand anders gezien?'

'Nee.'

Olivia vertelde niets over haar onbehaaglijke gevoel in het bos en de verdwenen haarwokkel. Ze had het gevoel dat dat alleen zinloze vervolgvragen zou opleveren. Ze had niemand gezien, dat was het enige wat op dit moment relevant was.

'Eigenaardig verband,' zei Svensson. 'Juist de woning van Emelies oma?'

Hij hield de kaart nog steeds voor zich.

'Als de dader hem heeft laten vallen, dan vraag je je af waarom die woning omcirkeld is,' zei hij.

'Misschien was hij daar en is hij Judith naar de Anderssons gevolgd,' zei Olivia. 'Toen ze daarnaartoe ging om op te passen.'

'En waarom was hij bij Judith als hij het meisje wilde vermoorden? Zij was tenslotte in Arild.'

Frans hief zijn hand op.

'Judith Boelsdotter heeft toch een theehuis naast haar woning?'

'Inderdaad.'

'Daar kan het telefoontje over gegaan zijn.'

De kaart werd naar de technische afdeling gestuurd.

*

In de advertentie werd iemand gezocht die parttime diverse werkzaamheden in onroerendgoedprojecten van HSB in een aantal woonwijken in Söder zou verzorgen. Een conciërge dus. Stilton wist niet precies wat het werk inhield, maar besefte dat hij de juiste kwalificaties had. Vijfentwintig jaar bij de politie en zes jaar als dakloze hadden hem daarop voorbereid. Conciërge. Hij beschouwde het niet als een eindstation, eerder als een manier om een tijdje een inkomen en een tijdverdrijf te hebben.

De vrouw die verantwoordelijk was voor het sollicitatiegesprek had zich voorgesteld als een medewerker van de afdeling Personeelszaken. Ze zaten in een kantoor dat eruitzag zoals kantoren eruitzien: planken met ordners, grijze jaloezieën voor de ramen, posters van de kunstvereniging van het bedrijf aan de muren en een bureau. Het deed Stilton denken aan een aantal van de kantoren waar hij zijn jaren bij de politie had doorgebracht en dat was geen boeiende herinnering.

Hij antwoordde zo rechtstreeks en kort mogelijk op de formele vragen van de vrouw en dacht dat hij er waarschijnlijk goed voor stond. Het enige waarvoor hij bang was, was zijn geheugen voor cijfers; dat had op zijn donder gekregen door zijn jaren als dakloze. Hij vond het moeilijk om cijfers te onthouden en vermoedde dat dat misschien geen pre was voor deze baan.

Misschien zou die vraag echter niet gesteld worden.

'Hoe is het met je geheugen voor cijfers?' vroeg de vrouw tegenover hem.

'Uitstekend.'

'Je hebt gisteren toch gebeld?'

'Ja.'
'Wat was het nummer?'
'118 118.'
Ze keken elkaar aan en Stilton dacht dat hij er misschien toch niet zo goed voor stond. De vrouw stond op en stak haar hand uit. Stilton schudde hem en voelde hoe zacht die was.
'We nemen contact op als het actueel wordt,' zei ze.
'Maar niet als het dat niet wordt?'
'Nee. Daar is toch geen reden voor?'
'Hoe lang moet ik wachten voordat ik besef dat er geen reden is?'
De vrouw glimlachte, volkomen ongegrond, en liep naar de deur.
'De baan moet binnen een week bezet zijn.'
'Ik begrijp het.'
De vrouw hield de deur open en Stilton passeerde haar. Ze glimlachte nog steeds.

Toen hij buiten kwam vroeg hij zich af waarom hij eigenlijk naar binnen was gegaan. Conciërge? Hij was ooit een van de bekwaamste moordonderzoekers van Zweden geweest, met een echte bezieling en een latent instinct om de waarheid achter ingewikkelde rechtszaken te vinden. Hoe was hij hier beland? Niet dat een baan als conciërge van geen betekenis was, het was een baan die net als alle andere gedaan moest worden, maar juist hij? Stilton schudde zijn hoofd en begon naar de metro op het Medborgarplein te lopen. Hij moest iets anders vinden. Iets constructiefs. De afgelopen tijd op Rödlöga had hij gevoeld dat de rusteloosheid het over begon te nemen, de monotone kalmte die het eenzame eilandenleven bood had zijn werk gedaan. Hij was er klaar mee.

Nu moest hij verder.

Hij wist dat hij verdrong wat hij eigenlijk wilde doen, nadat hij de vorige dag dat boek van Ronny had gekregen. Dat wat hem op gang zou kunnen krijgen. Maar dat betekende een diepgaand onderzoek naar mensen en gebieden waar hij zich eigenlijk niet mee wilde bezighouden, gebieden vol weerzinwekkendheden. Dat hoorde bij het deel van het verleden dat hij had gewist tijdens zijn nachten tussen stinkend huisvuil en in afgelegen houten schuren. Hij wilde daar niets meer mee te maken hebben.

Eigenlijk niet.

Maar wat moest hij dan doen? *Hoe is het met je geheugen voor cijfers?*
Hij liep naar de metro en keek op zijn mobiel. Nog steeds geen antwoord van Luna. Is ze op reis? Hij liep naar de metropoortjes en zag iets verderop een bedelaar zitten, een vrouw met een hoofddoek en een plastic beker voor zich. Hij voelde in zijn zakken, constateerde dat hij geen muntgeld had en liep door het poortje. Op de roltrap naar het perron nam hij een beslissing. Hij wist niet of die beslissing was veroorzaakt door de aanblik van de bedelende vrouw of dat het iets heel anders was.

Hij zou in de weerzinwekkendheden duiken.

Het was logisch geweest als haar man haar van de luchthaven in Ängelholm had gehaald, maar hij was niet nuchter. Bovendien wilde de politie zo snel mogelijk met haar in contact komen. Svensson vroeg Frans
en Olivia om Liv Andersson op te halen. Ze zou met een binnenlandse
vlucht rechtstreeks van Arlanda aankomen. Als ze ertoe in staat was
zouden ze haar naar het politiebureau brengen, anders zouden ze zich
naar haar wensen schikken.

Ze wilde niet naar het politiebureau.

'Ik wil naar Stora Görslöv, mijn man is bij mijn moeder.'

Liv droeg dunne kleding, meer geschikt voor waar ze vandaan kwam
dan waar ze naartoe was gegaan, maar kleding stond niet hoog op haar
prioriteitenlijstje. Ze had een grijze koffer bij zich en Frans tilde die in
de kofferbak op het moment dat Olivia vroeg of ze voor of achter wilde
zitten. Ze ging achterin zitten en Olivia duwde het portier achter haar
dicht. Ze leek vrij beheerst, dacht Olivia, met het oog op wat ze had
moeten meemaken. Minstens vijftien uur vliegen, alleen op een stoel
met al haar gedachten en haar verdriet. Het was mogelijk dat ze een
paar kalmeringspillen had gekregen voordat ze vertrok, maar toch.

Olivia ging achter het stuur zitten en keek naar de jonge vrouw op
de achterbank. Lang blond haar, smalle schouders, een mooi bruinge-
brand gezicht waarin de ogen niet pasten, dacht Olivia. Ze had zelden
zulke verdrietige ogen gezien. Misschien versterkte het contrast met
de gezonde huid die indruk, maar haar ogen hadden een gebroken blik
die Olivia altijd bij zou blijven. Naast een paar andere ogen die ze een
jaar geleden had gezien, van een jong meisje dat in haar keuken had
gezeten en daarna naar haar tante was gegaan en zelfmoord had gepleegd. Ik hoop dat je de kracht vindt om dit te doorstaan, dacht Olivia
terwijl ze de grote weg op reed.

Ze merkte dat Frans gevoel voor de situatie had; hij zweeg zolang Liv
en zij dat ook deden. Intussen vroeg ze zich af hoe ze moest beginnen.

Het was maar een etmaal geleden dat ze met Livs moeder in dezelfde auto had gezeten en niet wist hoe ze het gesprek op gang moest brengen. Dat had zich vanzelf opgelost. Deze keer gebeurde dat niet, dus moest Olivia de eerste vraag zelf stellen.

'We hebben nog niet met je man kunnen praten, behalve heel kortstondig, dus we weten heel weinig over de situatie. Ben je in staat er iets over te vertellen?'

'Nee.'

Het antwoord kwam snel, maar het was zachtaardig, er klonk geen agressie in de stem, alleen de melding dat ze dat niet wilde. Frans keek even naar Olivia voordat hij zijn hoofd omdraaide en naar Liv keek.

'Ik heb veel over Roland nagedacht,' zei hij. 'Blomqvist. Ik heb niets tegen de anderen gezegd, ik wilde het eerst met jou bespreken.'

Olivia had geen idee waar hij het over had. Welke Roland Blomqvist? Frans ging naar de achterbank gericht verder.

'Ik weet daar natuurlijk het een en ander over.'

Olivia zag in de achteruitkijkspiegel dat Liv knikte. Blijkbaar begreep ze waar Frans het over had. Olivia stond op het punt om het te vragen, maar besefte dat het haar beurt was om de situatie aan te voelen en te zwijgen.

'Dat was mijn eerste gedachte toen ik hoorde wat er gebeurd was,' zei Liv zonder haar stem te verheffen. 'Dat Roland erbij betrokken was.'

'Denk je dat dat mogelijk is?' vroeg Frans.

'Ik weet het niet. Hij is nooit gewelddadig geweest.'

'Maar hij is eigenaardig.'

'Dat klopt.'

Olivia hield het niet langer uit.

'Wie is Roland Blomqvist?' vroeg ze.

Frans keek naar Liv.

'Vind je het goed als ik het vertel?'

Liv knikte. Frans draaide zich naar Olivia.

'Roland is een man met wie Liv een paar jaar geleden een relatie heeft gehad, voordat ze Sebastian ontmoette. Hij woont in Lerhamn. Die relatie was toch heel problematisch?'

Het laatste zei hij naar de achterbank gericht, alsof hij een bevestiging wilde hebben van iets wat hij eigenlijk al wist.

'Hij was ziekelijk jaloers,' zei Liv. 'Hij stalkte me toen ik een eind aan onze relatie had gemaakt.'

'Op wat voor manier stalkte hij je?' vroeg Olivia.

'Op een heleboel manieren. Toen ik Sebastian ontmoette, bespioneerde hij ons. Hij kon avonden voor het huis staan of opduiken als ik boodschappen deed en vreemde dingen zeggen. Sebastian had er genoeg van toen hij een keer in de struiken bij het strand naar ons zat te kijken. Ze gingen bijna met elkaar op de vuist. Daarna hing hij niet meer om ons heen en begon hij te mailen.'

'Wat voor mailtjes?'

'Zieke. Soms dreigde hij zelfmoord te plegen, soms zou hij ervoor zorgen dat mijn leven geruïneerd werd.'

'Heb je aangifte gedaan?'

'Nee.'

'Waarom niet?'

'Het werd minder.'

Olivia zag dat Livs hoofd zakte en voelde dat het genoeg was. Dankzij Frans hadden ze in elk geval een naam, Roland Blomqvist.

Toen ze afsloegen naar het tuincentrum in Stora Görslöv stond Judith bij het hek. Olivia bleef in de auto zitten toen Liv uitstapte, ze wilde de ontmoeting niet onnodig verstoren. Ze zag door het raam hoe de twee vrouwen elkaar omhelsden, moeder en dochter, gevangen in dezelfde tragedie, en door Frans' halfopen portier hoorde ze hen zachtjes snikken. Ze gingen rechtop staan toen Frans met Livs koffer naar hen toe kwam. Liv pakte hem aan en keek naar Judith.

'Is Sebastian hier?'

'Ja. Hij is niet helemaal nuchter.'

'Arme ziel.'

Liv draaide zich om en maakte een kort gebaar naar Olivia, alsof ze haar wilde bedanken voor de lift, daarna liep ze samen met Judith de tuin in. Toen het hek dichtviel, stapte Frans in de auto en trok het portier dicht. Ze keken elkaar aan.

'Roland Blomqvist,' zei Olivia terwijl ze haar mobiel pakte.

Ze belde het bureau en vroeg om doorverbonden te worden met Sven Svensson. Eigenlijk had Frans de informatie over Roland Blomqvist moeten geven, maar Olivia was zoals ze was. IJverig. Ze gaf Svensson de naam en beschreef in het kort wat Liv en Frans over Blomqvist hadden verteld.

'Een stalker?' vroeg Svensson.

'Daar lijkt het op.'

'We trekken hem na.'

Olivia beëindigde het gesprek en startte de motor terwijl Frans een flinke dot pruimtabak achter zijn bovenlip stopte.

'Je was goed,' zei ze.

'Dank je. Wij politieagenten hebben alle erkentelijkheid nodig die we kunnen...'

'Hoe goed ken je Blomqvist?' onderbrak Olivia hem.

'Niet zo goed, maar hij is opgegroeid in Kullabygden en er is veel over hem gepraat, hij is anders dan wij.'

'Een immigrant?'

'Nee.'

Frans begreep de ironie niet. Roland Blomqvist was geboren in Skåne en was opgegroeid op een boerderij waar hij nog steeds bij zijn ouders woonde. Op dit moment werkte hij bij een machinefabriek in Höganäs. Dat waren zo ongeveer de feiten die Frans had.

'Leeftijd?'

'Ik geloof dat hij net zo oud is als wij.'

'Jij of ik?'

Frans was tenslotte zes jaar ouder dan Olivia, het was geen nauwkeurige informatie om 'als wij' te zeggen.

'Hij is van mijn leeftijd,' zei Frans.

'Oké. En zonderling?'

'Ja.'

'Denk je dat hij het gedaan kan hebben?'

'Misschien wel. Wie weet wat er gebeurt wanneer het vastloopt in het hoofd van zo'n achtervolger.'

Nee, dat weet je niet, dacht Olivia. Ze moest plotseling ergens aan denken.

'Over achtervolgen gesproken,' zei ze, 'waarom ben je me gisteren met je auto gevolgd?'

'Ik?'

'Toen ik vanaf het bureau naar huis fietste.'

'Ik ben je niet gevolgd.'

'Je reed een stuk achter me, ik fietste in de tegenwind. Was er iets mis met je auto?'

Frans lachte een beetje en verplaatste zijn pruimtabak. Lang genoeg om een antwoord te bedenken, dacht Olivia.

'Ik heb een vriend naar huis gebracht die in dezelfde richting woont,' zei Frans. 'We hebben over de moord gepraat en dat de moordenaar zich overal kan verstoppen, dus hebben we in tuinen gekeken en daarom reden we heel langzaam.'

'Wie was die vriend?'

'Hoezo?'

Op dat moment belde Svensson terug. Frans pakte Olivia's mobiel van het dashboard en nam op.

'Roland Blomqvist staat in het strafregister, onder andere voor een mishandeling,' zei Svensson. 'Waar zijn jullie?'

'Op weg van Stora Görslöv.'

'Kunnen jullie langs Lerhamn rijden om hem op te halen?'

'Hij werkt in Höganäs.'

'Dan gaan jullie daarnaartoe. Ik wil hem hier hebben.'

Frans verbrak de verbinding en Olivia voelde meer dan dat. Ze zag dat zijn borst zwol van trots.

Dat heeft hij verdiend, dacht ze.

*

Er was geen echte verhoorkamer op het politiebureau van Höganäs, de kamer had veel verschillende functies. Op dit moment deed hij dienst als verhoorkamer. De man die aan een kant van het bureau zat was de ondervrager, Bernt Werner, hij maakte deel uit van Svenssons onderzoeksgroep. De man tegenover hem was Roland Blomqvist. Hij was lang en had lang donker haar dat bij elkaar werd gehouden met een elastiekje, en omdat hij door Frans en Olivia van zijn werk was gehaald, droeg hij een smerige blauwe overall. Zijn gezicht was mager en vlekkerig met donkere puistjes, zijn wenkbrauwen waren krachtig en hij had dunne lippen.

Werner keek naar de nicotinegele vingers van de rechterhand; dat zag je tegenwoordig niet zo vaak meer.

'Wat willen jullie weten?' vroeg Roland.

Werner had de bandrecorder even eerder aangezet, had de gegevens ingesproken en had verklaard dat Blomqvist werd verhoord met betrekking tot het onderzoek naar de moord op Emelie Andersson in Arild.

'Waar was je op de ochtend van 17 oktober?'

'Wanneer was dat?'

'Dinsdag.'

'Op mijn werk.'

'Op je werk vertellen ze dat je er niet was. Je had je ziek gemeld.'

'Inderdaad, dat is zo. Ja, ik was ziek.'

'Was je in Lerhamn? Thuis? Je woont op de boerderij van je ouders?'

'Ja.'

'Was je daar?'

'Dat hebben jullie vast al gecontroleerd.'

'Dat is geen antwoord op de vraag.'

'Nee, ik was daar niet.'

'Waar was je dan wel?'

'Ergens anders.'

'Kun je iets preciezer zijn? Waar?'

'Ik heb gewandeld.'

'Je was toch ziek?'

'Niet ziek op die manier.'

Werner keek naar Blomqvist en maakte een aantekening op het vel papier dat voor hem lag.

'Wat schrijf je op?' vroeg Blomqvist.

'Ga je weleens joggen?'

'Soms. Waarom vraag je dat?'

'Heb je dinsdag gejogd?'

'Voor zover ik me dat kan herinneren niet.'

'Ben je in de buurt van Arild geweest?'

'Nee.'

'Wat heb je voor schoenmaat?'

'43.'

Roland Blomqvist vertrok een uur later van het bureau. Olivia zag hem weglopen. Ze keek naar zijn paardenstaart en dacht aan de groene haarwokkel. Ze had er in de vergaderkamer aan gedacht en hij bleef in haar gedachten terwijl Werner kort verslag deed van het verhoor met Blomqvist, met inbegrip van de opmerking dat de verhoorde waarschijnlijk een verstokte roker was omdat hij gele vingers had. Olivia dacht aan de zwakke rookgeur die ze in de toren van Nimis had geroken.

'Wat heeft hij voor schoenmaat?' vroeg Svensson.

'43.'

'Waarom willen jullie dat weten?' vroeg Olivia.

Werner keek naar Svensson, die knikte.

'De technici hebben een schoenafdruk in de haag gevonden, vlak bij de zandbak waar Emelie lag,' zei Werner. 'De afdruk was maat 43.'

De informatie veroorzaakte een korte discussie in de kamer.

'Dan kunnen we Sebastian Andersson dus afschrijven?'

'Als hij niet in de haag stond.'

'Waarom zou hij daar gestaan hebben?'

'We kunnen in elk geval een vrouw als dader afschrijven.'

Olivia wist dat Mette Olsäter minstens schoenmaat 43 had, als het niet meer was. Ze vond het nogal lichtzinnig om een vrouwelijke dader op grond van een schoenmaat uit te sluiten.

Na de bijeenkomst ging ze naar haar kantoor, dat ze met Frans deelde. Hij was er niet. Ze had een aantal foto's van de plaats delict meegenomen en verspreidde die over haar bureau. De foto's van het dode, donkere meisje in haar gele overall waren vreselijk, ook omdat ze aan de tijd herinnerden. Aan hoe hetzelfde meisje even daarvoor als ieder willekeurig kind in die zandbak had gespeeld. Levend. Nu lag ze daar met een verdraaid hoofd. Olivia wist niet zeker waarom ze naar de foto's wilde kijken. Misschien probeerde ze een vermoeden van het motief te krijgen, waarom het leven van juist dit meisje in juist deze zandbak op deze manier was beëindigd. Ze wist het niet. Eén moment had ze tijdens de bespreking op het punt gestaan om over haar intuïtie te vertellen, dat dit meisje misschien het slachtoffer van een haatmisdrijf was. Als ze in een veiligere omgeving was geweest, met mensen zoals Mette of Tom, dan had ze niet geaarzeld. Nu was ze dat niet, en haar contact met de onderzoeksleider was niet zo goed dat ze over haar intuïtie wilde vertellen. Misschien later. Ze legde de foto's voorzichtig op elkaar en dacht aan de gebroken blik in Livs ogen.

*

De zon was een paar uur geleden ondergegaan en had de mensen in Stora Görslöv achtergelaten. Voor de twee vrouwen die in Judith Boelsdotters zitkamer zaten had dat weinig betekenis; ze waren afgesneden van de buitenwereld, de oudere vrouw hield de handen van de jongere vast, hun stoelen stonden dicht bij elkaar. Ze hadden in korte zinnen over de verschrikking gepraat, er was niet veel te zeggen, het was niet in woorden uit te drukken en dat wisten ze allebei.

Judith hief een hand en streelde over haar dochters wang.

'Ik moet je de groeten doen van Aditi,' zei Liv.

'Dank je. Is alles goed met haar?'

'Ja. Ze is zo inspirerend en straalt zoveel levenskracht uit.'

'Dat doe jij ook, ondanks alles.'

Liv glimlachte even en legde haar hand op Judiths hand, die op haar wang lag. Ze had niet veel levenskracht en dat wist haar moeder, daarom was ze naar de retraite gegaan. Het ontbrak haar aan innerlijke kracht en ze had gedacht dat ze op het punt stond om die te vinden toen alles kapotging.

Dat wilde ze Judith echter niet vertellen.

Ze liet de hand van haar moeder los toen ze een klap in de keuken hoorde. Er was een glas op de tegelvloer gevallen.

'Verdomme!' klonk de stem van haar man. Ze wist dat hij daar met een fles whisky zat en heel dronken was. Ze hadden niet veel tegen elkaar gezegd. Sebastian had op de bank zitten huilen toen ze binnenkwam, ze had hem omhelsd en had gemerkt dat hij in zichzelf gekeerd was. Ze had daar volledig begrip voor. Zij had zich ook graag afgekeerd van de wereld met behulp van alcohol of iets anders als ze had gedacht dat dat zou helpen. Ze wist echter dat dat niet zo was. Haar gevoelens zouden alleen twee keer zo krachtig terugkomen en moesten opnieuw verdoofd worden en dat was een spiraal waar ze niet in wilde wegzakken. Ze draaide zich om en zag haar man in de deuropening staan. Hij hield zich vast aan de deurpost en wiegde met zijn hoofd.

'Misschien moet je een tijdje gaan liggen,' zei Liv.

Sebastian gaf geen antwoord.

'Ik heb het bed in de logeerkamer opgemaakt,' zei Judith. 'Daar kun je gaan liggen als je...'

'Hoe heb je dat verdomme kunnen doen?'

Sebastians stem was onduidelijk en zachtjes. Hij praatte tegen Judith.

'Wat bedoel je?' vroeg Liv.

'Wat ik bedoel? Het is verdomme toch duidelijk wat ik bedoel!'

Hij was harder gaan praten, deed een stap de kamer in en wees naar Judith.

'Hoe heb je Emelie verdomme alleen kunnen laten?'

'Sebastian.'

'Het is de schuld van dat verdomde wijf.'

Liv stond op en legde haar handen op Sebastians armen.

'Kom, je bent dronken. We gaan naar huis.'

Ze keek naar Judith.

'Mogen we Curres auto lenen?'

Judith knikte. Haar hele lichaam was verstijfd, haar handen hielden de stoelzitting stevig vast. Liv pakte Sebastian onder één arm en nam hem mee naar de keukendeur, de auto stond achter het huis. Sebastian zette zich plotseling schrap tegen de deurpost en draaide zich naar Judith om.

'Hoe heb je dat verdomme kunnen doen?'

Liv duwde Sebastian de keuken uit en verdween. Judith hoorde de achterdeur dichtslaan. Ze bleef als in trance zitten.

'Hij is dronken,' zei Curre. Hij stond bij de voordeur met een schep in zijn handen en keek naar Judith.

'Judith?'

Judith reageerde niet. Curre zette de schep tegen de halmuur en liep naar haar toe.

'Ik hoorde wat hij zei, hij is dronken. Trek je er niets van aan.'

'Maar het is waar.'

Judiths stem was toonloos en in zichzelf gekeerd, alsof ze tegen zichzelf praatte.

'Ik heb haar alleen gelaten.'

Curre ging op Livs stoel zitten en sloeg een arm om Judith heen.

'Jij hebt niets verkeerd gedaan en dat weten we allemaal. Hij probeert je te kwetsen. Bovendien denk ik dat de pot de ketel niet moet verwijten dat hij zwart ziet.'

Judith kwam uit haar trance en ze keek naar Curre.

'Er zijn mensen die denken dat hij het gedaan heeft,' zei Curre.

'Sebastian?'

'Dat wordt gezegd. Ik was vanochtend in de haven en hoorde twee mensen in de viswinkel praten. Stel dat de vader het zelf heeft gedaan, zeiden ze.'

Judith staarde naar Curre en probeerde te bevatten wat hij zojuist had gezegd. Sebastian? Dat was een volkomen onwaarschijnlijke gedachte voor haar.

Het zaaisel van verderf was echter gezaaid en zou ontkiemen, of ze dat wilde of niet. Ze zou 's nachts in de plantenkas voor zich zien hoe ze naar buiten kwam en Sebastian bij zijn dode dochter zag staan.

Sebastian?

*

Het gebeurde niet zo vaak, maar af en toe had Olivia er behoefte aan om een biertje te drinken of naar de pub te gaan om de eenzaamheid van het gastenverblijf te doorbreken. Het was voornamelijk een manier om te ontspannen.

Dat was vanavond ook zo.

Ze duwde de deur open en liep Glöd binnen, een pub vlak bij het politiebureau. Er waren vrij veel mensen, dat was elke keer zo dat ze hier was geweest. Het is waarschijnlijk een populaire plek, dacht ze terwijl ze naar de bar liep. Ze wilde de onaangename foto's van de zandbak wegspoelen.

'Een biertje graag,' zei ze.

'Van de tap?'

'Ja.'

De barman knikte en begon een glas te vullen. Olivia draaide zich om en zag een eenzame man bij een tafel naast de muur zitten. Sven Svensson? Zit hij hier? Waarom niet, antwoordde ze zichzelf. Hij is tenslotte van huis en misschien is de plek waar hij en de andere onderzoekers logeren niet zo geslaagd. Zou dat hotel Köpmansgården zijn?

Ze kreeg haar biertje en nam een slok. Toen ze zich weer omdraaide zag ze dat Svensson naar haar keek. Ze knikte naar hem. Hij maakte een gebaar met zijn hand dat ze vertaalde met: 'Wil je hier zitten?'

Ze liep naar hem toe.

Svensson droeg een donkergroen colbert en had een halfleeg glas witte wijn in zijn hand. Hij hief het glas en tooste.

'Olivia Rönning,' zei hij met een glimlach.

'Ja?'

'De zaak op Nordkoster.'

Olivia was een beetje overrompeld.

'Ken je die zaak?'

'Ja.'

Olivia knikte even. Hoeveel wist hij over haar ingegraven, vermoorde moeder en haar? Er waren nooit details in de media verschenen, maar hij was tenslotte politieagent. Hij had andere ingangen. Of misschien kende hij de moordzaak alleen, maar wist hij niet wie het kind in de buik van de vermoorde vrouw was.

'Mette Olsäter heeft vanochtend gebeld,' zei hij.

'O ja? Jullie kennen elkaar toch?'

'Ja. Zij, Tom Stilton en ik hebben vroeger aan veel zaken samengewerkt.'

'Wat wilde Mette?'

'Je weet hoe Mette is.'

Wat bedoelde hij daarmee? Als er iets was wat ze over Mette wist, dan was het dat ze niet roddelde.

'Wilde ze over de moord praten?'

'Dat ook.'

Ze zag dat Svensson zijn mondhoek een beetje optrok, alsof hij haar in de maling nam. Daar hield ze helemaal niet van.

'De mondharmonica,' zei ze.

'De mondharmonica?'

Het plotseling onderbreken van een dialoog met een opmerking in een heel andere richting was een verhoortechniek die ze Mette tot in perfectie had zien gebruiken. Het werkte ook bij dit soort gesprekken.

'Je had tijdens de hele persconferentie een mondharmonica in je handen,' zei Olivia.

'Dat heb ik altijd.'

'En je droeg een gele slip-over.'

'Ja. Ik ben een beetje bijgelovig, net als een sporter die tijdens een wedstrijd altijd een rode sok aan zijn linkervoet heeft. Ik draag altijd een gele slip-over, dan los ik zaken op.'

'Los je deze zaak op?'

'Ik weet het niet.'

Svensson kreeg een afwezige uitdrukking op zijn gezicht. Zijn blik zwierf door het lokaal terwijl hij zijn glas langzaam leegdronk. Olivia wachtte.

'Iedereen lijkt te denken dat we met een psychopaat te maken hebben,' zei hij uiteindelijk zonder naar Olivia te kijken.

'Denk je dat Roland Blomqvist een psychopaat is?'

'Geen idee.'

'Hij heeft in mails gedreigd om het leven van Emelies moeder te ruineren.'

'Dat heb ik gehoord, maar het gebeurt zelden dat er een handeling op zo'n dreigement volgt.'

'Misschien is dit een zeldzaam geval?'

'Misschien. Sorry, ik ga nog wat wijn halen.'

Svensson stond op en liep naar de bar. Olivia's glas was nog halfvol.

Ze voelde zich tevreden dat ze het gesprek van zichzelf had afgeleid, en nog tevredener dat ze kon praten met iemand die niet vol vooroordelen zat. Ze hoopte dat hij de draad onderweg niet zou kwijtraken en over iets anders zou beginnen. Ze wilde iets bespreken, maar dat moest op het juiste moment gebeuren.

'Kan het ermee te maken hebben dat het meisje donker was?' vroeg Svensson op het moment dat hij met een nieuw glas wijn ging zitten. Hij was de draad niet kwijtgeraakt.

'Hoezo?' vroeg Olivia.

'Er wonen veel racisten in dit deel van het land.'

'Bedoel je dat de moord een racistisch motief kan hebben?'

Olivia probeerde haar opwinding te verbergen. Ze had dezelfde gedachtegang gehad, zonder daar enig bewijs voor te hebben. Nu bracht de onderzoeksleider het zelf ter sprake.

'De vader werkt bij een asielzoekerscentrum,' zei Svensson. 'Een tijd geleden is daar een flink conflict geweest. Sebastian Andersson kwam onder vuur te liggen toen hij een paar asielzoekers die waren beschuldigd van diefstal verdedigde. Er ontstond een heel onaangename sfeer.'

'Sluit dat Roland Blomqvist uit?'

'Nee.'

'Kan hij een racist zijn?'

'Hij is in elk geval geen lid van het Zweeds Arisch Verzet, dat hebben we gecontroleerd.'

'Er zijn stiekeme racisten.'

'Overal.'

Olivia voelde dat ze bijna zover was dat ze kon vertellen wat ze wilde vertellen.

Bijna.

*

Luna Johansson arriveerde veel later bij de aak dan ze had gedacht. Een auto-ongeluk bij Nynäshamn had een file veroorzaakt die langer dan

66

een uur duurde. Ze was er de vorige dag naartoe gereden om een bezoek te brengen aan haar vader Justus, die in een bejaardentehuis zat, en had ruzie met het personeel gekregen. Het bejaardentehuis zou gerenoveerd worden en de bewoners moesten gedurende die tijd op een andere plek worden gehuisvest. Zowel Luna als Justus had het alternatief rigoureus afgewezen. De renovatie zou volgende week beginnen en Luna was wanhopig. In het ergste geval neem ik Justus mee naar de aak, dan kan hij daar wonen tot de renovatie klaar is, dacht ze. Hij is tenslotte een voormalige kapitein.

Nu was het laat en ze was nog steeds gespannen toen ze naar de deur liep die naar het onderdek leidde en merkte dat die niet op slot zat. Ze keek over de aak uit. Er brandde nergens licht. Ze liep naar de reling en voelde in de gleuf in het eikenhout. De reservesleutel was weg. Ze vermoedde wat er aan de hand was. Ze had Stiltons voicemailberichten gehoord.

Ze opende de deur en liep met haar leren tas naar de salon. Toen ze het licht aandeed, zag ze dat de tafel vol uitgeknipte krantenartikelen lag. Ze boog zich naar voren en wilde net gaan lezen toen ze de deur van een hut achter zich hoorde opengaan. Ze ging rechtop staan zonder zich om te draaien.

'Hallo.'

Het was Stiltons stem.

'Ik heb een paar keer gebeld, maar je nam niet op,' zei hij.

Luna zette haar tas op de vloer, deed haar muts af en liep naar de kleine kast aan de muur. Stilton volgde haar met zijn ogen. Het blonde haar dat over haar brede schouders viel, de strakke zwarte spijkerbroek, haar lange benen.

Dit gaat lastig worden, dacht hij.

Luna pakte een fles whisky, schonk wat in een klein glas, liep naar de muurbank, draaide haar hoofd en keek naar Stilton. Hij stond in de gang die naar zijn hut leidde, in een wit T-shirt en een gestreepte boxer.

Luna nam een slok uit het glas zonder zijn blik los te laten.

'Op 27 november vorig jaar zag ik dat ik een sms van je had gekregen toen ik wakker werd,' zei ze. 'Je schreef: "Ik ga een tijdje op Rödlöga wonen. Tot ziens. Tom." Ik heb je dezelfde dag twee keer gebeld. De volgende dag heb ik nog een keer gebeld. Daarna denk ik dat er drie of vier weken voorbijgingen voordat ik een vierde keer belde. Je hebt nooit opgenomen. Dat is inmiddels bijna een jaar geleden.'

'Ik heb de huur elke maand betaald.'

'Is dat je verklaring?'

'Nee.'

Luna zweeg. Stilton ging bij de tafel zitten en begon de krantenknipsels op te vouwen. Ze zag hoe schraal zijn handen waren, ze hadden te veel zout water te verduren gehad en hij had te weinig handcrème gebruikt, maar ze trilden niet.

Er komt een verklaring, dacht ze, of misschien ook niet. Er kon een korte opmerking komen dat hij de zoon van een zeehondenjager was en de eenzaamheid nodig had. Er kon van alles komen.

Ze was niet voorbereid op wat er uiteindelijk kwam.

'Het ging om je tatoeage,' zei hij zonder naar haar te kijken. Hij vouwde een nieuw artikel op en Luna ging onwillekeurig met haar hand naar haar hals, naar de donkerblauwe rank die naar haar oor liep. Mijn tatoeage? Haar gedachten zochten wanhopig naar vluchtwegen, barsten in de hersenschors waar ze zich konden verstoppen, maar die waren er niet.

'Wat is er met mijn tatoeage?' vroeg ze op haar hoede.

Stilton vouwde opnieuw een artikel op en vermeed het om naar Luna te kijken.

'Bijna twintig jaar geleden heb ik een man opgepakt voor een roofmoord,' zei hij. 'Die man heette Tommy Brand. Het kostte tijd om te bewijzen dat hij schuldig was, maar het is ons gelukt. Hij werd veroordeeld tot een lange gevangenisstraf.'

Stilton pauzeerde even, alsof hij wilde dat zijn woorden goed doordrongen.

'Er was maar één ding dat de hele tijd aan me knaagde. Weet jij wat dat was?'

Stilton bleef naar zijn artikelen kijken. Luna gaf geen antwoord.

'De man was niet alleen toen hij de roofmoord pleegde. De echtgenote van het slachtoffer had een vrouw in een auto voor het huis zien zitten. Helaas hebben we nooit kunnen achterhalen wie die vrouw was. Tommy Brand stierf een paar jaar na zijn veroordeling in de gevangenis; hij kreeg een hersenbloeding. Tot dat moment beweerde hij dat hij alleen was geweest. Ik wist dat hij loog.'

Stilton ging staan, liep naar de whiskyfles en pakte een glas. Hij vulde het tot de rand, nam een slok om niet te morsen en liep naar de tafel terug.

'Tommy Brand had net zo'n tatoeage als jij,' zei hij. 'Dat realiseerde ik me op een avond in mijn hut, bijna een jaar geleden. Ik heb de hele tatoeage gezien toen je je haar op het dek waste.'

Stilton schudde zijn hoofd, nam nog een slok uit het glas en leunde achterover. Toen hij weer begon te praten, was dat net zo goed tegen zichzelf als tegen de vrouw bij de muur.

'In het begin probeerde ik uitvluchten en verklaringen te bedenken. Misschien was het puur toeval dat je net zo'n tatoeage had. Dat hield geen stand. Daar was de tatoeage veel te bijzonder voor, op precies dezelfde plek op het lichaam. Bovendien bevatte Tommy's tatoeage de letters LJ, met een cirkel eromheen. Op die van jou staat TB op dezelfde plek. Uiteindelijk was er maar één aannemelijke verklaring over. Jij was daar met Tommy geweest. Bij de roofoverval. Jij was degene die in de vluchtauto zat.'

Stilton zweeg even.

'Het was verdomd onaangenaam om dat te beseffen.'

Hij dronk zijn glas leeg.

'Daarom vluchtte ik naar Rödlöga. Ik moest het verwerken. De misdaad op zich was al lang geleden opgelost, Tommy had de moord gepleegd, daar ging het niet om.'

'Waar ging het dan om?' vroeg Luna terwijl ze naar de vloer keek.

'Om jou,' zei Stilton.

Ze hief haar hoofd en keek naar de man die in een T-shirt en een gestreepte boxer bij de tafel zat. Wat bedoelde hij?

'Het ging om mijn gevoelens voor jou,' zei hij. 'Ik wist wat je gedaan had, maar ik wist niet hoe ik daarmee om moest gaan. Het duurde vrij lang voordat ik een beslissing genomen had. Dat was nadat ik besefte dat je me hebt geraakt op een manier die ik niet kan negeren.'

Stilton keek weg van Luna, legde het laatste artikel in het boek en kwam overeind.

'Ik ben van plan om hier een paar nachten te slapen, als je dat geen probleem vindt.'

Luna knikte bijna onmerkbaar en zag Stilton in de gang naar zijn hut verdwijnen. Ze dronk haar glas leeg.

Stilton vergrendelde de deur van zijn hut, legde het boek op de tafel onder de patrijspoort, kroop in zijn kooi en deed het licht uit. Ik heb het eindelijk gezegd, dacht hij, ik heb het over mijn lippen gekregen.

Hij voelde hoe de spanning uit zijn lichaam was verdwenen en zakte weg in de duisternis toen hij zacht hoorde kloppen en zich naar de deur draaide. Het duurde even voordat er nog een keer werd geklopt. Hij bleef zwijgend in zijn kooi liggen.

'Ik ben inderdaad bij die roofoverval geweest.'

Luna's stem was zacht, maar duidelijk genoeg om Stilton te bereiken. Hij streek met een hand over zijn gezicht.

'Tommy zou een lege woning binnengaan en snel zijn slag slaan,' zei ze. 'Ik zou in de auto wachten. Ik wist niet dat hij een mes bij zich had.'

Het bleef stil. Stilton wist dat het slachtoffer van de roofmoord iets op de benedenverdieping had gehoord en naar beneden was gegaan, dat had zijn echtgenote verteld. Het was ermee geëindigd dat Tommy hem met het mes in zijn buik had gestoken.

'Ik vluchtte naar India toen Tommy opgepakt was. Ik wist dat hij veroordeeld was. Ik ben een paar jaar in het buitenland gebleven.'

Luna zweeg, maar Stilton hoorde waartegen ze vocht. Hij kwam uit bed en schoof de grendel weg. Luna stond tegenover de deur tegen de muur geleund. Hij zag de tranen over haar wangen stromen. Hij stak zijn hand uit en trok haar naar zich toe. Ze duwde haar gezicht tegen zijn hals en hij streelde haar haar voorzichtig. Zo bleven ze een hele tijd staan. Uiteindelijk maakte Luna zich los en keek in Stiltons ogen. Hij hield haar blik vast.

'Ik was nog maar negentien.'

Ze draaide zich om en liep naar de salon, hij hield zijn blik op haar lichaam gericht. Ze draaide zich één keer om, op het moment dat ze langs de tafel liep en hun blikken ontmoetten elkaar.

Luna ging de kleine badkamer binnen en kleedde zich uit. Ze trok het doorzichtige gordijn dicht en draaide de kraan open. Het water ging van koud naar lauw. Ze liet het over haar haar, haar schouders en borsten, haar dijbenen en kuiten stromen, alsof ze wilde wegspoelen wat ze twintig jaar lang had geprobeerd te verdringen. Stoom bedekte de plastic muren om haar heen. Ze pakte douchegel, zeepte haar hele lichaam in en spoelde het weg. Toen ze klaar was draaide ze de kranen dicht en pakte een blauwe handdoek. Ze draaide hem als een tulband rond haar hoofd en liep de doucheruimte uit.

Stilton stond een meter voor haar, in shirt en boxer. Hij keek recht in haar ogen.

Luna deed een stap in zijn richting, stak haar handen uit en raakte zijn schouders aan. Ze voelde zijn pezen spannen. Hij legde zijn handen op haar heupen en liet één hand omhoogglijden, langs haar middel naar haar borst. Luna leunde tegen zijn lichaam en voelde de druk achter haar schaambeen.

*

Omdat het stortregende deelden Olivia en Svensson een taxi vanaf de pub. Ze gingen eerst naar Nyhamnsläge. Dat was een flinke omweg voor Svensson, maar hij had geen haast om in zijn kamer in hotel Köpmansgården te komen. In de taxi vertelde Olivia het een en ander over haar sabbatical na de Politieacademie en haar reis naar Centraal-Amerika, maar niet de eigenlijke reden daarvan. Svensson vertelde over zijn contact met Mette Olsäter en Tom Stilton. Ze hadden veel samengewerkt en hij had veel respect voor allebei.

'Weet je dat Stilton is gestopt als politieagent?' vroeg Olivia.

'Ja. Het gerucht ging dat hij afgegleden was.'

'Een paar jaar lang, maar nu is hij weer op de goede weg. We hebben vrij veel contact.'

'Je mag hem de groeten doen.'

'Van de augurk?'

Ze zei het bij wijze van test, als een manier om te voelen of dit het juiste moment was.

Svensson lachte. Het was het juiste moment.

'Er is iets wat ik je moet vertellen,' zei ze.

'Ja?'

Ze wilde er niet in de taxi over beginnen en wachtte tot de chauffeur voor het hek stopte. Ze stapte uit en Svensson volgde haar voorbeeld. Hij vroeg de taxichauffeur om te wachten en draaide zich naar Olivia.

'Ik weet niet of het relevant is voor het onderzoek,' zei ze, 'maar ik wil toch dat je het weet.'

Svensson keek haar kalm aan. Hij had onthouden wat Mette vanochtend in een paar korte zinnen over haar had verteld; hij wist dat ze een vrouw met een bijzondere intuïtie was.

'Ik luister,' zei hij.

'Het gebeurde op de dag dat ik die uitgescheurde kaart had gevonden, maar dan eerder. Ik maakte een wandeling en belandde bij die merkwaardige houtsculpturen op het strand.'

'Nimis.'

'Ja. Toen ik daar weg wilde gaan, dacht ik dat ik een beweging in een van de torens zag. Ik probeerde te zien of er iemand was, maar ik zag niemand. Ik voelde me niet op mijn gemak en wilde naar het bos terug. Toen ik wegliep rook ik een zwakke rookgeur.'

'Sigarettenrook?'

'Ja. In het bos kreeg ik plotseling het gevoel dat er iemand was, iemand die zich daar verstopte. Het was niet meer dan een gevoel, maar het was heel sterk op dat moment.'

'Je hebt niemand gezien?'

'Nee. Maar daarna hoorde ik over Blomqvist en zijn gele nicotinevingers, dat hij waarschijnlijk een flinke roker was, en toen dacht ik aan de rookgeur.'

'Denk je dat hij degene was die zich in de toren en in het bos had verstopt?'

'Ja. Bovendien draagt hij zijn haar in een paardenstaart.'

'Ja?'

Olivia vertelde over de groene haarwokkel die ze aan het stuur had gehangen en die weg was toen ze naar huis fietste.

'Iemand heeft hem meegenomen,' zei ze.

'Weet je dat zeker?'

'Ja.'

Svensson knikte even.

'Opmerkelijk,' zei hij.

Dat was het enige wat Olivia wilde. Ze had het verteld en Svensson mocht doen wat hij wilde met die informatie. Hij was de onderzoeksleider.

'Bedankt voor vanavond,' zei hij terwijl hij een tikje op Olivia's arm gaf.

'Jij ook bedankt.'

Svensson liep naar de taxi toe. Na een paar meter draaide hij zich om en keek naar Olivia.

'Ik ben van plan om morgen een getuigenconfrontatie te houden. Met Blomqvist.'

Daarna stapte hij in de taxi.

Olivia liep de tuin in en wist waar ze naartoe zou fietsen zodra ze wakker was.

Stilton draaide zijn arm en keek op zijn horloge. Het was net na zes uur. Hij lag in Luna's hut, in haar bed, en constateerde dat Luna niet naast hem lag. Hij ging zitten en wreef in zijn ogen. De geur van koffie drong door de hutdeur naar binnen. Zes uur? Waarom is ze al op? Stilton sloeg een deken rond zijn onderlichaam en liep naar buiten.

Luna stond met haar jas aan in de salon. Stilton knikte naar haar.

'Ga je weg?'

'Ja.'

'Naar de begraafplaats?'

'Ja.'

Stilton liep naar Luna toe. Toen hij zijn armen om haar heen wilde slaan, draaide ze zich om en liep naar de trap.

'Is er iets?'

'Er staat ontbijt in de koelkast.'

Luna liep de trap op zonder zich om te draaien. Stilton keek haar na.

Luna liep het dek op en deed de deur achter zich dicht. De harde ochtendwind waaide het haar voor haar gezicht. Ze haalde een grijze, gebreide muts tevoorschijn, trok die over haar hoofd en liep langzaam naar de reling. Ze had geen haast, ze hoefde pas om negen uur te beginnen, maar ze wilde niet op de aak blijven, wilde niet praten.

Ze voelde zich ellendig.

Ze hadden seks gehad, twee keer, een keer in de badkamer en even later nog een keer in haar hut. Het was woordeloos en fysiek geweest en het had haar doen beseffen hoe fantastisch goede seks kon zijn.

Daardoor voelde ze zich niet ellendig.

Stilton was eerder dan zij in slaap gevallen, ze had lang wakker gelegen. Woord voor woord had ze doorgenomen wat hij in de salon had verteld, over Tommy Brand en haar rol als zijn medeplichtige. Over hoe hij daar op Rödlöga mee had geworsteld en uiteindelijk een beslissing had genomen. Hij was geraakt door haar en dat woog het zwaarst.

Dat was waardoor ze zich ellendig voelde.

Ze voelde dat ze in psychologisch opzicht de mindere was. Hij had ervoor gekozen om terug te komen, hij wilde 'ondanks alles' een relatie met haar, hoewel ze 'medeplichtig' was geweest.

Op die manier wilde ze geen relatie.

*

De man zat in de auto en observeerde de kleine jongen met de koptelefoon. De jongen kwam een portiekdeur uit, hij was op weg naar school, zijn moeder liep vlak achter hem. Ze liepen een stukje hand in hand, daarna bukte zijn moeder zich en omhelsde de jongen, waarna ze de andere kant op liep. De jongen liep verder naar school. Die was niet ver weg, maar er waren verschillende manieren om er te komen. De snelste manier was via de grote weg naar het schoolplein, maar het was ook mogelijk om door een stukje bos te lopen. De jongen koos vandaag de snelste weg.

Hij zou morgen misschien de andere weg kiezen.

De man keek op zijn horloge. Hij was laat. Hij wierp een laatste blik op de jongen, die het schoolplein op liep.

Onkruid, dacht hij.

*

Het had een zekere zelfoverwinning gekost, maar ze was er weer. Het was vroeg in de ochtend, bewolkt en winderig, en ze voelde hoe het snot uit haar neus liep. Ze veegde het weg met haar hand en liep de grote houten toren van Nimis in. Ze liep naar de plek waar ze had gestaan toen ze de beweging zag en begon in die richting te klimmen. Als daar iemand was geweest, dan was de sigarettenrook daar ook vandaan gekomen, nam ze aan. En als het sigarettenrook was geweest, dan konden er peuken liggen.

Daarom was ze hiernaartoe gegaan. Om puur persoonlijke redenen. Ze wilde het weten.

Ze vond er twee. Een korte peuk en een die iets langer was. Van de langere kon ze zien dat het Gula Blend was.

74

Nu wist ze het.

En nu wilde ze weten wat Roland Blomqvist rookte.

Een uur later kreeg ze haar kans. De onderzoekers vroegen Frans en Olivia om de machinefabriek aan de rand van Höganäs in de gaten te houden, de plek waar Blomqvist werkte. Ze zaten op gepaste afstand in de auto terwijl Frans niet goed begreep waarom dat was.

'Wat denken ze dat hij gaat doen? Vluchten?'

'Ze willen hem onder toezicht hebben,' zei Olivia. 'Ze gaan vandaag een getuigenconfrontatie houden.'

'Is dat zo? Hoe weet je dat?'

'Dat heeft Svensson gezegd.'

'Wanneer?'

'Gisteren. Na de pub.'

'Was jij met Svensson in de pub?'

'Nee. Ik was in de pub en Svensson was daar ook.'

'En jullie hebben met elkaar gepraat?'

'Waarom zouden we dat niet doen?'

Voor Frans was het absoluut niet vanzelfsprekend om in de plaatselijke pub met een hooggeplaatste moordonderzoeker om te gaan, in zijn wereld heerste hiërarchie. In je vrije tijd ging je om met mensen van hetzelfde niveau. Dat was te horen aan de ondertoon waarmee hij verder praatte.

'Hebben jullie het gezellig gehad?'

Hij doet het weer, dacht Olivia. Hoe heeft hij de Politieacademie doorlopen?

Op dat moment kwam Blomqvist de fabriek uit. Hij droeg een overall met olievlekken, het lange haar hing los. Hij ging naast een roestige, oude auto staan en stak een sigaret op.

Olivia haalde een kleine groene verrekijker tevoorschijn. Ze stonden een flink eind verderop en ze moest een tijd draaien voordat ze hem scherp in beeld had. Ze probeerde zijn sigarettenpakje te zien.

Dat lukte niet.

Blomqvist drukte zijn sigaret op de auto uit en ging weer naar binnen.

Olivia overwoog of ze ernaartoe moest gaan om naar de peuk te kijken, maar had het gevoel dat dat een beetje te ver van haar taken af lag. Bovendien zou Frans dan vragen stellen die ze niet wilde beantwoorden.

Op dat moment belde Svensson op Frans' mobiel en vroeg hun om Blomqvist op te halen.

De getuigenconfrontatie en het verhoor daarna vonden zonder mede-werking van Olivia en Frans plaats, dat was de taak van de onderzoeks-groep. Frans maakte van de gelegenheid gebruik om vroeg te lunchen en Olivia leende de auto. Ze had opdracht gekregen om naar Arild te rijden en met Liv Andersson te praten.

*

Liv stond in de tuin te harken. Ze droeg een dik donzen jack en be-woog de hark met langzame bewegingen. Er lagen niet veel bladeren, maar ze had een paar kleine, herfstkleurige bergen bij elkaar gekregen. Toen Olivia door het hek naar binnen kwam stopte ze met harken.
  'Hallo,' zei ze.
  'Hallo. Stoor ik?'
  'Mij stoor je niet.'
  'Is Sebastian thuis?'
  'Nee.'
  Meer zei Liv niet en Olivia wilde niet vragen waar hij was. Hij was niet degene met wie ze wilde praten. Ze liep naar Liv toe en zag dat de blik in haar ogen niet was veranderd.
  'Wat wil je?'
  'Kunnen we gaan zitten?'
  Olivia maakte een gebaar naar een houten bank. Liv zette de hark tegen een appelboom en liep naar de bank. Olivia liep achter haar aan en ging naast haar zitten.
  'Ik wil je vertellen waar we mee bezig zijn,' zei ze. 'Soms vergeten we om de familieleden op de hoogte te houden.'
  'Wat doen jullie dan?'
  'We hebben Roland verhoord, nadat je over hem had verteld. Op dit moment is hij aanwezig bij een getuigenconfrontatie. Weet je wat dat is?'
  'Ja. Zijn er mensen die hem hier gezien hebben?'
  'Dat weten we niet, maar er zijn een aantal personen die een jogger hebben gezien toen het gebeurde, een man met een blauwe rugzak. Weet jij of Roland een blauwe rugzak heeft?'

'Geen idee. Ik heb hem niet meer gezien sinds Sebastian en hij elkaar op het strand in de haren vlogen.'

'Heb je daarna alleen mailtjes gekregen?'

'Ja.'

'Heb je die mailtjes bewaard?'

'Ja, een paar. Wil je ze zien?'

'Graag.'

Liv ging staan en Olivia wist niet zeker of ze met haar mee naar binnen moest gaan of moest wachten. Ze wachtte. Het duurde een paar minuten, lang genoeg voor Olivia om in de tuin rond te kijken en het bevroren tafereel weer voor zich te zien. Het moment dat ze de tuin in waren gelopen en de vader met zijn dode kind in de zandbak hadden gezien die maar een paar meter verder stond en waar al het gele speelgoed uit gehaald was.

Die aanblik zou ze nooit vergeten.

'Alsjeblieft.'

Liv liep naar de bank met een plastic tas in haar hand. Olivia pakte hem aan.

'Mag ik ze meenemen?'

Liv haalde haar schouders op en Olivia beschouwde dat als een bevestiging.

'Bedankt,' zei ze. 'Het is mogelijk dat we ze als bewijsmateriaal moeten gebruiken. Misschien moeten we...'

'Denken jullie dat Roland het gedaan heeft?'

Liv keek recht in Olivia's ogen toen ze de vraag stelde, een vraag die heel vaak door nabestaanden werd gesteld en waar bijna onmogelijk een antwoord op gegeven kon worden.

'Daar kan ik geen antwoord op geven,' zei Olivia.

'Kun je wel vertellen of jij dat denkt?'

'Als hij het is, dan hoop ik dat we hem zo snel mogelijk kunnen laten bekennen.'

Dat was geen antwoord op de vraag, maar meer kon ze niet zeggen om geen valse hoop te wekken.

'Sebastian zit in een café in de Rusthållargården,' zei Liv, waarna ze naar de hark terugliep.

*

77

Er hing een heel speciale sfeer in de vergaderkamer toen Olivia naar binnen liep, dat voelde ze meteen, een enthousiaste en opgeluchte sfeer. De verklaring daarvoor kreeg ze toen Svensson met de bespreking begon. Vandaag droeg hij zijn gele slip-over.

'Een uur geleden hebben twee onafhankelijke getuigen Roland Blomqvist aangewezen als de jogger die zich op het tijdstip van de moord in Arild bevond. Tevens hebben we van zijn ouders bevestigd gekregen dat hij in het bezit is van een blauwe rugzak. Blomqvist is daarna een tijdlang verhoord en bekende dat hij zich op het bewuste tijdstip in Arild bevond. Hij bekende ook dat hij daar tijdens het verhoor over had gelogen. Zijn verklaring was de gebruikelijke. Hij wilde er niet bij betrokken raken. Op technisch gebied hebben we nog niets wat hem aan de plaats delict verbindt, behalve het feit dat hij dezelfde schoenmaat heeft als de afdruk die we in de haag gevonden hebben. Helaas is de afdruk heel onduidelijk, maar we zullen zien of het mogelijk is om te identificeren van welk soort schoenen ze afkomstig zijn. Blomqvist ontkent de moord. In afwachting van verder onderzoek is hij aangehouden. Ik zou het fijn vinden als we dat een tijdje binnenshuis kunnen houden.'

'Waar is hij nu?' vroeg Olivia.

'Hij bevindt zich in de arrestantencel.'

'Waar is die?'

'De ontnuchteringscel.'

Ze ging staan.

*

Stilton had een paar keer geprobeerd om Luna te bellen, maar ze had niet opgenomen. Hij wist niet of ze het druk had of niet wilde opnemen. Hij was bang dat het het laatste was. Hij had ook nagedacht over de vorige dag, alleen in de salon. Hij zat met een paar van de krantenknipsels voor zich en merkte dat hij zich niet kon concentreren. Misschien had ik het op een andere manier moeten zeggen, dacht hij, minder rechtstreeks. Maar wat had dat voor zin gehad? Luna was altijd rechtdoorzee, hij wilde dat ook zijn. De feiten kon hij immers niet negeren, het was nu eenmaal gebeurd. Op een bepaald niveau had dat hun relatie natuurlijk veranderd. Ze had een crimineel verleden, hij had een verleden als rechercheommissaris. Dat waren niet bepaald onafscheidelijke vrienden, maar ze hadden die werelden allebei achter zich gelaten en waren niet van plan daarnaar terug te keren. Het verleden was het verleden, ze waren andere personen dan destijds.

Dat was wat hij gisteren had willen zeggen, dat hij niet meer wilde nadenken over wat er was gebeurd en dat hij verder wilde gaan met wat hij nu voelde.

Er staat ontbijt in de koelkast.

Ze had het op een toon gezegd die ze niet eens had gebruikt toen hij hier net woonde. Gevoelloos, zonder naar hem te kijken.

Waarom?

Hij piekerde nog steeds toen hij haar voetstappen op de trap hoorde. Hij bleef op de muurbank zitten. Luna trok de gebreide muts van haar hoofd terwijl ze de salon in liep.

'Hallo,' zei ze.

'Heb je honger?'

Stilton was naar buiten geweest om boodschappen voor het avondeten te doen, groente en een heleboel andere dingen waarvan hij wist dat Luna die lekker vond. Hij dacht dat het de sfeer misschien zou verlichten.

'Ik heb al gegeten.'

'Oké. Wil je koffie?'

Luna trok haar donzen jack uit en keek naar Stilton.

'Ga je me hierna vragen wat voor weer het is?'

'Wat voor weer is het?'

Luna hing haar jack aan een haak. Ze had tien uur lang graven en herdenkingsplekken verzorgd, een paar uur langer dan nodig was omdat ze niet naar de aak terug wilde. Ze had tijd nodig gehad om na te denken.

Nu was ze klaar met denken.

'Ik wil dat je vertrekt,' zei ze.

'Vertrekken? Waarom?'

'Heb ik daar een reden voor nodig?'

'Ja.'

'Jij had geen reden toen je een jaar geleden naar Rödlöga vertrok.'

'Die heb je gisteren gekregen.'

'Je kunt die van mij over een jaar krijgen.'

Luna liep naar de keuken en kwam terug met een geopend flesje bier in haar hand. Het was niet voor Stilton. Ze pakte een glas uit de muurkast en ging op de stoel naast de ovale tafel zitten. Stilton zag hoe vast haar hand was toen ze inschonk.

'Maar omdat ik niet ben zoals jij, zal ik het nu uitleggen,' zei ze.

'Dank je.'

'Ik houd er niet van om de mindere te zijn.'

Luna nam een slok uit het glas en ging verder.

'Ik houd er niet van om een verkeerd soort dankbaarheid te voelen. Niet in een relatie. Wat er gisteren gebeurd is, was veel te snel. Dat was verkeerd.'

'Dat we seks hebben gehad?'

Luna gaf geen antwoord. Stilton besefte waarover het ging. Hij had over hetzelfde nagedacht, maar had niet geweten hoe ze dat konden ontwijken. Hij was niet degene die Tommy Brands medeplichtige was geweest.

'Vanaf het moment dat je deze aak op liep heb ik belangstelling voor je gehad,' ging Luna verder. 'Om meerdere redenen. Ten eerste om wat je uitstraalde, een soort koppige integriteit, ten tweede om wat je wilde bereiken.'

'En wat was dat?'

'Veel dingen. Goede dingen, voor andere mensen, onzelfzuchtige dingen. Ik kreeg respect voor je, ik begon om je te geven. Ik leerde omgaan met jouw manier om naar het leven te kijken, dat was soms kinderlijk en bekrompen, maar vooral eerlijk. Je was wie je was.'

'Is dat veranderd?'

'Jij bent veranderd toen je zonder een woord te zeggen verdween. Dat was verraad, ook al heb je uitgelegd waarom dat was. Je hebt mij verraden. Het was veel eerlijker geweest om over mijn tatoeage te praten toen je besefte wat die betekende dan ervandoor te gaan, een jaar later terug te komen en te zeggen dat je me vergeeft en een relatie met me wilt.'

'Heb ik dat gezegd?'

'Wil je dat niet?'

'Jawel.'

Luna keek naar Stilton. Ze wist dat hij begreep waar ze het over had, hij had veel meer inzicht dan hij soms wilde laten merken. Toch had hij er moeite mee om de consequenties van die inzichten te accepteren.

'Wat wil je dat ik doe?' vroeg hij. 'Mijn verontschuldigingen aanbieden omdat ik weg ben gegaan?'

'Nee. Maar ik wil op dit moment niet dat je op de aak woont.'

'Wat heeft dat voor zin?'

'Het heeft zin voor mij.'

'Op welke manier dan?'

Luna voelde dat ze niet veel verder zouden komen, ze had gezegd wat ze moest zeggen en had hem gevraagd om te vertrekken. Dat zou hij doen en anders moest ze de sloten vervangen. Ze nam een slok bier en wees met het flesje naar de knipsels op de tafel.

'Wat is dat?'

Stilton begreep dat ze klaar was. Ze wilde dat hij vertrok en ze had uitgelegd waarom. Nu veranderde ze van onderwerp.

Daar had hij geen bezwaar tegen.

'Het zijn oude uitgeknipte krantenartikelen.'

'Waar gaan ze over?'

'Weerzinwekkendheden.'

Luna ging naast Stilton zitten en pakte een knipsel op.

*

Olivia zat achter haar lichte bureau in het kantoor dat Frans en zij deelden. Frans was naar huis of misschien was hij ergens anders naartoe. Ze had de dreigmails van Roland Blomqvist die ze van Liv had gekregen gelezen. Ze waren vreselijk, vol primitieve scheldwoorden en verwarde gedachtegangen. De afzender was duidelijk uit balans, op meerdere niveaus. Olivia begreep hoe onaangenaam het moest zijn geweest om dit soort persoonlijke aanvallen te ontvangen van iemand met wie je een relatie hebt gehad. Liv Andersson en Roland Blomqvist? Ze kon het zich niet goed voorstellen, maar aan de andere kant was het jaren geleden. Misschien had hij toen een heel ander imago gehad, dat was verdwenen toen zij het uitmaakte. Mensen die ziekelijk jaloers zijn, slaan niet zelden door naar geweld en stalken; het aantal vrouwen in Zweden met een beschermde identiteit steeg snel.

Olivia stopte de mailtjes weer in de plastic tas. Ze zouden in elk geval dienst kunnen doen als basis voor een aanklacht met betrekking tot onwettige achtervolging. Door het woord achtervolging moest ze aan andere dingen denken, aan de Kullaberg en het bos. Ze keek op de klok. Het was bijna tien uur. Ze ging staan, pakte de plastic zak met de dreigmails en deed het licht in de kamer uit.

Eigenlijk was ze van plan geweest om naar de vergaderkamer te gaan en de plastic tas op Svenssons bureau te leggen, maar in de gang veranderde ze van gedachten. Ze liep door het bureau, naar de zogenaamde arrestantencel. Er stond een brede, Skånse politieagent voor de deur.

'Ik wil Blomqvist iets vragen,' zei ze.

'Weet Svensson daarvan?'

'Ja,' loog ze.

De agent deed de deur van het slot en Olivia ging naar binnen. Normaal gesproken werd de cel gebruikt als ontnuchteringscel voor dronken jongeren die hadden gevochten. Nu zat Roland Blomqvist binnen, op een smalle grijze brits. Hij reageerde niet toen Olivia de deur dichtdeed, hij herkende haar. Ze had hem de afgelopen dagen twee keer naar het politiebureau gebracht. Hij streek zijn lange haar naar achteren en leunde tegen de muur. Olivia ging bij de tegenoverliggende muur staan. Er hing een zure lucht in de cel.

'Wat voor merk sigaretten rook je?' vroeg ze.

'Gula Blend. Hoezo?'

Nu wist ze het.

Ze wist ook dat het een merk was dat door heel veel mensen werd gerookt, maar slechts één daarvan was dezelfde ochtend als zij bij Nimis geweest en had dat merk in een houten toren gerookt. Toen ze zich omdraaide naar de deur, kwam Blomqvist plotseling overeind en ging voor haar staan. Hij was langer dan zij en keek op haar neer.

'Ken je Liv? Andersson?' vroeg hij.

'Ja.'

Olivia rook zijn muffe ademhaling en probeerde zich langs hem heen te dringen naar de deur. Dat lukte niet. Blomqvist stak een arm uit en versperde haar de weg. Ze dacht na. Er stond een grote politieagent achter de deur en ze kon hem roepen als ze dat wilde. Plotseling schoot het beeld van de forensisch patholoog-anatoom door haar hoofd, die de kleine schedel met een plotselinge ruk had omgedraaid. 'Kun je je arm weghalen?' vroeg ze.

'Is ze verdrietig?'

'Wie?'

'Liv.'

Zijn stem was schor. Olivia gaf geen antwoord. Ze probeerde zijn arm weg te duwen.

'Als je antwoord geeft, dan vertel ik je een geheim,' zei hij.

Zijn lippen gingen een beetje uit elkaar, alsof hij probeerde te glimlachen. Olivia was verbaasd. Wat voor geheim? Wilde hij bekennen?

'Ja, ze is heel verdrietig,' zei ze. 'Haar dochtertje is vermoord.'

'Ik wilde dat haar leven geruïneerd zou zijn.'

'Ik weet het.'

'Hoe weet je dat?'

'Ik heb je zieke mailtjes aan haar gelezen.'

Blomqvists ogen vernauwden. Olivia zag zijn adamsappel op en neer gaan.

'Ik wilde dat ze zou lijden,' zei hij.

'Waarom dat?'

Blomqvist gaf geen antwoord en Olivia zag dat hij zijn ogen langzaam dichtdeed. Ze wachtte nog een paar seconden voordat ze zei: 'Wat voor geheim wilde je vertellen?'

Blomqvist trok zijn arm plotseling terug en ging weer op de brits zitten. Hij streek het lange haar uit zijn gezicht en keek recht in Olivia's ogen.

Toen de brede politieagent de deur achter haar op slot had gedaan, was ze al om de hoek verdwenen. Ze hield de plastic tas met de dreigmails in haar hand en liep snel naar de keuken. Daar draaide ze de kraan van de gootsteen open en hield een glas onder de koude straal. Toen het glas vol was, dronk ze het in één keer leeg, ze moest haar hartslag kalmeren. Ze liep de keuken uit en door de gang naar haar kantoor. Toen ze de vergaderkamer passeerde zag ze een zwak schijnsel achter de melkglazen deur. Ze bleef staan en opende hem. Sven Svensson zat achter zijn bureau, een gebogen lamp verlichtte de map voor hem.

'Ben je er nog?' vroeg Olivia.

'Daar lijkt het wel op. Wat deed je in de arrestantencel?'

Olivia was perplex. Had de brede Skånse agent haar verklikt? Hij had dus niet voor de deur gestaan als ze hem nodig had gehad.

'Ik wilde iets aan Blomqvist vragen,' zei ze.

'En je beweerde dat je toestemming van mij had.'

'Ja. Sorry, ik had het eerst met je moeten overleggen, maar ik dacht dat je naar huis was. Ik heb dit trouwens bij me.'

Olivia hield hem de plastic tas voor en hoopte dat het hem zou afleiden van haar leugentje.

'Ik heb liever dat je dat niet meer doet,' zei Svensson.

Zo eenvoudig ging het niet.

'Dat beloof ik.'

'Voor je eigen bestwil. Blomqvist kan gevaarlijk zijn.'

'Ik weet het.'

'Wat is dit?'

Svensson pakte de plastic tas aan en Olivia legde uit wat de inhoud ervan was.

'Mooi, misschien kunnen we het gebruiken,' zei Svensson. 'Wat wilde je Blomqvist vragen?'

Olivia vertelde over de peuken in de toren en dat Blomqvist hetzelfde merk rookte.

'Veel mensen roken dat merk,' zei Svensson. 'Mijn vrouw ook. Zij is daar niet geweest.'

'Nee. Ik zal het laten rusten. Ik wilde het alleen weten.'

Svensson knikte, sloeg de map dicht en kwam overeind.

'We hebben vandaag min of meer een doorbraak bereikt,' zei hij. 'Met Blomqvist.'

'Ja. Maar denk je dat we hem aan de moord kunnen koppelen?'

'Niet met wat we nu hebben. Maar we gaan hem morgen opnieuw verhoren, misschien breekt hij dan. Ga jij ook naar huis?'

'Zo meteen.'

Svensson knikte en liep naar de deur. Olivia stond op het punt om hem tegen te houden. Als ze daarnet niet had gezegd dat ze het zou laten rusten, dan had ze het waarschijnlijk gedaan.

*

Stilton zat met alle knipsels voor zich, Luna zat naast hem. Stilton probeerde zijn stem neutraal te houden terwijl hij verslag deed, hij wilde niet dat zijn gevoelens de informatie zouden vertroebelen.

Luna merkte het.

'Wanneer is dit gebeurd?' vroeg ze.

'Eind november 2005, de moordenaar had een kamer geboekt in hotel Continental bij Centralen,' zei Stilton. 'De vrouw had een kamernummer en een tijd gekregen en was daar op het afgesproken tijdstip. Dat is bevestigd door de receptie. Ze hadden gezien dat ze op weg naar de lift een paraplu dichtklapte; het regende die avond. Ze nam de lift naar de etage waar ze moest zijn. Wat er daarna gebeurd is, weten we niet precies en dat willen we eigenlijk ook liever niet weten.'

Waarom niet? dacht Luna, maar ze wilde hem niet onderbreken.

'Een schoonmaakster vond haar de volgende ochtend. Ze lag dood in het tweepcrsoonsbed.'

Stilton staarde naar de tegenoverliggende muur alsof hij de plaats delict voor zich zag.

'Hoe is ze gestorven?' vroeg Luna na een aarzeling.

'Ze is gewurgd. Daarna is ze geschonden.'

'Geschonden?'

'Haar tepels waren weggesneden, stukken van haar vagina waren...'

'Tom!'

Luna stak een hand op, het was genoeg, ze wilde niets meer horen. Stilton was nog steeds op de plaats delict, bij het geschonden vrouwenlichaam. 'De weggesneden delen zijn nooit teruggevonden. Het was een ongewoon wrede moord.'

Luna ging staan. Ze liep naar dc keuken en haalde bier, deze keer ook een flesje voor Stilton. Dat kon hij wel gebruiken. Hij had een droge keel van het praten. Ze zette de flcsjes op de tafel tussen de knipsels. Voorzichtig pakte ze er een op en keek naar de vrouw op de foto. Ze zag een mooie, getintc vrouw met lang krullend haar en een zilveren ringetje in één neusvleugel. Rond haar hals hing een glinsterend sieraad.

'Hoe oud was ze?'

'Drieëntwintig. Bovendien was ze zwanger. In de derde maand.'

Luna bleef naar de foto kijken.

'Was ze een escortmeisje?'

'Ja, een prostituee.'

'En jullie hebben de moordenaar nooit gevonden?'

'Nee.'

Stilton opende zijn flesje bier en keek naar het krantenknipsel in Luna's hand. Naar de jonge vrouw die in een hotelkamer was vermoord en geschonden. Stilton wist dat er andere foto's waren, veel weerzinwekkendere foto's, van de plaats delict en de autopsie. De foto's hadden in zijn kantoor bij de Rijksrecherche gehangen terwijl hij ervoor vocht om de zaak op te lossen. Het was hem niet gelukt. Deels omdat het een ingewikkelde zaak was, maar voornamelijk omdat hij van de zaak was gehaald op het moment dat hij bijna een doorbraak had.

'Dit was een van de twee zaken die ik niet opgelost heb,' zei hij.

'Wat was de andere?'

'Nordkoster. Die is inmiddels opgelost.'

'Olivia?'

'Ja.'

'Dan moet dit de zaak zijn waar je vanaf gehaald bent. Door... hoe heette hij ook al weer?'

'Rune Forss. Ja, dat was deze. Ik kwam te dicht bij gevoelige personen.'

Luna keek weer naar de krantenfoto.

'Hoe heette ze?'

'Jill Engberg.'

Luna nam een slok bier en keek naar Stiltons handen toen hij een van de knipsels oppakte. Ook al was het een wereld die hij achter zich had gelaten, het was een daad die hij niet was vergeten. Ze begreep hoe hij zich moest voelen.

'Wat trek je hier voor conclusie uit?'

'Waaruit?'

'Dat je een boek hebt gekregen met deze knipsels erin. Ze gaan toch allemaal over de moord op haar?'

'Ja. Conclusie? Ik weet het niet. De dader kan ze verzameld hebben, of iemand die Jill Engberg kende.'

'Waar komt het boek vandaan?'

'Dat weet ik niet. Ik heb het gekregen van een man die een antiquariaat heeft. Ronny.'

'Hoe is het boek bij hem terechtgekomen?'

Het was een vraag die Stilton zichzelf al een paar keer had gesteld, een vraag waarvan hij wist dat hij hem onder ogen moest zien als hij zich opnieuw in deze zaak zou verdiepen.

Wat hij inderdaad van plan was.

Hij vouwde de knipsels op en dronk zijn glas bier leeg. Hij kreeg het gevoel dat de moord op Jill hem weer in contact met Luna had gebracht.

Absurd.

'Is het goed als ik hier vannacht blijf?' vroeg hij.

*

Olivia trok het dekbed tot haar kin op. Het bedlampje was nog aan. Ze voelde hoe moe ze was en hoopte dat ze zonder moeite in slaap zou vallen. Ze moest alleen proberen de scène in de arrestantencel uit haar geheugen te wissen, het moment waarop Roland Blomqvist op de brits ging zitten, haar strak aankeek en zijn geheim onthulde.

'Ik heb me afgetrokken.'

'Je hebt je afgetrokken?'

'Ik stond in die houten toren te roken en keek naar je terwijl je daar rondliep en toen heb ik me afgetrokken. Twee keer. Je hebt fantastisch haar.'

Dat moest ze uit haar geheugen zien te wissen.

Ze deed de lamp uit en keek naar het donkere raam bij het voeten-eind. Ze had de dunne gordijnen naar beneden getrokken. Ik hoop dat ze hem morgen breken, dacht ze. Zo snel en definitief mogelijk.

Anders knip ik mijn haar af.

De ochtend had een deel van de duisternis verdreven. Het was mistig, tussen de bomen hingen nevelslierten. Het pad waar de jongen overheen liep was bedekt met natte bruine bladeren. Hij gleed een paar keer uit en lachte. Als hij een aanloop nam kon hij zelfs een paar meter doorglijden. Uit zijn witte koptelefoon klonk muziek en hij droeg een rode rugzak met schoolboeken. Soms nam hij de snelle weg naar school, maar daar liepen vaak oudere jongens die vervelend tegen hem deden. Dan sneed hij een stuk af door dit stukje bos. Zoals vandaag. Hij had een paar jongens gezien die een paar klassen hoger zaten en die hem altijd pestten als hij in de buurt was. Hij wist niet goed waarom. Zijn moeder zei dat ze graag vervelend deden, maar hij dacht dat het door zijn naam kwam en doordat zijn moeder uit een ander land kwam. Hij heette Aram en zijn moeder kwam uit Iran, uit het Koerdische gedeelte. Die vervelende jongens wisten niet eens waar dat lag.

Aram nam weer een aanloop, gleed een stukje over de natte bladeren en verloor bijna zijn evenwicht. Toen hij weer rechtop stond, zag hij een lange gestalte voor zich staan.

De ene auto had niet op tijd kunnen remmen toen de andere auto remde voor een uitzwenkende bus. Het gevolg was een lichte botsing. De chauffeurs, een jonge man en een iets oudere vrouw, stonden naast hun auto's en waren het met elkaar eens wiens schuld het was en dat de schade beperkt was. Ze zouden net telefoonnummers uitwisselen toen ze iemand hoorden roepen.

'Hallo!'

Ze draaiden zich allebei om. Een eind verderop kwam een man in een grijze jas uit een stuk bos rennen. Hij gebaarde naar hen.

'Help!'

De man zag er gejaagd uit en zwaaide koortsachtig met zijn arm.

'Ik heb hulp nodig!' riep hij.

De twee chauffeurs keken naar elkaar en renden daarna naar de man toe. Toen ze bij hem waren, draaide de man zich om en liep het bos weer in. De man en de vrouw volgden hem over een pad dat bedekt was met bruine bladeren. In de verte stonden meer mensen. De gejaagde man bleef staan en wees.

'Daar!'

De man en de vrouw liepen een paar meter verder en keken naar de plek waarnaar de man had gewezen. Vlak naast het pad, bij een half-vermolmde boomstronk, lag een kleine jongen op zijn buik. Hij had een rode rugzak op zijn rug.

'Is hij gevallen?' vroeg de vrouw terwijl ze naar de jongen toe liep.

Haar harde gil maakte duidelijk dat de jongen niet was gevallen. Zijn hoofd was een halve slag gedraaid, zijn dode ogen keken recht naar de geschokte vrouw.

*

Er waren zeven personen in de kamer, vijf mannen en twee vrouwen, allemaal in burger, allemaal moordonderzoekers, twee van hen waren Bosse Thyrén en Lisa Hedqvist. Ze wachtten allemaal op de achtste persoon: Mette Olsäter.

Die liep op dat moment door een van de saaie gangen van het Rijks-recherchegebouw met een snelheid waardoor haar hart in haar nog steeds massieve lichaam op hol sloeg. De reden voor die inspanning was eenvoudig en wreed. Ruim twintig minuten geleden had ze een rapport gekregen over de beestachtige moord op de zevenjarige Aram Mellberg.

Moordverslagen kreeg ze al dertig jaar lang bijna dagelijks zonder dat ze een hartaanval riskeerde, maar deze moord was bijzonder. Hij had namelijk precies dezelfde modus operandi als de moord op Emelie Andersson: een omgedraaide nek.

Hoewel deze in Gustavsberg op Värmdö was gepleegd en niet in Skåne.

'Dezelfde dader?' vroeg Bosse Thyrén zodra Mette op adem was gekomen.

Iedereen in de kamer was geïnformeerd over de daad, iedereen was gespannen.

'Dat is de hypothese waarmee we werken,' zei Mette. 'Ik heb de politie in Skåne ingelicht dat we vanaf nu betrokken zijn bij het onderzoek. Sven Svensson leidt het onderzoek daar. Hij zal ervoor zorgen dat we al hun materiaal zo snel mogelijk krijgen. Vragen?'

'Is er meer dan de manier van vermoorden die aan de moord in Skåne doet denken?'

'Het waren allebei kinderen. Het is onze taak om meer parallellen te vinden. Bijvoorbeeld of er overeenkomsten tussen de gezinnen zijn. Op dit moment verzamelen we getuigenverklaringen uit Gustavsberg. Er bevonden zich meerdere personen bij en rond de plaats delict, die vlak bij de Ösbyschool ligt. Bosse en Lisa, ik wil dat jullie gaan praten met de man die het lichaam heeft gevonden. Hij heet Erik Adolfsson.'

Bosse Thyrén en Lisa Hedqvist verlieten de kamer.

*

Erik Adolfsson had zijn grijze jas uitgetrokken, had hem over een stoel gehangen en was op de stoel ernaast gaan zitten. Bosse en Lisa zaten tegenover hem. Adolfsson droeg een lichtgrijs tweedcolbert over een wit overhemd dat openstond bij de kraag. Zijn dunne blonde haar was netjes gekamd. Hij lijkt op Sven-Göran Eriksson, dacht Bosse, maar dan jonger.

De afgelopen minuten had Adolfsson verslag gedaan van de ontdekking van Aram Mellberg. Zijn stem wankelde terwijl hij probeerde te beschrijven wat er was gebeurd. Bosse en Lisa hadden daar volledig begrip voor. De gebeurtenis moest schokkend geweest zijn.

'Ben je bij het lichaam geweest voordat je wegrende om hulp te halen?'

'Nee. Of ja, hij lag daar, op een paar meter afstand, maar ik begreep dat er iets ernstigs gebeurd was, hij bewoog niet en zijn hoofd was... dat was...'

Adolfsson keek naar zijn handen.

'Je hebt het lichaam dus niet aangeraakt?' vroeg Lisa.

'Nee.'

'Wat deed je daar?'

'Waar?'

'Op die plek? In het bos?'

'Ik was op weg naar de makelaar op het Ösbyplein. Ik ben op zoek naar een vakantiewoning op Värmdö.'

90

'Heb je andere mensen in de buurt gezien?' vroeg Lisa. 'Voordat je wegrende om hulp te halen?'

'Ik heb daar een paar anderen gezien, mensen die verderop liepen, in de richting van de school, en een man jogde langs.'

'Wanneer jogde hij langs?'

'Toen ik het pad op kwam lopen.'

'Uit welke richting kwam hij?'

'Uit, tja, dat moet uit de richting zijn geweest waar de jongen lag.'

'En dat was vlak voor jij bij de jongen was?' vroeg Bosse.

'Ja.'

'Kun je de man beschrijven?'

'Bedoel je zijn kleding?'

'Dat ook.'

'Ja, hij had... Ik moet even nadenken... Ik geloof dat hij groene sport-kleding droeg.'

'Blootshoofds?'

'Ik denk het wel.'

'Welke leeftijd?'

'Oei. Het ging zo snel. Mijn leeftijd misschien, een jaar of veertig, maar dat weet ik niet precies.'

'Maar het was geen jongere?'

'Nee.'

'Zou je zijn gezicht kunnen beschrijven? We willen graag in contact komen met deze man en het zou helpen als we weten hoe hij eruitziet.'

Adolfsson begon het gezicht van de man te beschrijven en Lisa besefte dat het beter was als hij dat tegenover een van de tekenaars van de politie deed. Bosse ging staan en zei dat ze misschien contact zouden opnemen als ze aanvullende informatie nodig hadden. Adolfsson gaf zijn adres en telefoonnummer. Op het moment dat hij de kamer uit wilde lopen, stelde Lisa de vraag waarvan ze wist dat ze hem moest stellen.

'Waar was je donderdag 17 oktober?'

Adolfsson keek naar haar.

'Waarom vraag je dat?'

'Geef gewoon antwoord op de vraag,' zei Lisa vriendelijk.

Het duurde een paar seconden voordat Adolfsson besefte waarom ze het vroeg.

'Moet ik een alibi geven?'

'Waar was je?'

Plotseling verwrong het gezicht van Adolfsson. Lisa had een vermoeden waarom dat was. Nog niet zo lang geleden had hij het meest weerzinwekkende tafereel van zijn leven gezien, de schok zat nog in zijn lichaam en delen daarvan kwamen nu naar buiten.

'Ik ben degene die dat arme kind gevonden heeft! Ik heb er mensen bij geroepen! Waar beschuldigen jullie me van?!'

Adolfsson ging met een hand naar zijn gezicht en Lisa zag dat de tranen in zijn ogen sprongen. Hij haalde zijn neus op.

'Ik was op Åland,' zei hij.

Adolfsson liep de kamer uit en trok de deur met een harde knal dicht.

Lisa maakte een verontschuldigend gebaar naar Bosse, dat volkomen overbodig was.

'Je moest het vragen,' zei hij. 'En we zullen het moeten natrekken.'

*

De moord op Aram Mellberg in Stockholm ontregelde het onderzoek in Höganäs volkomen. Niet alleen omdat de Rijksrecherche erbij betrokken was geraakt, maar ook omdat de aangehouden Roland Blomqvist zich onweerlegbaar in de arrestantencel had bevonden toen de moord was gepleegd. Als het dezelfde dader was, dan was het Blomqvist in elk geval niet, een feit waar de meesten teleurgesteld over waren.

Vooral Olivia.

Deels om persoonlijke redenen, maar vooral om Liv en Sebastian. Als Blomqvist de moordenaar was, dan kon de zaak afgesloten worden, ook voor hen. Nu was dat niet zo. Nu bleef de onzekerheid over wie hun tragedie had veroorzaakt en waarom dat was geweest.

'Wat gebeurt er nu?' vroeg Olivia aan Svensson. Hij zat achter zijn bureau in de vergaderkamer en liet de kleine mondharmonica heen en weer glijden tussen zijn handen.

'Ik weet het niet precies,' zei hij. 'Waarschijnlijk komen er een paar onderzoekers van de Rijksrecherche naar Skåne om met ons samen te werken, of misschien moeten wij dit deel van de zaak onderzoeken en verslag doen aan de onderzoeksleiding in Stockholm.'

'Is het zeker dat het dezelfde dader is? Stel dat het een copycat is?'

Svensson kon het niet laten om zijn mond te vertrekken, hij had een andere gedachtegang.

'Die kans is waarschijnlijk vrij klein. We hebben nooit details gegeven over de manier waarop Emelie Andersson vermoord is.'

'Het stond dezelfde avond al op Flashback.'

'Dat haar nek omgedraaid is?'

'Ja. Dat zijn speculaties, maar toch.'

Svensson schudde zijn hoofd.

'Weet je,' zei hij, 'ik haat die asociale media. Het is een echte beerput voor de slechtste mensen.'

Svensson wist dat het een beperkte en onprofessionele mening was. Hij kende de waarde van de sociale media als informatie- en onderzoeksforum voor de politie. Maar toch, dat was zijn persoonlijke mening.

'Wat gebeurt er nu met Blomqvist?' vroeg Olivia.

'Hij is vrijgelaten.'

'En de dreigmails?'

'Daar moet Liv Andersson aangifte van doen. Wil ze dat?'

'Waarschijnlijk niet.'

Olivia liep naar de deur. Toen ze de gang in liep keek ze naar de arrestantencel. Er waren niet zoveel uren verstreken sinds ze naar buiten was gerend terwijl Blomqvists walgelijke ogen in haar rug brandden. Nu was hij vrijgelaten en moest zij hier nog vier maanden werken. In het kleine Höganäs, waar hij woonde en werkte. Ze haalde een hand door haar lange, donkere haar.

*

Mette zat achter het stuur van een zwarte rechercheauto. Ze was op weg naar de ouders van Aram Mellberg in Gustavsberg en voelde een knagende onrust in haar borstkas. Het was met de jaren erger geworden. Vroeger had het haar niet gestoord, toen had ze een vrij klinische manier om met dit soort situaties om te gaan. Tegenwoordig was dat echter anders. Het was altijd een gevoelige kwestie om met de familieleden van een moordslachtoffer te praten, vooral als het slachtoffer een kind was. De behoefte van de politie om zo snel mogelijk zo veel mogelijk informatie te krijgen botste met het verdriet van de familieleden. Soms ging het gemakkelijk, personen in shock konden opvallend spraakzaam zijn, soms waren ze niet te benaderen. Er kon veel tijd overheen gaan voordat ze te weten kwamen wat ze moesten weten. Hoe het met Arams ouders zou gaan, wist ze niet.

Maar ze voelde het branden in haar borstkas.

Jian en Ola Mellberg woonden in een nieuw complex, in een licht en tegen inkijk beschermd appartement op de derde verdieping. Ze hadden het gekocht met behulp van een erfenis, en hun zoon Aram zou het appartement later erven.

Dat was de bedoeling geweest, maar dat was in een andere wereld geweest. Een wereld die niet meer bestond. Een wereld waarin ze een gezin hadden gevormd. Nu waren ze een man en zijn vrouw die zich in een wereld bevonden waarin niets meer echt was, niets meer betekenis had en niets ooit nog echt zou worden.

Zo voelde het voor Jian.

Ola ging anders met zijn verdriet om.

'Ik heb boodschappen gedaan.'

Dat was zijn antwoord op Mettes vraag hoe hij zich voelde en dat vertelde haar vrij veel. Ze zou kunnen praten met Ola, kon hem vragen stellen, naar hem luisteren. Voorzichtig, maar hij zou haar kunnen helpen met de dingen die ze moest weten. Dat kon Jian niet. Zij lag in de verduisterde slaapkamer, misschien sliep ze, misschien was ze onder invloed van pillen.

Mette wilde het niet eens proberen.

'Wil je koffie?'

Ola liep naar de keuken en Mette knikte. Ze ging staan en liep achter hem aan. Hij liep naar een groot oud koperen espressoapparaat. Mette liet hem zijn gang gaan voordat ze zei: 'We vrezen dat de moord op Aram is gepleegd door dezelfde persoon die het meisje in Arild onlangs heeft vermoord.'

'Emelie Andersson.'

'Ja.'

Ola werkte bij een webredactie. Hij had de verslagen over de moord in Skåne gevolgd, net als Jian had gedaan.

'Ze was geadopteerd uit Ghana, nietwaar?'

'Ja.'

Ola trok de koperen arm naar beneden en perste de koffie in de kopjes eronder.

'Had je iets speciaals in gedachten?' vroeg Mette.

'Ja.'

Ola schonk de koffie in twee mooie blauwe glazen. Mette wachtte af, liet hem in zijn eigen tempo vertellen. Ze zag hoe hij de melk opschuimde en in de glazen schonk, bewegingen die hij heel vaak had gemaakt. Voor Jian en voor hem. Nu was Mette degene die het tweede glas kreeg.

'Jian is freelancejournalist,' zei hij terwijl hij tegenover Mette aan de keukentafel ging zitten.

'Ik weet het.'

'Dan weet je misschien ook waar ze zich de afgelopen tijd mee bezighield?'

'Ik weet dat ze verschillende vormen van internethaat in kaart heeft gebracht.'

Dat had Mettes groep binnen de kortste keren achterhaald.

'Niet alleen dat. De afgelopen weken heeft ze de namen achter een groot aantal anonieme internethaters op Avpixlat, Exponerat en Fria Tider onthuld. Ken je die sites?'

'Ja.'

Ola knikte en nam een slokje van zijn koffie. Mette volgde zijn voorbeeld en proefde dat het heerlijke koffie was. Hier zou Mårten gek op zijn, dacht ze, zonder haar aandacht voor Ola een seconde te laten verslappen.

'Het effect van Jians onthulling was dat een aantal van die internethaters een podium in de media hebben gekregen. Meerderen van hen zijn Zweden-democraten, anderen zijn lid van min of meer openlijke nazistische groeperingen.'

'De Zweedse Partij. Zweeds Arisch Verzet.'

'Ja, bijvoorbeeld. Sommige Zweden-democraten zijn van hun post gehaald door haar onthullingen.'

Mette begreep waar hij naartoe wilde, wat hij eigenlijk wilde vertellen, dat wat Mette graag wilde weten.

'En is ze daarom bedreigd?' vroeg Mette.

'Verschrikkelijk.'

'Mails?'

'Ja. En telefonische bedreigingen.'

'Heeft ze aangifte gedaan?'

'Ja.'

'Waaruit bestonden die bedreigingen?'

'Je moest eens weten.'

Mette wist het heel goed, ze was goed op de hoogte van dat soort bedreigingen.

'Waren het bedreigingen die rechtstreeks tegen haar gericht waren? Of tegen jullie als gezin?'

'Het hele scala.'

'Rechtstreekse doodsbedreigingen?'

'Dat geloof ik wel.'

Ola keek over Mettes schouder naar de slaapkamer, alsof hij zich ervan wilde verzekeren dat Jian het niet hoorde.

'Ik heb een aantal van die mails gelezen,' zei hij heel zachtjes. 'Maar ik denk dat er meer waren die ze niet wilde laten zien. Die over Aram of mij gingen.'

'Heeft ze ze bewaard?'

'Ik weet het niet.'

Mette knikte. Binnenkort zou ze het met Jian moeten bespreken, maar dat kon nog even wachten. Ze dronk de heerlijke koffie en keek naar Ola.

'Samengevat denk jij dus dat de moord op Aram een haatmisdrijf kan zijn.'

'Wat zou jij in mijn situatie denken?'

'Hetzelfde als jij.'

Mette wilde niet beginnen over de moord op Emelie, die volgens haar was verbonden met de moord op Aram. Als dit een haatmisdrijf was, dan moest dat ook gelden voor de moord in Arild.

Ze ging in de zwarte rechercheauto zitten en reed weg. Door de getinte zijramen zag ze de aanplakbiljetten in de kiosken; iedereen schreef over de nieuwe wrede kindermoord. Ze had gezegd dat alle mediacontacten via de persvoorlichter van de Rijksrecherche moesten lopen, ze wilde geen contact met journalisten hebben. Ze wist dat de media zouden aanhaken bij het haatmisdrijfmotief. Zowel op basis van Jian Mellbergs journalistieke werk als het heersende klimaat. Zweden polariseerde in verschillende politieke fracties, deels vanwege het aanstaande zogenaamde superverkiezingsjaar. Als je racistische motieven achter de moord op een kleine jongen vermoedde, die deels van buitenlandse afkomst was, dan zou dat een hele tijd stof tot speculaties geven. Als ze bovendien een verband konden leggen met het vermoorde meisje uit Ghana in Arild, wat te verwachten was, dan zou dat de gemoederen nog meer verhitten.

Mette wilde daar niet bij betrokken raken.

Ze had iets anders om zich op te richten.

Eerst belde ze om door te geven dat al het materiaal met betrekking tot Jian Mellbergs aangifte van bedreiging geanalyseerd moest worden, onder meer wat voor bedreigingen het waren en welke maatregelen waren genomen.

Daarna belde ze Sven Svensson in Höganäs.

'Een haatmisdrijf?' zei hij. 'Je bedoelt dat we de dader in racistische kringen moeten zoeken?'

'Ja. Met het oog op de journalistieke activiteiten van de moeder en de bedreigingen die ze de afgelopen tijd heeft gekregen, is dat een aannemelijke hypothese. Ik heb jullie materiaal vanochtend bekeken en vond geen racistische gedachtegang in het onderzoek. Is die er geweest?'

'Niet officieel, maar ik heb met de gedachte gespeeld.'

'Maar je bent daar niet verder mee gegaan?'

'Nee. We hadden Roland Blomqvist al vrij snel als verdachte, misschien te snel, en we hebben nog niet naar andere motieven gekeken.'

Svensson wist dat het een vergissing was. Hij had het onderzoekswerk breder moeten houden, in plaats van het te beperken tot één verdachte.

'Misschien begin ik mijn grip te verliezen,' zei Svensson.

'Natuurlijk niet,' antwoordde Mette. 'Ik weet precies hoe gemakkelijk het is om je mee te laten slepen. Dat is ons allemaal overkomen. Nu gaat het erom het goed te maken. Vraag hulp aan Olivia, ze is erg goed in het registreren van details.'

'Ik ga meteen aan de slag.'

'Doe dat. Ik heb alle vertrouwen in je.'

Mette verbrak de verbinding. Ze had er niets aan om Svensson een slecht geweten te geven, hij was een goede onderzoeker, het was beter om hem te steunen. Ze boog haar hoofd naar achteren en dacht aan de donkere slaapkamer met de afwezige vrouw. Jian, de moeder van Aram. Hoe zou ze zelf hebben gereageerd als Jolene met een omgedraaide nek was gevonden? Net als Jian misschien. Ze zag voor zich hoe Mårten als een rots in de branding overal voor zou zorgen. Ik moet vragen hoe het met ze gaat, dacht ze.

Op dat moment belde Stilton.

Hij stond op het dek van de aak in zijn enigszins te grote leren jas die hij had geërfd van zijn rijzige opa op Rödlöga, de zeehondenjager. De jas was perfect als er een ijzige wind vanaf het water stond.

'Heb je even tijd?' vroeg hij.

'Nee. Is het belangrijk?'

'Voor mij wel.'

'Kort dan.'

Stilton kende Mette heel goed na al die jaren bij de Rijksrecherche. Ze hadden ongecompliceerd en effectief samengewerkt, wat tot gevolg had gehad dat ze ook in de privésfeer met elkaar omgingen. Daardoor kon hij de toon in Mettes stem precies duiden. Op dit moment was er geen ruimte voor een kletspraatje.

'Het gaat over de Jill-zaak. De moord op Jill Engberg.'

'Wat is daarmee?'

Haar toon veranderde, hij hoorde een zweem van belangstelling. Stilton begon te vertellen over het boek met de krantenknipsels over de moord op Jill. Toen hij klaar was, bleef het een paar seconden stil, maar hij wist dat ze in het aas had gehapt.

'Vreemd,' zei ze.

'Ja.'

'En je weet niet wie het boek gebracht heeft?'

'Nee. Ik ga vanavond met Ronny praten.'

'En waarom bel je mij?'

Mette wist heel goed waarom, dat had ze geweten vanaf het moment dat hij Jill Engberg had gezegd, maar ze had een paar seconden nodig om over haar antwoord na te denken.

'Ik wil al het materiaal dat we over de zaak hebben bekijken,' zei Stilton.

'"We" hebben geen materiaal. De Rijksrecherche heeft dat, de plek waar jij zeven jaar geleden naar buiten bent gelopen terwijl je niet van plan bent om terug te keren, dat heb je meer dan eens duidelijk gemaakt.'

'Maar jij werkt daar.'

'Ja, maar niet aan de Jill-zaak. Op dit moment heb ik twee afschuwelijke kindermoorden op mijn dak en ik heb geen tijd of zin om me ergens anders mee bezig te houden.'

'Dat hoeft ook niet. Ik wil alleen het materiaal bekijken.'

'Daarvoor kan ik je niet binnenlaten.'

'Maar je kunt het mee naar huis nemen. Dan kan ik het daar bekijken.'

'Jij zou toch conciërge worden?'

Het was een steek onder de gordel, dat voelden ze allebei, maar Mette wilde geen standpunt innemen. Niet in de auto, ze moest eerst nadenken.

'Ik neem contact met je op,' zei ze en ze verbrak de verbinding.

Stilton liet zijn mobiel zakken en keek uit over het water. Hij had het aas uitgezet en Mette had gereageerd zoals hij had verwacht, afgezien van die opmerking dat hij conciërge zou worden. Ze zou erover nadenken en daarna zou ze doen wat hij haar had gevraagd. Om twee redenen: ze wist hoe belangrijk de Jill-zaak voor Stilton was geweest, maar vooral omdat ze wilde dat die opgelost zou worden. Ook zij was bijzonder geschokt geweest door de wrede moord.

Ze zou contact met hem opnemen.

Stilton stopte zijn mobiel weg en draaide zich naar de deur. Luna kwam net naar buiten. Ze droeg haar warme jack en de grijze gebreide muts.

'Werk?' vroeg Stilton.

'Nee, ik ga naar Nynäshamn.'

'Wat ga je daar doen?'

'Mijn vader ophalen.'

'De kapitein?'

'Ja. Hij komt een tijdje op de aak wonen.'

'O ja?'

Luna liep naar de reling en ging een eindje bij Stilton vandaan staan. Ze vertelde over de verbouwing van het bejaardentehuis en dat haar vader Justus en zij de alternatieve woonruimte die was aangeboden niet accepteerden.

'Hij is vierentachtig en heel prikkelbaar. Bovendien heeft hij afgelopen voorjaar een hartinfarct gehad, ik wil niet dat hij zich druk maakt over de verhuizing.'

'Ik begrijp het.'

'Dus we gaan proberen of hij hier tijdelijk kan wonen.'

'Hij kan mijn hut nemen.'

'Er zijn meer hutten.'

Stilton keek naar Luna, die uitkeek over het water. Ze begonnen geen van beiden over Stiltons verblijf op de aak, hij nam aan dat het nog steeds de bedoeling was dat hij zou vertrekken.

'Dan ga ik maar naar Rödlöga,' zei hij.

Luna knikte en liep langs Stilton naar de ladder.

'Luister...'

Luna draaide zich om. Stilton keek naar het lange haar dat onder de muts uit kwam.

'Laat maar,' zei hij.

Luna verdween van de boot.

Olivia fietste in het donker naar het gastenverblijf. Ze was uren geleden van het politiebureau vertrokken met het excuus dat ze zich niet goed voelde, wat inderdaad zo was. Niet fysiek, maar op andere niveaus. Daarna had ze op de bonnefooi door de omgeving gefietst.

Ze moest haar hoofd leegmaken.

Ze was gestopt bij een kleine kunstgalerie en had een tijdje tussen de aquarellen en keramiekvoorwerpen rondgelopen. Ze was nergens van onder de indruk. Een jaar geleden was ze van plan geweest om kunstgeschiedenis aan de universiteit te gaan studeren, maar een tragische zelfmoord had haar doen beseffen dat ze bij de politie wilde werken.

Ze wilde een verschil maken.

Nu was ze daar niet zeker meer van.

Toen ze het hek van het grote stenen huis naderde, bleef ze plotseling staan, ze had een flakkerend licht in de tuin gezien. Het kon de vaste verlichting niet zijn, dit schijnsel bewoog bij het raam van haar gastenverblijf. Ze legde de fiets voor het hek en sloop naar de stevige hekpalen. Toen ze de tuin in keek zag ze een donkere man bij het raam die met een zaklamp naar binnen scheen. Roland Blomqvist is vrijgelaten, schoot het door haar hoofd en plotseling werd ze woedend. Ze rende naar het gastenverblijf.

'Wat ben jij verdomme aan het doen?'

Sven Svensson zag er heel betrapt uit toen hij zich omdraaide. Olivia was voornamelijk verbijsterd.

'Ben jij het?'

'Sorry,' zei Svensson. 'Ik heb geklopt en daarna dacht ik dat je misschien naar bed was gegaan. Je was tenslotte ziek.'

'Ik ben weer beter. Wat wil je?'

'Kunnen we naar binnen gaan?'

Olivia liep voor hem uit en deed de deur van het slot. De situatie was haar nog steeds niet helemaal duidelijk. Waarom scheen hij met een zaklamp door haar raam naar binnen?

'Kom binnen.'

Olivia liep voor Svensson uit naar binnen. Hij deed de deur dicht.

'Het spijt me echt,' zei hij. 'Maar ik heb een paar keer geprobeerd je te bellen.'

'Mijn mobiel staat uit. Wil je iets drinken?'

'Wat heb je?'

'Licht bier en koffie.'

'Een licht biertje graag.'

Olivia liep naar het keukentje en Svensson ging op de fauteuil bij de vloerlamp zitten.

'Wat een gezellig huisje,' zei hij.

Olivia kwam binnen met het lichte bier en twee glazen. Svensson pakte een van de flesjes aan en schonk zijn glas vol.

'Mette Olsäter heeft weer gebeld,' zei hij.

Olivia ging op de bank zitten.

'Wat wilde ze?'

Svensson bracht verslag uit van Mettes hypothese dat de kindermoorden een haatmisdrijf konden zijn. Olivia luisterde aandachtig. Plotseling kwam haar politie-instinct weer tot leven. Dit kwam overeen met haar eigen ideeën. En die van Svensson trouwens.

'We hebben een vergissing gemaakt door ons zo snel tot Blomqvist te beperken,' zei hij.

'Blomqvist is een klootzak,' antwoordde Olivia razendsnel.

'Dat is misschien zo, maar hij is waarschijnlijk niet de dader naar wie we op zoek zijn.'

'Helaas niet.'

Svensson merkte dat er een scherpe ondertoon in Olivia's stem lag. Was er iets tussen haar en Blomqvist gebeurd? dacht hij. Toen ze in de arrestantencel was? Hij besloot er niet naar te vragen.

'We moeten hoe dan ook vanuit Mettes hypothese werken. Ik stel voor dat jij zo snel mogelijk contact opneemt met het echtbaar Andersson, je hebt tenslotte al een goed contact met de vrouw.'

'Absoluut.'

Olivia pakte haar mobiel.

'Nu?' vroeg Svensson.

Olivia gaf geen antwoord. Ze zette haar mobiel aan en toetste het nummer van de Anderssons in, dat ze had opgeslagen toen ze Liv Andersson van de luchthaven in Ängelholm hadden gehaald. Ze hoorde de telefoon overgaan en nam intussen een slok bier. Svensson keek naar haar.

'Wordt er niet opgenomen?'

'Nee. Maar dat betekent niet dat ze niet thuis zijn.'

Olivia ging staan en Svensson begreep wat Mette had bedoeld toen het gesprek op Olivia was gekomen. *Soms is ze net een Scud-raket.*

'Wil je dat ik meega?' vroeg Svensson.

'Nee. Geniet van je bier en trek de deur achter je dicht. Die valt vanzelf in het slot. Tot ziens.'

Olivia liep naar buiten. Svensson keek haar na en bedacht dat hij was vergeten om haar over de volgende dag te vertellen. Al het personeel van het bureau zou worden ingezet bij het Tivolipark in Höganäs. Het Zweeds Arisch Verzet had toestemming gekregen om daar een bijeenkomst te houden, wat betekende dat er waarschijnlijk linkse activisten naartoe zouden komen. Het risico bestond dat de situatie uit de hand zou lopen. Svensson pakte zijn mobiel en schreef een korte sms over de bijeenkomst aan Olivia. Zij moest daar ook naartoe.

Ze was tenslotte ondanks alles een gewone politieagent.

*

Sebastian schonk whisky in zijn glas. De fles was halfleeg. Hij nam een slok en zette het glas op de plank naast hem. Liv zat op de bank in hun zitkamer in Arild. Ze had een grote groene sjaal rond haar bovenlichaam geslagen. Ze keek naar haar man, die weer heen en weer begon te lopen. Dat had hij de afgelopen uren voortdurend gedaan, heen en weer lopen en zijn glas tussen het heen en weer lopen bijvullen. Liv had overal in de kamer kaarsen aangestoken, het schijnsel van de vlammen flakkerde op de schilderijen en meubels. Gisteren had ze al het speelgoed van Emelie weggestopt.

Ze wilde een kamer waarin ze er niet de hele tijd aan werd herinnerd.

Het liefst had ze Sebastian ook weggestopt. Ze had inmiddels een paar nachten wakker gelegen naast een man die wisselde tussen dronken zelfmedelijden en woede. Ze had geprobeerd hem te troosten, verstandige dingen te zeggen, hem te omhelzen, maar nu stond ze op het punt om het op te geven.

Er was geen plaats voor haar verdriet.

Sebastian nam weer een slok uit het glas en draaide zich naar Liv op de bank. Zijn gezicht glom, zijn haar was ongewassen en hij had moeite om zijn blik ergens op te richten.

'Hoe kan iemand zoiets verdomme doen?' lalde hij.

'Begin nou niet opnieuw, ik kan het niet meer verdragen.'

'Jij kunt het niet verdragen? Maar ik moet het wel verdragen?!'

'Wat moet je verdragen?'

'Ermee leven! Met wat ze gedaan heeft!'

'Maar ze heeft toch niets gedaan?'

'Ze heeft Emelie alleen gelaten! Hoezo niets gedaan?!'

Sebastian liep naar de bank en boog zich over Liv heen.

'Je weet verdomme helemaal niet wat ze wel en niet gedaan heeft! Je was verdomme in Thailand voor die klotereis van je! Ik ben degene die Emelie gevonden heeft...'

'Houd je kop!'

Liv sprong plotseling van de bank en stond vlak voor Sebastian.

'Ik luister al dagenlang naar je dronkenmanspraat! Je stopt er nu mee! Emelie is net zo goed mijn dochter als die van jou! Ik kan je verdomde zelfmedelijden niet langer verdragen! En kom niet met beschuldigingen tegen mijn moeder! Het is net zo goed jouw schuld! Als jij niet was gebleven om die verdomde lottoformulieren in te vullen, dan was je op tijd thuis geweest en dan was dit misschien nooit gebeurd! Snap je dat dan niet?'

Sebastian liet zich op de bank vallen en staarde naar Liv. Hij had haar nog nooit woedend gezien, hij had haar zelfs nog nooit haar stem horen verheffen, niet tegen hem, niet op die manier. Hij sloeg zijn handen voor zijn gezicht en begon te huilen.

Liv ging op de salontafel zitten en keek naar haar wanhopige man.

'Sebastian. Wat er is gebeurd is afschuwelijk, maar het is onze schuld niet, een ziek mens heeft Emelie vermoord. Wij hebben daar geen schuld aan, niemand van ons. Dat begrijp je toch wel?'

Olivia stond bij het hek van de Anderssons. Ze had haar fiets tegen een van de hekpalen gezet. Door het raam van de zitkamer, dat op een kier stond, had ze Livs uitbarsting gehoord en ze had Sebastian met zijn hoofd in zijn handen op de bank zien zitten. Ze was onder de indruk van de krachtige reactie van de vrouw en begreep haar.

Zij zou net zo gereageerd hebben.

Toch aarzelde ze een paar seconden of ze zou storen. Daarna liep ze naar de deur en belde aan. Het duurde even voordat Liv opendeed. Olivia verontschuldigde zich voor het tijdstip. Ze vroeg niet of ze ongelegen kwam, ze wist dat ze dat deed, maar daar moest ze zich overheen zetten.

'Ik moet jullie een paar vragen stellen.'

'Nu?'

'Het is heel belangrijk.'

Liv keek over haar schouder de woning in, daarna trok ze de deur achter zich dicht.

'Sebastian is daar op dit moment niet toe in staat, kun je het met mij af?'

Olivia knikte en Liv liep naar het hek. Olivia volgde haar. Ze zag dat Liv de grote sjaal dichter om zich heen trok.

'Kunnen we een stukje gaan lopen?'

'Natuurlijk.'

Olivia pakte haar fiets en ging naast Liv lopen. Ze liepen langzaam door het kleine dorp, eerst zwijgend, alsof ze allebei afstand wilden creëren van datgene wat zich daarnet in het huis had afgespeeld. De pittoreske woningen stonden in groepjes bij elkaar langs de weg, onderbroken door donkere paden die naar het water liepen. Achter sommige ramen scheen licht, maar veel woningen waren donker.

'Er zijn hier veel zomerbewoners,' zei Liv bij wijze van antwoord op een onuitgesproken vraag. 'In deze tijd van het jaar zijn veel woningen niet bewoond. Vooral bij de haven.'

'Heb je het hier naar je zin?'

'Ja. Of dat had ik, nu weet ik het niet. Soms denk ik dat ik hier weg wil, zo ver weg als mogelijk is, maar ik denk dat het niet goed is om te vluchten.'

'Nee, waarschijnlijk niet.'

'Wat wilde je me vragen?'

'Ik heb een paar vragen over de toedracht. Weet je dat er in Stockholm ook een kind vermoord is?'

'Ja. Die jongen.'

'We denken dat het dezelfde dader is.'

Liv bleef staan. Ze waren net afgeslagen naar de Mor Cillas-steeg, die naar de haven liep. Het was hier zo goed als aardedonker.

'Is dat zo?'

'Ja. We hebben Roland vandaag vrijgelaten.'

Liv zei niets. Ze duwde de sjaal tegen haar hals en bleef naar de haven lopen. Ze kwamen uit de steeg en liepen naar de verlichte pier.

'Dat is heel vreemd,' zei Liv. 'Iemand die dit eerst met Emelie doet en daarna hetzelfde in Stockholm doet.'

'Het is heel vreemd, dat ben ik met je eens, en op dit moment proberen we te ontdekken wat het motief is.'

'Waar denken jullie aan?'

'Dat het misschien met racisme te maken heeft. Daarom wil ik je iets vragen. Sebastian werkt toch bij een asielzoekerscentrum?'

'In Hässleholm. Heeft het iets te maken met wat daar gebeurd is?'

'Wat is daar gebeurd?'

'Weet je dat niet?'

'Ik weet dat er een tijdje geleden ruzie is geweest, maar ik weet geen details.'

'Een paar jonge asielzoekers zijn ervan beschuldigd dat ze hebben ingebroken bij een ouder echtpaar dat lag te slapen.'

'Precies, dat herinner ik me. Maar dat bleek toch niet zo te zijn?'

'Nee. Maar vlak nadat het gebeurd was, hing er een heel akelige sfeer. Sebastian verdedigde de jongeren en dat maakte sommige mensen woedend.'

'Op wat voor manier?'

'Ze kwamen naar het centrum met grote borden waarop nikkervriend en andere rare uitspraken stonden en ze schreeuwden dat Sebastian het Zweedse ras in de steek liet en andere zieke dingen. Er zijn veel vreemde mensen in dit land.'

'Was het daarmee afgelopen?'

'Dat had het kunnen zijn, maar Sebastian heeft principes.'

Liv zweeg en keek uit over de donkere zee. Olivia kon zich voorstellen dat ze dacht aan de wanhopige man op de bank tegen wie ze daarnet had geschreeuwd dat hij zelfmedelijden had. Het beeld van de man met de principes zou flink gedevalueerd zijn.

'Wat deed Sebastian toen?' vroeg Olivia.

'Hij werd geïnterviewd voor de lokale televisie en zei wat hij vond van mensen die zich op die manier gedragen. Dat had hij waarschijnlijk beter niet kunnen doen.'

'Is er iets gebeurd?'

'De avond na de uitzending werden we wakker van een auto waarvan de koplampen recht op onze slaapkamer gericht waren. Sebastian rende naar buiten en toen reed de auto weg. Het was heel eng. Toen ik de volgende ochtend de krant ging halen, lag er een groot mes in de brievenbus.'

'Een mes?'

'Ja.'

'Denk je dat het een dreigement was?'

'Ik weet het niet. Het was in elk geval heel akelig.'

'Hebben jullie daar aangifte van gedaan?'

'Ja, maar we kregen niet veel respons.'

Olivia knikte. Ze vroeg zich af waar de aangifte was beland. Ze wist inmiddels het een en ander over de ideeën op het bureau. Bepaalde dingen namen ze waarschijnlijk niet bijzonder serieus.

'Is er meer gebeurd?'

'Niet bij ons, maar Sebastian vertelde dat er iets vreemds bij het asielzoekerscentrum was gebeurd. Niet ver daarvandaan ligt een groot weiland en daar stond op een ochtend een vogelverschrikker. Hij ging ernaartoe, want die had er eerder niet gestaan, en toen zag hij dat hij was gemaakt van bruine stof en krullend zwart haar, alsof die vogelverschrikker een kleurling was. Ik heb er een foto van.'

Liv pakte haar mobiel en scrolde naar de foto. De vogelverschrikker zag er zowel merkwaardig als absurd uit. Olivia schudde haar hoofd en zag dat Liv huiverde.

'Heb je het koud?' vroeg Olivia.

'Een beetje.'

Olivia trok haar jas uit, ze droeg er een dikke wollen trui onder. Liv trok de jas aan.

'Zullen we teruggaan?' vroeg ze.

Ze liepen langzaam door het kleine dorp, allebei verdiept in hun eigen gedachten. Toen ze bij Livs hek kwamen, omhelsden ze elkaar even.

Net voordat ze uit elkaar gingen zei Liv: 'Nu moet ik de begrafenis regelen.'

Olivia fietste in het donker naar huis. Ze dacht aan het gesprek met Liv. Aan het racistische motief, aan het mes in de brievenbus. Aan de griezelige vogelverschrikker. Hoe ziek kunnen mensen zijn? dacht ze.

En toch kon ze niet geloven dat een eventuele plaatselijke haat tegen Sebastian Andersson te maken had met een eventuele haatmoord in Stockholm.

Zou de moordenaar uit zijn op een haatexplosie in het hele land?

*

Stilton had het grootste deel van de dag met zijn blauwe tas in zijn hand door de stad gelopen. In de tas zat het boek met alle knipsels. Eigenlijk zou hij naar Rödlöga gaan, maar dat stelde hij uit. Niet dat hij het daar niet naar zijn zin had, maar omdat hij zich verjaagd voelde. Door Luna. Een paar keer was hij op weg naar de aak gegaan. De hut was gehuurd en de huur was betaald. Dan kon ze hem er toch niet van weerhouden om daar te wonen?

Hij begreep echter hoe stom dat zou zijn. Hij wilde geen ruzie met haar en hij respecteerde haar gevoelens. Hij was zelf degene die deze situatie had veroorzaakt en zou gewoon moeten afwachten. Ze zou misschien langzamerhand bijtrekken, als ze een beetje ruimte kreeg. Dat hoopte hij tenminste.

Toen het donker begon te worden besefte hij dat hij Rödlöga kon vergeten. Hij moest vannacht een andere plek vinden om te overnachten. Waar wist hij niet. Intussen kon hij van de gelegenheid gebruikmaken om bij Ronny langs te gaan. Hij was een paar uur geleden al naar het antiquariaat gegaan, maar toen hing het bordje GESLOTEN op de deur. Nu ging hij er weer naartoe. Hij moest een aantal belangrijke vragen aan Ronny stellen.

Vanuit de verte zag hij al dat het mis was. Hij zag drie mannen en een vrouw die een vijfde gestalte in de richting van de winkel sleepten. Die vijfde was Ronny Redlös. Stilton besefte welke avond het was. Eén keer per jaar ging Ronny naar de Hammarbyhaven en ging daar op de kade zitten om te kijken naar de plek waar zijn geliefde vrouw jaren geleden door het ijs was gezakt en was verdronken. Hij nam een fles wodka mee en was na een paar uur stomdronken. Dat was zijn manier om die tragische gebeurtenis te herdenken. Het was een ritueel waarvan zijn vrienden op de hoogte waren. Zij kwamen na een paar uur naar de kade om Ronny naar huis te brengen.

Dat gebeurde op dit moment.

Stilton zag hoe ze Ronny het antiquariaat in droegen en besefte dat hij een beter moment moest afwachten om te vragen wie *De monnik* bij hem had achtergelaten. Hij wilde net weglopen toen Benseman de winkel uit kwam. Hun blikken ontmoetten elkaar en Benseman liep naar Stilton toe.

'Is het die avond?' zei Stilton.

'Ja.' Benseman was een grote Norrlander met lange armen. Hij was ooit een gerespecteerde en bijzonder belezen bibliothecaris in Boden geweest, tot de alcohol zowel hem als zijn leven vergiftigde en hij tussen de daklozen in Stockholm was beland. Daar had Stilton hem ontmoet.

'Hij beweert dat ze door het ijs is gezakt, maar er ligt eind oktober toch nooit ijs?'

'Dat is zijn verhaal,' zei Benseman. 'Misschien is ze helemaal niet door het ijs gezakt, maar heeft ze zelfmoord gepleegd. Misschien wil hij de herinnering mooier maken. Of lag er dat jaar ongewoon vroeg ijs. Wil je met hem praten?'

'Ik wil hem iets vragen over een boek dat ik van hem gekregen heb. *De monnik*. Wie dat aan hem verkocht heeft. Weet jij dat?'

Benseman werkte een paar uur per week bij Ronny, voornamelijk als goede daad van Ronny's kant, dus was de vraag niet helemaal onlogisch.

'Ik geloof dat het in een van de dozen zat die iemand heeft gebracht,' zei hij terwijl hij door de Katarina Bangata begon te lopen.

'Dozen met boeken?'

'Ja. Drie stuks, voornamelijk rotzooi. Maar we vonden een editie van Saint-John Perse, de Nobelprijswinnaar, *Jord Vindar Hav*, met het gedicht *Såsom käril äro skeppen*. Ken je dat?'

Stilton keek naar Benseman met een blik die niet verkeerd opgevat kon worden.

'Het is een nogal hoogdravende beschrijving van geslachtsgemeenschap, zo hoogdravend dat het bijna onleesbaar is. De eerste keer dat ik het las...'

'Weet je wie die dozen gebracht heeft?'

Stilton wist dat hij Benseman op tijd moest afremmen. Als hij de kans kreeg, dan kon hij tot in het oneindige over literatuur praten, vaak over obscure auteurs van wie geen mens had gehoord. Vooral Stilton niet.

'Nee,' zei Benseman. 'Ik was er niet bij.'

'Was het een man?'

'Ik dacht het wel. Maar dat moet je aan Ronny vragen als hij weer nuchter is. Geef hem een etmaal.'

'Oké.'

'Waarom vraag je naar dat boek? *De monnik*?'

'Nieuwsgierigheid.'

'Heb je het gelezen?'

'Nee.'

'Het is een merkwaardig boek, een cultusboek op zijn gebied, min of meer een voorloper van de horrorliteratuur. Er komt ook erotiek in voor.'

'Ik heb geen belangstelling voor het boek, alleen voor degene die het gebracht heeft.'

'Dat is typerend voor jou.'

Stilton wilde niet bespreken wat in Bensemans ogen typerend voor hem was, dus bleef hij vlak bij Björns Trädgård staan.

'Ik sla hier af,' zei Stilton.

'Gaat het goed met je?'

Stilton voelde en zag dat het een vraag was die op een ander niveau lag, en die afkomstig was uit het leven dat ze beiden hadden geleefd en waar Benseman nog steeds deel van uitmaakte. Een leven dat Stilton achter zich had gelaten.

Hij wist dat de vraag uit Bensemans hart kwam.

'Het gaat goed met me,' zei hij.

'Echt?'

'Ja. Hoe is het met Muriel?'

'Niet zo goed.'

'Ik heb haar pasgeleden bij Ronny gezien.'

'Ze gaat daar soms naartoe. Dat is goed. Ze krijgt er eten, we praten met haar en daarna verdwijnt ze weer. Je weet wel waar naartoe.'

'Ja.'

'Zorg goed voor jezelf.'

Stilton knikte en Benseman liep verder naar het Medborgarplein. Misschien had ik moeten vragen hoe het met hem gaat, dacht Stilton. Maar hij ging ervan uit dat het redelijk goed met hem ging, dat zag hij aan zijn ogen. Ze hadden die lege glans niet meer, die onverschillige berusting. Stilton had een zweem van leven in Bensemans ogen gezien.

Muriel was er erger aan toe.

Op dat moment bedacht hij dat hij een slaapplek nodig had.

'Benseman!'

De Norrlander was inmiddels bij Björns Trädgård, maar hij hoorde Stilton roepen. Hij draaide zich om. Stilton liep naar hem toe.

'Wat is er?' vroeg Benseman.

'Waar woon je tegenwoordig?'

'Een gemeenteproject in de Högbergsgatan. Hoezo?'

*

Hij is netjes, dacht Olivia.

Ze had net geconstateerd dat Svensson de bierglazen had afgewassen en ondersteboven op het afdruiprek had gezet. Ze pakte er een en nam een licht biertje. Ze voelde dat ze moest ontspannen voordat ze kon slapen. Ze had Svenssons sms gelezen toen ze net thuis was: een bijeenkomst van het Zweeds Arisch Verzet in het park was geen belangrijke opdracht, maar ze probeerde het te zien als een stap om racisten in kaart te brengen. Met het oog op Livs verhaal over de ruzie in het asielzoekerscentrum en de bedreiging daarna konden er heel goed personen aanwezig zijn die dat op hun geweten hadden. Ze nam een slok bier, nam het glas mee naar de slaapkamer en begon zich uit te kleden. Ze wilde net in bed stappen toen haar mobiel ging. Het was Liv Andersson.

'Lig je nog niet in bed?'

'Nee.'

Het bleef stil.

'Hoe is het met Sebastian?' vroeg Olivia.

'Hij slaapt. Hij is op de bank in slaap gevallen. Weet je nog dat ik dat over de begrafenis zei?'

'Ja?'

'Ik heb er vandaag naar geïnformeerd en toen zeiden ze dat...'

Liv zweeg weer.

'Bij wie heb je geïnformeerd?'

'Een politieagent. Ze zeiden dat het een tijd kon duren voordat ze het lichaam vrij konden geven.'

Olivia hoorde hoe Liv tegen haar emoties vocht en bedacht hoe ontzettend ongevoelig en lomp mensen zich konden uitdrukken. De moeder van een vermoord kind vraagt wanneer ze de begrafenis kan houden en ze praten over 'het lichaam'.

111

'Ik zal proberen of ik erachter kan komen wanneer ze klaar zijn,' zei Olivia.

'Dank je. Slaap lekker.'

'Jij ook.'

Olivia verbrak de verbinding, ging op het bed zitten, pakte het glas bier en dacht aan Liv. Ze was niet veel ouder dan Olivia, een knappe, warme vrouw, en nu zat ze met een verdoofde man op de bank in een woning zonder haar kind en probeerde ze een begrafenis te regelen.

Ze moest zich zo eenzaam voelen.

*

Op een andere plek, niet zoveel kilometers verderop, zat een andere vrouw op een windsorstoel met een glas water voor zich naar de duisternis achter het raam te kijken. Ze had daar elke nacht gezeten sinds haar kleinkind was vermoord. Alles was donker, zowel om haar heen als binnen in haar.

Ze had geen gedachten meer.

Judith dronk het water en ging naar haar plantenkas. Daar was het net zo donker. Ze pakte een gieter en begon de planten om haar heen water te geven, willekeurig, ze hoefden geen water en dat wist ze. Het waren de bewegingen die ze nodig had, het mechanische, die hielden haar een tijdje bij de windsorstoel vandaan. Toen ze de gieter met de zwarte slang vulde moest ze ergens aan denken, voor het eerst in lange tijd.

Ik ben mijn hele leven bezig geweest met dingen te laten groeien, dacht ze, te laten leven, ik heb zaden en stekjes laten groeien en sterk laten worden, dat was mijn levensvreugde, om dit alles te zien ontkiemen en groeien. Nu is die vreugde weg. Nu zullen ze verwelken. Ik zal verwelken. Alles hierbinnen zal bruin worden en doodgaan, alles zal verschrompelen. Ik zal op mijn windsorstoel zitten en verschrompelen en grijs worden, mijn handen zullen verstijven.

Het is niet mogelijk om het verdriet te laten verdwijnen door de planten water te geven, dacht ze en ze zette de gieter weg. Ze ging naar binnen en ging op de windsorstoel zitten. Daar zou ze een uur zitten voordat ze weer naar de kas ging.

*

Het gemeenteproject in de Högbergsgatan werd geëxploiteerd door de Stadsmissie, met steun van de gemeente Stockholm. Het bood drie vormen van onderdak. Benseman maakte gebruik van de vorm laagdrempelig wonen. Hij had een eigen kamer tot zijn beschikking in afwachting van een stabielere vorm van wonen, een zogenaamd trainingsappartement.

Stilton had wat rondgelopen en had een matras en een deken gevonden. Niet in de beste staat, maar Stilton was niet veeleisend. Als je meerdere nachten op het koude beton van een grofvuilruimte had gelegen, dan was een matras op een verwarmde vloer een pure luxe. Nu lag hij onder de dunne deken naast Benseman, die een paar decimeter bij hem vandaan in zijn bed lag.

'Net als vroeger,' zei Benseman.

'Bijna.'

Benseman had een kleine wandlamp aangedaan en las een boek. Hij moest altijd een paar uur lezen voordat hij kon slapen.

'Wat lees je?' vroeg Stilton.

'Een boek over de Maya's. "Ik straal van liefde voor jou, met je lichaam als een bescherming voor het leven." Mooi, vind je niet? Wil je dat ik voorlees?'

'Nee.'

Stilton draaide zich om en trok de deken over zijn hoofd. Hij had moeite met slapen als het niet donker was in de kamer, maar als gast kon hij daar niets van zeggen. Morgen zou hij naar Rödlöga gaan.

'Tom. Slaap je?'

'Nee.'

'Ik vraag me af of ik met Muriel moet trouwen.'

Stilton trok de deken naar beneden en draaide zich naar Benseman.

'Trouwen?'

'Ik mag haar graag. Ze is mooi. En helemaal alleen. Als we een stel zijn is het misschien gemakkelijker voor ons allebei. Dan kunnen we elkaar steunen. Wat denk jij?'

Stilton beschouwde zichzelf niet als een relatiedeskundige, vooral niet op dit moment, dus wist hij niet goed wat hij moest antwoorden.

'Jij bent toch getrouwd geweest?' vroeg Benseman.

'Dat is lang geleden.'

'Maar voelde het goed?'

'Eerst voelde het goed, maar later was het vreselijk.'

'En toen ben je op straat beland?'

'Zo ongeveer.'

'Maar omdat Muriel en ik daar al zijn, beginnen we vanaf de bodem. Dan kan het toch alleen maar beter worden? We weten waar het om gaat, als het ware.'

'Dat is waar.'

Benseman knikte en richtte zijn aandacht weer op zijn boek. Stilton draaide zich om en trok de deken omhoog. *Jij bent toch getrouwd geweest?* Inderdaad, met Marianne Boglund. Maar dat was heel lang voor de vorige ijstijd geweest en hij was niet van plan om de herinnering daaraan te ontdooien.

Hij deed zijn ogen dicht en probeerde het beeld van Luna's lichaam op te roepen.

Het was druk in de vergaderkamer, de meeste onderzoekers waren aanwezig. Degenen die er niet waren hadden legitieme redenen; zij hielden zich op een andere manier met de kindermoord bezig. Mette had tot nu toe alle middelen gekregen waarom ze had gevraagd. Er was een flink aantal personen op diverse niveaus bij het onderzoek betrokken.

In de vergaderkamer zat de kerngroep. De denktank.

Hier zaten de mensen met de grootste ervaring met dit soort misdaden. Mensen die de afgelopen jaren veel ernstige moorden hadden onderzocht en opgelost.

Mette voelde zich zeker.

Ze zouden deze zaak ook oplossen.

'Een tijdje geleden kregen we het bericht dat er huidresten onder de nagels van de vermoorde jongen Aram zaten,' zei ze. 'Dat betekent dat hij zich heeft verzet, wat betekent dat de dader wonden of schrammen kan hebben. De huidresten zijn naar het SKL gestuurd. Als we geluk hebben, krijgen we een match, hebben we pech dan hebben we in elk geval iets om in een later stadium te vergelijken. Heeft iedereen dit gezien?'

Mette draaide zich naar de muur achter haar. Daar hing een grote compositietekening van een man.

'Is dat de jogger die Adolfsson heeft gezien?'

'Ja. De tekening is naar alle eenheden in het land gestuurd.'

'Media?'

'Die hebben de tekening ook. Het is heel dubbel. Zoals jullie zien geldt voor deze compositietekening ook dat hij op vrij veel mensen van toepassing kan zijn, dus kunnen we een stroom tips verwachten. Ik ben echter van mening dat we meer te winnen dan te verliezen hebben. We moeten alle tips natrekken. Hoe zit het met Adolfssons alibi?'

'Dat hebben we gecontroleerd,' zei Bosse Thyrén. 'Het klopt. Hij was op Åland.'

'Dan weten we dat. Het zou goed zijn als we Adolfsson laten weten dat hij in Stockholm moet blijven. Hij kan nodig zijn bij een getuigenconfrontatie als we de jogger te pakken hebben.'

'Die jogger is toch heel verdacht?' zei een van de oudere onderzoekers.

'Wat bedoel je?'

'Ik bedoel dat we naar hem op zoek zijn. Het kan hem toch nauwelijks ontgaan zijn dat de politie met hem in contact wil komen?'

'Dat klopt.'

'En toch heeft hij niets van zich laten horen.'

'Daar kunnen meerdere redenen voor zijn. Misschien wil hij er niet bij betrokken raken, misschien heeft hij andere dingen te verbergen of heeft hij er moeite mee zich bekend te maken.'

'Dat bedoel ik. Dat is toch verdacht?'

Mette draaide zich naar het bord achter haar. Ze was van mening dat het gesprek over de jogger nergens toe zou leiden.

'Zo zag de plaats delict eruit.'

Mette wees naar een grote kaart van de plek waar Aram was vermoord. De personen die in de buurt waren geweest van de plek waar Aram was gevonden, waren gemarkeerd met een kruis.

'Zoals we aan deze situatiekaart zien, hoeven niet veel mensen gemerkt te hebben wat er gebeurde. Het is waarschijnlijk heel snel gegaan. De jongen werd blijkbaar verrast door de dader. Adolfsson liep hier en de jogger kwam uit de andere richting.'

'De jogger heeft het lichaam van de jongen in elk geval gezien als hij vanuit de andere richting is gekomen,' zei de onderzoeker die zich in de jogger had vastgebeten.

'Waarschijnlijk wel,' zei Mette. 'Maar de jongen lag een stukje bij het pad vandaan, gedeeltelijk achter een oude boomstronk. Het is niet zeker dat je dat ziet als je langsrent en met je gedachten ergens anders bent.'

Mette draaide zich weer naar de groep.

'Hebben jullie overeenkomsten tussen de families gevonden?'

'Nee. Niets.'

'Hoe gaat het in Skåne?' vroeg Lisa.

'Ik heb Svensson gevraagd om de racistenhypothese te volgen. Ik ga ervan uit dat we vandaag een rapport krijgen. Nog meer vragen?'

'Zoeken we een seriemoordenaar?'

De vraag was retorisch, maar weerspiegelde de druk die iedereen in de kamer voelde.

'In het ergste geval wel,' zei Mette.

*

Onder normale omstandigheden was het park, dat in 1855 rond het oude Tivoligebouw was aangelegd, heel mooi. Destijds heette het Folkets Trädgård, tegenwoordig werd het Tivolipark genoemd. Het was een veilige plek waar mensen elkaar overdag en 's avonds ontmoetten.

Vandaag was dat anders.

Voor de grote heuvel in het park, oorspronkelijk een gesloten groeve, was een klein podium opgesteld. Aan beide kanten van het podium hingen donkerrode vlaggen met in het midden een gele driehoek met een witte pijl, het symbool van het Zweeds Arisch Verzet. Een aantal onbehouwen mannen stonden aan beide kanten van het podium in een rij met een vlag in hun handen. Voor het podium stonden een aantal politieagenten. De Zweedse vrijheid van meningsuiting hield in dat iedereen die toestemming had het recht had om zijn mening in het openbaar te verkondigen. Ook neonazi's. Dat recht moest beschermd worden tegen aanvallen.

Daarom stonden de agenten er.

Een paar meter voor hen stonden mensen met spandoeken die uiting wilden geven aan hun afschuw over de bijeenkomst. Dat was ook een onderdeel van de vrijheid van meningsuiting. Hoeveel van de mensen voor het podium linkse activisten waren, was moeilijk te zeggen. Tot nu toe droeg niemand een bivakmuts of sjaal voor zijn gezicht, maar iedereen vermoedde dat ze er waren en dat ze waarschijnlijk in actie zouden komen. Het Revolutionaire Front en AFA hadden overal actieve leden.

Dat was een andere reden waarom de politie daar stond.

Olivia was een van hen, Frans was een andere. Langs het park stonden ME-busjes en politiewagens. Het was niet zeker of dat ertoe zou bijdragen om de gemoederen te bedaren, het signaleerde eerder potentiële gewelddadigheden.

De sfeer in het park escaleerde het laatste kwartier, toen de vlaggendragers het podium betraden. Verontwaardigde mensen scandeerden antiracistische leuzen, boegeroep vermengde met applaus, er waren verschillende kampen aanwezig. Het Zweeds Arisch Verzet had veel sympathisanten in dit gebied en velen waren hiernaartoe gekomen. Het wachten was op een confrontatie. Olivia voelde de zenuwachtige onrust van haar collega's. Het was een mijnenveld, er kon van alles gebeuren. En als dat zo was, dan stonden de politieagenten ertussen. Dat was hun opdracht.

Olivia zag dat de mensenmassa dichter naar het podium dromde, al snel stonden ze nog maar een meter bij de politieagenten vandaan. Plotseling zag ze Liv Andersson. In één hand hield ze het eind van een spandoek vast met een duidelijke boodschap erop: NEE TEGEN RACISME! Waarom is ze hier? was het eerste wat door Olivia's hoofd schoot. Hoe lukt het haar om hier te zijn? Het volgende moment voelde ze ongekend veel respect. Liv wilde haar mening duidelijk maken, ze wilde haar steentje bijdragen. Ondanks, of misschien juist vanwege de ramp die haar had getroffen. Olivia probeerde oogcontact met Liv te krijgen, maar dat lukte niet.

Op hetzelfde moment stapte een ongeveer veertigjarige man het podium op. Net als de anderen was hij onbehouwen en had hij kortgeknipt haar. Hij droeg een wit overhemd, een zwarte stropdas en een zwarte broek, een bril met een vierkant montuur bedekte een deel van zijn pokdalige huid. Hij liep naar de microfoon, die aan de rand van het podium stond. Hij was degene die de aanwezigen zou toespreken. Olivia wist dat hij Måns Berntsson heette, dat had in de informatiefolder gestaan die ze allemaal hadden gekregen voordat ze hiernaartoe gingen. Hij was een van de plaatselijke leiders van het Zweeds Arisch Verzet.

Måns Berntsson legde een hand op de microfoon terwijl er steeds harder werd gescandeerd.

'Zweden!' begon hij. 'Jullie weten waarom we hier vandaag bij elkaar zijn gekomen. Ons volk staat op het punt ten onder te gaan en jullie weten waarom. Ons ras wordt bedreigd met uitroeiing en jullie weten waarom. Alles wat we in ere houden wordt ontheiligd en uitgeroeid en jullie weten waarom. Jullie weten wie daarachter zitten. Jullie weten over wie ik het heb. Jullie weten hoe ze eruitzien en waar ze wonen. We moeten dit nu een halt toeroepen! Dit is het land van de Zweden! We moeten het giftige onkruid uit onze Zweedse flora verwijderen! De zeis moet het land maaien!'

De menigte scandeerde steeds harder en de toespraak van Berntsson verdronk gedeeltelijk in het lawaai, maar Olivia stond helemaal vooraan en hoorde alles. Ze vond het weerzinwekkend. Ze draaide zich naar Frans en probeerde het scanderen te overstemmen.

'Is dat geen opruiing tegen een bevolkingsgroep?'

'Het is hun democratische recht om uiting te geven aan hun mening,' kreeg ze als antwoord.

Olivia draaide zich weer naar de menigte en zag een groep jonge mannen naar voren dringen. Plotseling trokken ze maskers voor hun gezichten en stormden ze naar het podium. De politie kwam in actie en probeerde ze weg te duwen. Dat mislukte. Meerdere mannen met donkerrode vlaggen stormden naar voren met boksbeugels in hun handen, anderen haalden wapens tevoorschijn. Olivia zag ijzeren pijpen en honkbalknuppels voordat ze midden in een enorme vechtpartij belandde. Binnen een paar minuten was het een chaos.

'Berntsson!'

Olivia zag een agent naar haar en daarna naar het podium wijzen. Ze draaide zich om. Een man met een bivakmuts over zijn gezicht stond op het punt om Berntsson een klap met een wapen te geven. Hij probeerde zich met zijn armen te beschermen. Olivia sprong op het podium en pakte de man vast. Ze kreeg hem bij Berntsson vandaan en duwde hem van het podium. Berntsson zat met een bloedend gezicht op zijn knieën, zijn bril lag verbrijzeld op het podium.

'Haal hem daar weg!' schreeuwde de agent en Olivia wist niet hoe ze moest reageren. Ze zag meerdere mannen het podium op rennen en pakte Berntsson snel vast.

'Ga mee!'

Berntsson wankelde toen hij omhoog werd getrokken en door Olivia van het podium werd gehaald. Ze keek over haar schouder en zag een paar gemaskerde mannen naar hen wijzen. Olivia pakte Berntssons arm vast en liep op een holletje naar haar politiewagen een eindje verderop.

'Ga zitten!'

Berntsson liet zich op de passagiersstoel vallen. Olivia zag dat de jonge mannen naar de auto drongen. Ze ging achter het stuur zitten, startte de motor en scheurde weg. Ze moest toeterend het park af rijden, maar het lukte haar.

Toen ze de grote weg op reden keek ze naar Berntsson. Zijn gezicht bloedde en hij hield een doek voor zijn mond.

'Wil je naar het ziekenhuis om daarnaar te laten kijken?'

'Nee. Blessures horen bij een oorlog.'

Olivia besloot geen commentaar te geven op de merkwaardige benaming van wat er net gebeurd was. Oorlog? Was dit een voorproefje van het werkelijkheidsbeeld van deze man?

'Waar woon je?' vroeg ze.

'Mjöhult.'

Berntsson haalde de doek van zijn mond en keek naar Olivia.

'Het is prettig dat de Zweedse politie aan onze kant staat.'

Ze reden via de Nygårdavägen naar Mjöhult. Berntsson belde diverse personen met zijn mobiel om te vertellen wat er was gebeurd. Olivia zweeg. Uit de gesprekken begreep ze hoe beledigd Berntsson was over de aanval en hoe tevreden hij was over het ingrijpen van de politie. Uiteindelijk was hij klaar met bellen en richtte hij zijn aandacht op haar.

'Ik wil je hartelijk bedanken. Het is verschrikkelijk dat ons recht op vrijheid van meningsuiting op deze manier wordt aangevallen. Ik voel me bijzonder gekwetst.'

'De vrijheid van meningsuiting wordt gegarandeerd door de democratie. Zijn jullie niet tegen democratie?'

'We zijn voor een Scandinavisch rijk dat is gebouwd op een nationaalsocialistische basis.'

'Heeft dat rijk vrijheid van meningsuiting?'

Berntsson veegde een beetje bloed van zijn mond en keek naar Olivia. Ze hield haar ogen op de weg gericht.

'Wat wil je daarmee zeggen?' vroeg hij.

'Ik ben gewoon nieuwsgierig. Je denkt anders dan ik.'

'Ik weet niet hoe jij denkt, maar ik weet dat veel politieagenten onze mening delen.'

'Ik niet. En nu moet de zeis het land maaien?'

'Dat was een metafoor.'

'Voor wat?'

'Voor wat er gedaan moet worden.'

En wat is dat? wilde Olivia vragen, maar Berntsson kreeg weer een telefoontje. Er was blijkbaar een nabespreking bij hem thuis.

Toen hij ophing, vroeg Olivia: 'Je bent niet van mening dat alle mensen evenveel waard zijn, nietwaar?'

'Nee, dat is niemand. Niemand is van mening dat een pedofiel of een moordenaar evenveel waard is als een goed mens. Wie dat beweert, is gewoon een huichelaar.'

'Welke mensen zijn meer waard dan anderen?'

'In aflopende volgorde zijn dat Zweden, Scandinaviërs en Europeanen.'

'Waarom juist zij?'

'Omdat ze tot het Arische ras behoren en dat is uniek op de aarde.'

Olivia voelde dat haar hart sneller begon te slaan. Ze zat in de auto met een rasechte nazi naast zich.

'Op welke manier dan?' vroeg ze.

'Ze zijn intelligenter,' zei Berntsson. 'Hebben meer creativiteit, empathie en inventiviteit.'

Empathie? Associeerde hij het nazisme met empathie?

'Maar de overgrote meerderheid van de Zweden heeft een andere mening dan jij,' zei ze. 'Hoewel ze volgens jou tot het intelligentere ras behoren. Hoe komt dat?'

Het duurde een paar seconden voordat Berntsson een antwoord siste: 'Ze zijn misleid. We zullen ze informeren. Daarom houden we informatiebijeenkomsten.'

Olivia voelde dat ze klaar was met het in kaart brengen van Berntssons zienswijze. Zijn kijk op de maatschappij was beklemmend, dus ging ze over op het stellen van meer gerichte vragen.

'Ik neem aan dat je weet dat er in Arild onlangs een moord is gepleegd,' zei ze. 'Op een driejarig meisje.'

'Dat negerkind?'

'Ze was getint. Je hebt een waardeloze vocabulaire.'

Berntsson keek naar haar, daarna glimlachte hij.

'Een vervelende gebeurtenis daar in Arild,' zei hij. 'Maar misschien moet je nadenken voordat je zoiets adopteert.'

Niet eens zo iemand, maar zoiets. Olivia's wangen brandden.

'Ik ben betrokken bij het onderzoek naar die moord,' zei ze. 'En we denken dat er misschien racistische motieven achter zitten.'

'O ja?'

Olivia dacht een paar seconden na. Zou ze een stap verder gaan? Of was dat tegen de regels? Berntsson ontsloeg haar van die beslissing door te zeggen: 'Hoe komen jullie daarbij?'

'De vader van het meisje werkt bij een asielzoekerscentrum,' zei ze. 'Een tijdje geleden heeft iemand een mes in zijn brievenbus gestopt, wat bedoeld was als dreigement. Heb je daar iets over gehoord?'

'Waarom denk je dat?'

'Omdat jij je in dat soort kringen beweegt. We moeten het giftige onkruid uit onze Zweedse flora verwijderen. Dat zei je daarnet toch in het park?'

Berntsson keek naar Olivia, net zolang tot ze terugkeek, daarna richtte hij zijn blik op de weg.

'Je mag hier wel stoppen,' zei hij.

Ze bevonden zich op een lang recht stuk. Aan beide kanten van de weg lagen uitgestrekte weilanden, een paar rietganzen scharrelden in de greppel. Olivia remde en zette de auto in de berm. De man naast haar maakte zijn veiligheidsgordel los; hij was duidelijk van plan hier uit te stappen. Toen hij zijn hand op het portier legde, vroeg Olivia: 'Waar was je op het moment dat de moord gepleegd werd?'

Berntsson opende het portier en stapte uit. Toen hij zich omdraaide had hij zijn mobiel in zijn hand. Hij boog zich een stukje naar voren en nam razendsnel een foto van Olivia. Daarna liet hij zijn mobiel zakken en keek in haar ogen.

'Je houdt ervan om te fietsen, nietwaar?'

Olivia liet zijn blik niet los, niet voordat hij naar haar glimlachte. Toen draaide ze haar hoofd weg.

'Ik loop liever naar huis,' zei hij.

Berntsson sloeg het portier dicht.

Olivia reed naar het politiebureau en liep naar haar kantoor. Ze ging achter de computer zitten en ging op zoek naar informatie over het Zweeds Arisch Verzet. Het was geen verheffende lectuur. Vooral niet als je bedacht dat juist Skåne een van de drie sterkste bolwerken van het land was. Het was ook duidelijk dat het de meest militante nazibeweging in Zweden was. Het was moeilijk om te achterhalen hoeveel leden er waren, maar de schatting was dat de beweging een paar honderd actieve leden had. Daaraan kon beslist een groot aantal min of meer uitgesproken aanhangers worden toegevoegd. Ze hadden ook een eigen site die *Het front* heette. Daarop werden de politieke doelstellingen van de beweging op verschillende manieren gepropageerd.

Nadat ze ruim een uur had gesurft voelde Olivia zich heel neerslachtig. Het beeld van de naziaanhangers was heel onaangenaam. Het waren mensen die niet aarzelden om andere mensen aan te vallen, zelfs niet als het om moord ging.

Alles ten behoeve van de heilige zaak.

Ze zocht ook informatie over het incident bij het asielzoekerscentrum in Hässleholm. Op een van de krantenfoto's zag ze Måns Berntsson in een groep voor het centrum met een bord in zijn handen waarop NIKKERVRIEND stond.

Ze ging naar het strafregister en zocht naar Berntsson.

Hij kwam erin voor. In 2011 was hij door het gerechtshof in Göta veroordeeld voor huisvredebreuk en een wapenmisdrijf. Daarvoor had hij een aantal veroordelingen gekregen voor ernstige mishandeling, opruiing tegen bevolkingsgroepen en overtreding van de messenwetgeving. Ze leunde naar achteren en hoorde Berntssons stem in haar hoofd: *Ik voel me heel beledigd*. Arme stakker, dacht ze.

Op dat moment kwam Frans binnen.

'Hallo,' zei hij. 'Heb jij Måns Berntsson naar huis gebracht?'

'Niet helemaal naar huis.'

'Nee, dat heb ik gehoord.'

'Van wie heb je dat gehoord?'

'Denk je echt dat hij betrokken is bij de moord op Emelie?'

'Dat zou toch kunnen?'

Frans haalde zijn schouders op.

'Weet Svensson hiervan?' vroeg hij.

'Waarvan?'

'Dat je Berntsson verdenkt.'

'Hij heeft me gevraagd om een nieuw motief te volgen.'

'De racistenlijn?'

'Ja.'

Olivia draaide zich weer naar het scherm. Frans keek naar haar en liep naar de deur. Toen hij bijna buiten was, zei Olivia: 'Je hebt nog geen antwoord gegeven.'

Frans draaide zich om in de deuropening.

'Waarop?'

'Hoe weet je dat van Berntsson?'

'Hij heeft me gebeld.'

'Heeft hij jou gebeld? Zijn jullie vrienden?'

Frans liep naar buiten terwijl Svensson op weg naar binnen was. Svensson wachtte tot Frans was verdwenen, waarna hij de deur dichtdeed.

'Het ging er vandaag duidelijk heftig aan toe,' zei hij. 'Ze hebben vier personen van het Revolutionaire Front opgepakt.'

'En het Zweeds Arisch Verzet dan?'

'Dat zijn toch degenen die zijn aangevallen?'

Met goede redenen, dacht Olivia, maar dat zei ze niet hardop. Geweld was illegaal, door wie het ook werd uitgevoerd.

'Jij bent weggereden met Måns Berntsson?' ging Svensson verder.

'Daar kreeg ik opdracht toe. Ik wist niet dat het bij de politietaken hoorde om op te treden als privéchauffeur van een nazi.'

'Ik ook niet. Ik heb dat bevel niet gegeven.'

'Dat klopt. Sorry.'

Olivia kalmeerde. Ze wilde geen conflict met Svensson. Hij was de enige die ze op dit moment kon verdragen. Ze vroeg hem om te gaan zitten en begon te vertellen wat ze de vorige avond van Liv Andersson te weten was gekomen en over de autorit met Måns Berntsson. Toen ze klaar was zei hij: 'Beschouwde je dat als een dreigement? Wat hij over het fietsen zei?'

'Ja.'

'Die personen hebben een uitermate gewelddadige agenda. Wil je bescherming?'

'Nee.'

Svensson keek haar aan.

'Ik ben eerder bedreigd,' zei ze.

*

Ola Mellberg was met een tas boodschappen vanaf het centrum in Gustavsberg op weg naar huis. Eigenlijk had hij niets nodig gehad, het was eerder een excuus om een tijdje uit het appartement te zijn. Een tijdje uit de buurt van Jian te zijn. Hij voelde dat ze hem naar beneden trok, de duisternis in, haar verdriet was een zwart gat en daar wilde hij niet in getrokken worden. Hij wilde zijn houvast niet verliezen. Hij probeerde zich te richten op de praktische zaken, de routines hielden hem op de been. Hij moest doorgaan. Hij wist dat de ene dag in een andere overging en dat daar een nieuwe dag op volgde. Langzamerhand zou het leven weer draaglijk worden.

Dacht hij.

Zo dacht Jian niet. Voor haar waren er geen routines meer, alleen duisternis en stilte, af en toe onderbroken door krampen. Ze lag in de donkere slaapkamer, meestal in foetushouding, nauwelijks aanspreekbaar. Ola probeerde haar iets te laten eten of in elk geval iets te laten drinken. Het gebeurde niet vaak dat hij daarin slaagde. Als het mislukte had hij telkens dezelfde gedachte: ze moet naar het ziekenhuis, ze moet opgenomen worden.

Ze hadden hulp aangeboden gekregen, maar Jian had geweigerd.

Vanochtend had hij geprobeerd de gordijnen een stukje open te trekken om in elk geval een beetje licht in de slaapkamer binnen te laten.

Hij had ze weer dicht moeten trekken.

Op weg naar het appartement nam hij een beslissing. Hij moest controle over de situatie krijgen, zo kon het niet doorgaan. Ze moest weer gaan functioneren, anders moest hij haar dwingen om zich te laten opnemen.

Hij zette de tas in de keuken, liep naar de slaapkamer, ging op de bedrand zitten en deed de lamp op het nachtkastje aan. Jian schrok, draaide zich om en trok een kussen over haar hoofd. Ola streelde zachtjes over haar magere rug, hij kon de ribben onder haar trui voelen.

'Zo kunnen we niet doorgaan,' zei hij, waarna hij even wachtte. 'We moeten Arams moordenaar vinden.'

Hij had precies bedacht wat hij zou zeggen, onderweg vanaf het centrum naar huis. Het was niet iets wat hij zomaar zei. Hij wist wat een vuur er in Jian brandde als ze op jacht was naar gehate personen. Hij wist wat een oerkracht er in haar huisde. Nu was die oerkracht uit haar gestroomd en was het vuur gedoofd, maar hij hoopte dat er iets over was. Misschien een sprankje dat alleen een vonk nodig had? Hij wist het niet, maar hij waagde het erop, hij had geen alternatief.

Behalve een gedwongen opname.

'Ik weet dat het moeilijk is om over na te denken,' ging hij verder. 'Maar het kan natuurlijk zijn dat de moordenaar een van de mensen is op wie je op internet jacht hebt gemaakt. Het kan iedereen zijn die haat en bedreigt.'

Ola zweeg, maar hij zag dat Jian het kussen van haar hoofd had getrokken.

Ze luisterde.

Hij zette nog een stap, een stap die hij niet had voorbereid en die op dat moment in hem opkwam.

'En ik denk dat jij meer kennis hebt dan de politie over die mensen op internet,' zei hij. 'Als er iemand is die een kans heeft om Arams moordenaar te vinden, dan ben jij dat.'

Het bleef een hele tijd stil. Ola zat op hete kolen. Uiteindelijk draaide Jian zich om en keek naar hem.

'Een internethater?' vroeg ze.

Er was een sprankje over.

*

Stilton was 's middags langsgegaan en Ronny had het bordje GESLOTEN meteen opgehangen. Nu zaten ze al een paar uur bij elkaar. Ronny had rode wijn ingeschonken. Hij had nog steeds last van de naweeën van zijn dronkenschap. Stilton had een paar slokjes genomen; hij moest straks de boot naar Rödlöga besturen. Maar hij genoot van Ronny's gezelschap, ook al hadden ze verschillende interesses. Die van Ronny was literatuur en die van Stilton was overleven, maar ergens onderweg ontmoetten ze elkaar. Goede literatuur ging om overleven, had Ronny gezegd toen ze het onderwerp een keer bespraken.

'Ooit woonde ik op een klein Grieks eiland en werd ik geveld door een duivelse darmbacterie,' zei hij. 'Mijn lichaam liet alles en nog een beetje los. Ik was ervan overtuigd dat ik zou sterven. De vierde avond in deze hel sleepte ik me uit bed en wankelde naar het dorp. Voor een van de kleine hotelletjes stond een doos boeken die toeristen hadden achtergelaten. Ik keek erin, meer uit beroepsdeformatie, ik was erop voorbereid te sterven en wilde misschien een laatste keer lezen terwijl dat gebeurde. Tussen een paar Duitse detectives stond een novellebundel van Slas, een van mijn favoriete auteurs. Ik zag dat als een goddelijk teken en nam het boek mee. Ik lag de hele nacht op een brits in een witgekalkt mausoleum en las het boek in één keer uit. De volgende ochtend was ik beter.'

'En jij denkt dat het door dat boek kwam?'

'Daarvan ben ik overtuigd.'

Dat was Stilton niet, maar hij ging er niet op in. Geloof kan bergen verzetten, had zijn oma hem geleerd, en misschien was dat ook zo. In elk geval als je in de juiste dingen geloofde.

'Maar je herinnert je niet hoe hij eruitzag?' vroeg hij. 'De man die de dozen heeft gebracht?'

'Nee. Hij was tegen de zestig, denk ik.'

'Wat droeg hij?'

'Een donkere jas, geloof ik.'

Ze hadden het onderwerp een paar uur eerder afgehandeld, maar Stilton wilde zich er nog een keer van vergewissen. Hij had tenslotte een verleden als politieagent.

'Was hij hier eerder geweest?'

'Voor zover ik weet niet. Waar gaat het om?'

'Een moord.'

'Je bent toch geen politieagent meer?'

'Burgers willen toch ook dat een moord wordt opgehelderd?'

'Natuurlijk. Hoe gaat het op de aak?'

'Dat wil je niet weten.'

Ronny lachte en streek met een hand over zijn mond, de rode wijn had donkere vlekken in zijn mondhoeken achtergelaten en Stilton voelde dat het tijd was om te vertrekken, voordat Ronny nog een keer inschonk.

'Misschien kun je contact met me opnemen als hij nog een keer komt,' zei Stilton terwijl hij ging staan.

'Dat doe ik. Neem dit mee.'

Ronny stak een boek naar hem uit. Stilton zag dat het een novelleverzameling van Slas was. *Blauwe maandag.*

'Is dat het?'

'Dat is het. Op een mooie dag heb je het misschien wel nodig.'

Stilton knikte, gaf Ronny een hand en stopte het boekje in zijn zak.

Wie weet, dacht hij, misschien heb ik het op een mooie dag echt nodig.

*

Olivia was klaar op het politiebureau, maar ze wilde niet naar huis. Het gesprek met Måns Berntsson liet haar niet los. Ze wilde nog niet naar het gastenverblijf en de duisternis, ze wilde mensen om zich heen hebben. Geluid, muziek, geroezemoes. Ze ging naar Glöd. Het zit vol mensen en dan verdwijn ik in de menigte, dacht ze, of het is niet druk en dan kan ik aan de bar zitten.

Het was niet druk. Bij de bar was het bijna helemaal leeg, maar aan een paar tafeltjes zaten mensen. Olivia liep naar de bar en bestelde een licht biertje bij de barman, vanavond was dat een man van middelbare leeftijd met rood haar en een opgedraaide snor. Hij heette Viggo en was afkomstig van Fyn. Hoe hij in Höganäs was beland, was een lang verhaal waarnaar Olivia een keer heel ontactisch had gevraagd. Het had haar drie biertjes gekost voordat Viggo klaar was.

'Laat het je smaken.'

Viggo zette het bier voor Olivia neer en ze hief haar glas. Het was koud en helder bier en ze genoot van de eerste slok. Ze zette het glas neer en draaide zich een stukje om. Dat had ze beter niet kunnen doen, maar nu was het te laat. Ze zag Frans. Hij zat bij een van de tafels met drie andere mannen. Een van hen was Måns Berntsson. Van het geluidsniveau rond de tafel begreep ze dat ze daar al een hele tijd zaten. Olivia draaide bliksemsnel haar rug naar hem toe en pakte haar glas. Ze merkte dat haar hand trilde. Waar is hij in vredesnaam mee bezig? Waarom zat hij aan een tafel met Måns Berntsson? Ze dronk haar glas in drie grote slokken leeg en gebaarde naar Viggo dat ze er nog een wilde. Terwijl Viggo bier tapte klemde ze haar handen rond de bar. Ze zag dat ze wit werden. Wat moet ik in vredesnaam doen? Mijn glas leegdrinken, naar huis fietsen en doen alsof ik ze niet heb gezien?

'En dat is nummer twee!'

Viggo zette een nieuw glas voor haar neer. Olivia keek naar het bier en voelde haar hart bonken. Ze pakte het glas een stukje op en zette het met een klap weer neer. Viggo schrok. Olivia draaide zich om en liep naar de tafel van Frans. Hij zat een beetje scheef en zag haar eerst niet, maar dat deed Berntsson wel. Al voordat ze bij hen was, had hij naar Frans gekeken en in Olivia's richting geknikt.

Frans draaide zich om.

'Hallo,' zei hij.

'Je bent dus bevriend met een nazi?'

Olivia zei het zo hard dat de paar gasten in het lokaal zwegen en naar de tafel keken. Olivia ging naast Frans staan. Aan zijn rechterkant zat een onbehouwen man met kortgeknipt haar, tegenover hem zat Berntsson en aan zijn linkerkant zat een door anabolen gespierde man met diepliggende ogen.

'Leuke manier om me te begroeten,' zei Frans.

De anabolenslikker lachte en Olivia merkte dat de mannen rond de

128

tafel flink aangeschoten waren. Frans keek naar haar en grijnsde.

'Waar lach je om?' zei Olivia. 'Heb ik iets grappigs gemist?'

Olivia keek naar Frans' ogen terwijl ze het zei. Hij ontweek haar blik en gaf geen antwoord.

'Heb je gefietst?' vroeg Berntsson, waarna hij een slok bier uit zijn grote glas nam.

Olivia draaide zich naar Berntsson. Ze zag dat hij een pleister op zijn bovenlip had.

'Je hebt mijn vraag nog niet beantwoord,' zei ze.

'En die was?'

'Waar was je toen Emelie Andersson vermoord is?'

De vraag schoot als een pistoolschot door de stilte in de pub. Niemand in het lokaal bewoog. Frans was de eerste die reageerde.

'Jezus, Olivia, nu moet je...'

'Het hindert niet.'

Berntsson onderbrak Frans. Hij zette zijn glas neer en keek naar Olivia.

'Ik was met twee vrienden op een vlooienmarkt in Ljungbyhed,' zei hij.

'Welke dan?'

'Ettans.'

'Welke vrienden waren dat?'

'Deze.'

Berntsson wees naar de mannen aan de tafel. De anabolenslikker zei: 'Dan weet je het nu, meisje.'

De andere man lachte hardop. Frans zweeg.

'Dan wil ik jullie namen hebben,' zei ze terwijl ze naar de mannen keek.

Frans kwam plotseling overeind en ging voor Olivia staan.

'Nu moet je ophouden,' zei hij zachtjes.

'Want anders?'

Ze keken elkaar aan. Plotseling voelde Olivia dat de man rechts haar billen betastte terwijl hij zei: 'Ontspan een beetje.'

Niemand rond de tafel verwachtte de klap, vooral de man die haar had betast niet. Hij kreeg Olivia's open hand recht in zijn gezicht en zijn hoofd schoot opzij. De man stond op van de stoel. Frans deed een snelle pas naar voren en ging tussen hem en Olivia staan.

'Verdwijn hier,' zei hij tegen haar. 'Nu.'

Olivia bleef nog een paar seconden staan, draaide zich daarna om en liep naar de bar. Ze hoorde het commentaar achter zich.

'Verdomde pot.'

Olivia ging bij de bar naast haar volle glas staan. Ze voelde haar hand branden. Viggo staarde naar haar en draaide zenuwachtig aan zijn snor. Olivia pakte haar glas en nam een slok, daarna boog ze zich naar Viggo.

'Hoe heten de mannen die bij Måns Berntsson zitten?'

Viggo gluurde naar de tafel en zag dat de anabolenslikker naar de bar keek.

'Ik weet het niet,' antwoordde hij.

'Je liegt.'

Viggo draaide aan zijn snor en keerde haar zijn rug toe. Hij hield er helemaal niet van als de sfeer zo onaangenaam werd, hij wilde gezelligheid. Hij begon een paar glazen af te wassen. Olivia dronk haar glas leeg.

'Nog één?' vroeg Viggo terwijl hij hoopte dat ze nee zou zeggen.

'Nee, dank je.'

Viggo knikte en liep naar de kassa. Olivia zag dat hij de bon pakte. Ze draaide zich om en keek weer naar de tafel. Niemand keek in haar richting. Viggo kwam met de bon en Olivia betaalde. Toen ze de bon omdraaide zag ze dat er twee namen op de achterkant stonden. Ze legde een extra briefje van vijftig kronen op de bar en liep naar buiten.

Ze fietste snel door de duisternis. De adrenaline stroomde door haar lichaam, in haar hoofd hoorde ze het gelach en het commentaar in de pub. Frans? Ze had moeite om het te begrijpen. Ze wist dat hij zijn vooroordelen had, maar die deelde hij met zoveel anderen. Ze waren naïef en oppervlakkig, maar dat hij een vriend was van Måns Berntsson? Een uitgesproken nazi? Mocht je dat zijn als politieagent? Plotseling wilde ze naar huis, naar Stockholm, naar haar moeder en Lenni, naar Tom, naar Mette.

Ze wilde hier dolgraag weg.

Ze ging op de bank bij de kleine tafel zitten en opende haar laptop. Het duurde niet lang voordat ze constateerde dat Måns Berntsson loog. De vlooienmarkt die hij had genoemd, Ettans, was in Ljungbyhed, maar was alleen op woensdag, zaterdag en zondag open. Emelie Andersson was op een donderdag vermoord.

Berntsson had dus geen alibi voor de moord. In elk geval niet datgene wat hij aan haar had opgegeven. Of hij een alibi had voor de moord in Stockholm moest ze uitzoeken.

Ze klapte de laptop dicht en voelde hoe uitgeput ze was. Ze trok haar kleren op weg naar haar bed uit, kroop naakt onder het dekbed en deed het licht uit. De adrenaline was verdwenen, het branden in haar hand was weg en ze voelde hoe ze wegzakte.

Op dat moment hoorde ze de explosie.

Ze schoot met een bonkend hart overeind en staarde in de duisternis. Wat was dat?! Ze deed het bedlampje aan en trok haar badjas naar zich toe. Terwijl ze naar de zitkamer liep besefte ze wat er was gebeurd. Ze voelde een ijskoude wind, deed de plafondlamp aan en staarde naar het gebroken raam. Naar de vloer, waar de glasscherven helemaal tot aan de muur lagen, en naar de steen die bij de plint lag. Ze haastte zich naar de deur, trok hem open en rende op blote voeten naar buiten. Ze voelde hoe nat de grond was. Ze keek om zich heen naar het lege grasveld en rende door het hek naar buiten. De weg was ook leeg.

'Laffe verdomde klootzak!' schreeuwde ze in de duisternis.

Ze liep een rondje door de tuin met haar armen rond haar badjas geslagen. Er was niemand. Ze ging terug naar het gastenverblijf en sloeg de deur dicht. Toen ze in de zitkamer kwam, voelde ze dat de koude wind recht naar binnen blies. Het hele huis zou binnen de kortste keren ijskoud zijn. Had ze houtvezelplaten in de schuur zien staan? Ze trok rubberlaarzen aan en trok een jas over haar badjas aan.

De schuur stond achter het gastenverblijf naast de grote haag. Olivia liep er met een zaklamp naartoe en opende de gammele houten deur. De houtvezelplaten stonden achterin. Ze moest een paar planken verplaatsen voordat ze een van de platen kon pakken. Ze schoof hem door de deuropening en moest op adem komen toen ze buiten was. Terwijl ze tegen de schuur leunde, hoorde ze hoe stil het was, alleen de wind waaide door de takken van de haag. Ze keek naar de heldere hemel vol sterren.

Net zo helder als de nacht waarop ik op het strand van Nordkoster zat, dacht ze. Dezelfde duisternis, dezelfde troosteloze ruimte. Toen rouwde ik om mijn moeder, nu weet ik niet waar ik mee bezig ben.

Ze verdrong de gedachte en tilde de houtvezelplaat op. Hij was niet zwaar, maar onhandig om te dragen. Ze droeg hem naar het huis en zocht een hamer en spijkers. Met moeite lukte het haar om de hout-spaanplaat in de duisternis voor het kapotte raam te spijkeren. Hij zat niet recht, maar deed wat hij moest doen.

Ze liep het gastenverblijf in en trok haar laarzen en jas uit. Er lag een stoffer en blik onder het aanrecht. Ze pakte het en begon de glasscher-ven weg te vegen. Toen ze bij de steen bij de plint in de buurt kwam zag ze dat er met elastiek een stuk papier aan vastgemaakt was. Ze pakte het en las: 'Ik hoop dat je verkracht wordt, kankerwijf!'

Ze liet zich op de bank vallen met het gevoel dat ze op het punt stond om te breken. Met een brok in haar keel pakte ze haar mobiel van de tafel en toetste het nummer van Mette in.

'Lig je al in bed?'

'Nee,' antwoordde Mette. 'Ik ben net thuis. We werken dag en nacht en lossen elkaar af, het is mijn beurt om een paar uur te slapen. Hoe is het bij jullie? Is de Scud-raket op topsnelheid?'

Olivia zweeg een paar seconden, lang genoeg voor Mette om te ver-moeden dat er iets aan de hand was.

'Is er iets gebeurd?'

'Ja.'

Olivia vertelde alles, vanaf het gesprek met Liv Andersson en de au-torit met Berntsson tot het briefje aan de steen die een paar meter bij haar vandaan op de vloer lag.

'Kankerwijf?'

'Ja.'

Mette luisterde zonder vragen te stellen. Ze wilde Olivia's verhaal niet onderbreken, ze hoorde aan haar stem dat ze wisselde tussen veront-waardiging en wanhoop. Toen ze klaar was zei Mette: 'Ben je nog in het gastenverblijf?'

'Ja.'

'Kun je iemand vragen om naar je toe te komen?'

'Dat is niet nodig, er is niets meer aan de hand.'

'Oké. Maar morgen kom je naar Stockholm.'

'Waarom?'

'Een aantal dingen. Formeel wil ik dat je dat wat je net aan mij hebt verteld ook aan de onderzoeksgroep vertelt, het is informatie die we nodig hebben. Het komt veel krachtiger over als je het zelf vertelt. Neem dat briefje ook mee.'

'En informeel?'

'Omdat ik gezelschap nodig heb.'

Wat waar was, maar wat misschien niet de meest zwaarwegende reden was. Het was omdat Mette hoorde hoe ellendig Olivia zich voelde. Bovendien wilde ze haar een tijdje weg hebben uit Höganäs.

'Wat moet ik op het politiebureau vertellen?'

'Zeg de waarheid. Dat je door Mette Olsäter naar de Rijksrecherche bent geroepen. Dat is voldoende. Laat geen eten in de koelkast liggen, misschien duurt het een tijdje voordat je terugkomt.'

'Oké. Dank je.'

'Tot morgen. Dag.'

Olivia verbrak de verbinding. Ze zou morgen naar Stockholm gaan. Ze kon dit achter zich laten. Ze zou Mette en Tom zien en alle nazi's en racisten en rukkers achter zich laten. Ze ging staan en keek naar de houtvezelplaat voor het raam en de glasscherven op het stofblik op de vloer. Daarna belde ze drie keer: naar Sven Svensson, naar een hotel in Ängelholm en naar het plaatselijke taxibedrijf.

Ze was niet van plan om hier vannacht te slapen.

Het eerste uur bij de Rijksrecherche was verstreken met het lezen van samenvattingen van diverse verslagen. Er was een enorme hoeveelheid tips binnengekomen. Mensen die andere mensen in de buurt van de plaats delict hadden gezien, mensen die racisten in hun omgeving hadden en dachten dat ze met de moord op Aram te maken konden hebben omdat zijn moeder een immigrant was, en mensen die hadden gehoord hoe andere mensen zich neerbuigend hadden uitgelaten over Jian Mellberg en haar werk. Alles moest nagetrokken worden.

Mette had slecht geslapen. Het telefoongesprek met Olivia de vorige avond had haar geschokt, meer dan ze aan de telefoon had willen laten merken. Ze wist wat Olivia had meegemaakt, ze was opgesloten in een donkere lift door twee nietsontziende huurmoordenaars die hadden gedreigd om haar keel door te snijden en ze had haar geliefde kat verbrand in het motorcompartiment van haar auto gevonden. En nu was ze een kankerwijf en hoopte iemand dat ze verkracht zou worden.

Mette was in slaap gevallen toen het licht werd en was twee uur later wakker geworden. Nu stond ze voor haar onderzoeksgroep en analyseerde de situatie.

'Binnenkort is er een verkiezingsjaar,' zei ze, 'met alles wat dat inhoudt aan opgeklopte propaganda van gewelddadige politieke groeperingen in het land. Het aantal rechts-extremistische activiteiten is aanzienlijk toegenomen, op dit moment staat de teller alleen al voor dit jaar op bijna tweeduizend, en haatmisdrijven zullen toenemen naarmate we dichter bij de verkiezingen komen. Ik heb met de afdeling Haatmisdrijven van de politie Stockholm gesproken voordat ik hier kwam. Ze worden overspoeld met aangiften over hakenkruizen die overal verschijnen. Op moskeeën, scholen, kerken, clublokalen en krantenredacties. Dat is tekenend voor de sfeer op dit moment en we weten dat degenen die hierachter zitten vaak lid zijn van bewegingen die bereid zijn om zelfs moorden te plegen. Ik vind het daarom verdedigbaar om vast te houden aan onze hypothese dat de moorden op Aram en Emelie een racistisch motief hebben. Straks komt Olivia Rönning hiernaartoe om te vertellen over een aantal nare gebeurtenissen die in verband hiermee plaatsgevonden hebben. Tot dat moment zullen we ons richten op...'

Mette werd onderbroken door Lisa Hedqvist, die was binnengekomen met een paar vellen papier in haar hand.

'We hebben een betrouwbare tip gekregen over de compositietekening,' zei ze niet zonder opwinding. 'Een winkeleigenaar in de Hornsgatan denkt dat hij de man herkent als een van zijn vaste klanten. We hebben de naam van de persoon en ik heb een foto van hem.'

Lisa hing een vergrote pasfoto van een man op het bord naast de compositietekening van de jogger. De groep verplaatste zich naar het bord en constateerde dat er opvallende overeenkomsten waren.

'Haal hem op voor een verhoor,' zei Mette. 'En neem contact op met Erik Adolfsson als we een getuigenconfrontatie doen.'

'Oké.'

Lisa draaide zich om en botste in de deuropening tegen Olivia op.

'Hallo! Ik moet weg!'

Olivia knikte en Lisa verdween naar buiten. Olivia deed de deur achter zich dicht en draaide zich om. De eerste die ze zag was Mette, die er anders uitzag omdat een aanzienlijk deel van haar lichaam was verdwenen. En Mette zag een Olivia die er ook niet uitzag zoals de laatste keer. Ze had kort haar. Al het lange zwarte haar was weg. Het duurde een paar seconden voordat ze elkaar herkenden, daarna werd Olivia door Mette voorgesteld aan de groep. Sommigen kenden haar al, anderen hadden over haar gehoord. Behalve Mette kende Bosse Thyrén haar het best.

'Olivia werkt mee aan het moordonderzoek in Skåne. Ik heb haar gevraagd hiernaartoe te komen om ons over de situatie daar te informeren. Ze heeft persoonlijke belevenissen die ze op mijn verzoek met jullie deelt. Olivia.'

Mette maakte een gebaar en Olivia ging naast haar staan. Ze had een witte plastic zak in haar hand, haar koffer had ze bij de receptie achtergelaten. In het vliegtuig had ze erover nagedacht hoe ze de groep zou meedelen wat ze wist en bij Lenni, die haar haar had geknipt, had ze de laatste stukjes bijgeschaafd.

Dat was een kwartier geleden.

'Sven Svensson heeft me de opdracht gegeven om met de ouders van Emelie Andersson te gaan praten, met als uitgangspunt jullie hypothese over een racistisch motief,' begon ze.

Het halfuur daarna vertelde ze gedetailleerd wat ze wist, wat ze bijna wist en wat ze vermoedde. Ze scheidde feiten en eigen speculaties nauwkeurig; ze wist wie er in de kamer zaten. Toen ze was beland bij de confrontatie in de pub in Höganäs en wat er daarna in het gastenverblijf was gebeurd, werd ze persoonlijker, maar Mette had uitdrukkelijk tegen haar gezegd dat ze alles zo gedetailleerd mogelijk moest vertellen.

Als laatste opende ze de plastic tas, pakte de grijze steen eruit en hield het stuk papier dat eraan vastgezeten had omhoog.

'Zo ziet het eruit,' zei ze.

Iedereen in de kamer had aandachtig geluisterd. Olivia had het vermogen om zich met een combinatie van objectiviteit en inlevingsvermogen uit te drukken. Het ontging niemand hoe Olivia zich had gevoeld tijdens de recente gebeurtenissen.

'Dank je, Olivia,' zei Mette. 'Hebben jullie vragen?'

'Deze Måns Berntsson heeft dus geen alibi voor de moord op Emelie?'

'Het alibi dat hij heeft opgegeven, is vals,' antwoordde Olivia.

'Weet je waar hij was op het tijdstip dat Aram vermoord is?'

'Nee. Dat heb ik niet kunnen vragen.'

'Dan vragen we Svensson om dat te regelen,' zei Mette.

'Is Berntsson eerder bij gewelddadigheden betrokken geweest?'

'Hij is een paar keer veroordeeld voor ernstige mishandeling,' zei Olivia. 'En ophitsing tegen bevolkingsgroepen.'

'Hoe denk je over die politieagent, Frans Jönsson?' vroeg Bosse.

Olivia wist dat de vraag zou komen en had erover nagedacht hoe ze daarop moest reageren.

'Ik weet alleen dat hij persoonlijk contact met Måns Berntsson heeft.'

'Een nazi.'

'Ja.'

'Denk je dat hij betrokken kan zijn bij de moord?'

'Daar wil ik niet over speculeren.'

Diep vanbinnen geloofde ze dat niet, maar ze was hier niet om te geloven.

Mette liep voor Olivia uit naar haar kantoor. In het bijzijn van Mettes collega's konden ze niet persoonlijk worden. Toen ze het kantoor in waren gelopen deed Olivia de deur dicht en keek naar Mette.

'Hoeveel ben je afgevallen?' vroeg ze.

'Veel.'

'Heel veel.'

'Ja. Inmiddels ruim zeventien kilo.'

'Wat is het voor dieet?'

'Diabetes.'

Mette legde kort uit dat het ouderdomsdiabetes was. Ze hoefde geen injecties, alleen tabletten en in de gaten houden wat ze at. Olivia merkte meteen dat het zoals altijd was met Mette, ze wilde niet onnodig over zichzelf praten.

'En jij hebt je haar geknipt!'

'Ja. Een vriendin heeft het voor me gedaan. Vanochtend.'

'Het staat je goed.'

'Dank je.'

Olivia was ook van mening dat ze niet onnodig persoonlijk hoefde te worden en ontweek het om over de reden van het knippen te praten.

'Waar is je koffer?' vroeg Mette.

'Bij de receptie. Ik heb mijn moeder nog niet kunnen bellen en...'

'Je logeert bij mij.'

'O ja?'

Mette wist dat Olivia haar geleende appartement in de Skånegatan niet meer had en nu het grote oude huis in Kummelnäs bijna leeg was, was het vanzelfsprekend dat Olivia daar zou logeren. Mette wilde dolgraag gezelschap hebben.

'Denk je dat dat goed gaat?'

'Wat bedoel je?'

'Niets, maar ik weet niet...'

'Als we allebei ons eigen ding doen, dan kunnen we elkaar in de keuken ontmoeten voor gezamenlijke orgiën.'

'Je bent toch op dieet?'

'Je was daarnet heel goed,' zei Mette, waarmee ze de vraag ontweek. 'Helder en beknopt.'

Daarmee was ze van mening dat de kwestie over het logeren afgehandeld was en Olivia besefte dat ze bij Mette zou logeren.

In elk geval vannacht.

'Wat wil je nu doen?' vroeg Mette.

'Ik wil graag met Arams moeder praten, hoe heet ze?'

137

'Jian. Waarom niet met zijn vader?'

'Omdat ik in jullie samenvatting heb gelezen dat Jian zich bezighoudt met internethaat, dus lijkt het relevanter om met haar te praten. Maar ik kan ook met zijn vader praten als je dat wilt.'

'Ik vroeg het alleen omdat Jian zich op dit moment heel ellendig voelt. We hebben haar nog niet kunnen verhoren. Haar man is sterker. Maar je mag natuurlijk naar haar toe gaan.'

Olivia dacht meteen aan de verhouding tussen Liv en Sebastian, die precies andersom was. Liv was sterk in al haar wanhoop en Sebastian zocht zijn toevlucht in drank.

Beide gezinnen hadden vermoorde kinderen.

*

Stilton zat in zijn kleine sauna op Rödlöga. Die lag vlak bij het huis, een paar meter van het strand. Hij had geen stromend water in het huis en nam een sauna en een duik in zee in plaats van een douche. Zo was hij opgegroeid. Hij had *De monnik* meegenomen naar de sauna. Horror en een beetje erotiek, had Benseman gesuggereerd. Bijna beloofd zelfs.

Stilton las een paar hoofdstukken voordat hij het opgaf. Voor hem was het een brij van oninteressante religieuze redenaties, onhandige erotische situaties en ingewikkelde verstandsrelaties. Het had weinig met horror te maken en de seks was slaapverwekkend. Hij legde het boek op de bank en keek ernaar. Waarom hadden alle knipsels over de moord op Jill juist in dit boek gezeten? Was dat toeval?

Hij liep de sauna uit, rende over de steiger en sprong in het water. Het was koud, zoals dat in dit jaargetijde moest zijn. Hij maakte een paar zwemslagen voordat hij weer op de steiger klom, op een houten bolder ging zitten en de geur van zeewier inademde. Zomers was hier een periode van krachtige algengroei, nu was het water helder. Hij zag de stenen op de bodem. 'Zolang je de stenen kunt zien, zijn de vissen gezond,' had zijn opa Stor-Stilton gezegd. Nu was hij dood en verdwenen de stenen regelmatig. Waarschijnlijk voelden de vissen zich niet zo prettig.

Stilton pakte zijn mobiel. Hij had 's ochtends een sms aan Luna geschreven: BEN OP RÖDLÖGA. MIS JE. Hij had hem niet verstuurd. Hij wilde niet storen. Waarom wist hij niet goed. Nu toetste hij Mettes nummer in. Ze nam niet op. Toen hij haar voicemail kreeg, zei hij:

'Hoi. Met Tom. Hoe zit het met het materiaal over de moord op Jill?'
Hij verbrak de verbinding en keek uit over de zee. Op een keer, toen hij
samen met zijn opa op de steiger zat, had hij gevraagd waarom zijn opa
zoveel hield van het sobere, harde leven op het eiland.
'Het gaat om de blik,' had zijn opa gezegd.
'De blik?'
'Er is niets wat die onderbreekt. Zodra je aan land komt, zodra het
drukker wordt, dan wordt de blik onderbroken. Je ziet alleen de volgende gevel. Dat verkleint het zicht en dat verkleint jou. Hier is niets
wat de blik onderbreekt, je kunt kijken zover het oog reikt. Dat is vrijheid.'
Stilton glimlachte even en keek uit over de zee, helemaal tot aan de
horizon.
Waarom blijf je hier niet? dacht hij.

*

Olivia belde drie keer aan. Er werd niet opengedaan. Ze overwoog net
om haar naam en telefoonnummer op een briefje te schrijven en dat in
de brievenbus te stoppen toen de deur op een kier openging. Achter de
kier stond een vrouw met een gekwelde uitdrukking op haar gezicht en
holle ogen met grote donkere kringen.
Maar ze stond er.
'Jian Mellberg?'
'Ja?'
De stem was zacht en toonloos.
'Ik heet Olivia Rönning en ik ben politieagent. Ik ben net uit Skåne
aangekomen, waar ik onderzoek doe naar de moord op Emelie Andersson. Kun je het aan om een paar minuten met me te praten?'
'Waarover?'
'Over de vreselijke gebeurtenis. Ik probeer het te begrijpen en ik heb
je hulp nodig.'
Jian keek naar Olivia. Ze scheelden niet veel in leeftijd en misschien
was dat de reden dat ze de deur opende. Of misschien was het ook iets
heel anders.
Olivia liep langs Jian de hal in. Jian deed de deur dicht en knikte
naar een deur een stukje verderop. Olivia liep ernaartoe en kwam uit
in de keuken. Jian volgde haar, trok een stoel bij de tafel naar achteren

en ging zitten. Het enige wat op de tafel stond was een groene metalen speelgoedauto. Olivia ging tegenover Jian zitten en keek naar haar, naar het donkere onverzorgde haar, de smalle lippen. Jian keek naar de vloer.

Het zou niet eenvoudig worden.

Niet met die speelgoedauto midden op de tafel.

'Ik heb hulp nodig met betrekking tot een persoon in Skåne die Måns Berntsson heet,' begon Olivia.

Het leek haar het verstandigst om concreet en openhartig te zijn, om te proberen de getroffen vrouw weer te laten functioneren. Ze wist wie Jian Mellberg was geweest voordat ze de moeder van een vermoord kind was geworden.

'Ik denk dat hij betrokken kan zijn bij wat er gebeurd is,' ging Olivia verder. 'Ik vraag me af of het een naam is die je bent tegengekomen? Je hebt veel anonieme extremistische internethaters in kaart gebracht en misschien is zijn naam daarbij opgedoken.'

'Måns Berntsson?'

Jian keek nog steeds naar beneden terwijl ze het zei.

'Ja. Hij woont in Mjöhult in Kullabygden.'

'Op internet noemt hij zich Tyrrune/BW.'

'Tyrrune?'

'Afgeleid van Tyr, de Oudnoordse god. Tyrrune is een vlaggensymbool... Hitlers nazi's gebruikten hetzelfde symbool.'

Olivia hield haar adem in. Jian had meteen gereageerd. Ze had een internetpseudoniem van Måns Berntsson en had dat verteld!

'Weet je nog meer over hem?'

'Hij is een bekende internethater. Hij komt voor op alle racistische forums, vooral op Avpixlat en Fria Tider, en soms op Exponerat. Op Flashback geeft hij voortdurend commentaar.'

Het laatste zei Jian met een geheven hoofd. Ze keek langs de speelgoedauto, recht in Olivia's ogen.

Ze hadden contact.

'Denk je dat Berntsson iets met de moord te maken heeft?' vroeg ze.

Haar stem had een beetje klank en volume gekregen, haar ogen waren iets helderder, haar lippen waren gespreid en ontblootten een gelijkmatige rij witte tanden.

'Het zou kunnen,' zei Olivia. 'Hij is een uitgesproken nazi met een gewelddadig verleden en ik denk dat hij de ouders van Emelie Andersson op een heel onaangename manier heeft bedreigd.'

'Hoe dan?'

'Er lag een groot mes in hun brievenbus.'

Olivia had geen bewijs dat Berntsson dat had gedaan, maar het kon zo zijn. Op dit moment vervulde het een functie. Jian knikte toen ze over de bedreiging hoorde.

'Ik ben ook bedreigd.'

'Dat weet ik. Daarom hoop ik dat je me kunt helpen. Je hebt er tenslotte zelf ook mee te maken.'

'Omdat mijn zoon vermoord is, bedoel je?'

Jian kreeg een gespannen uitdrukking op haar gezicht en Olivia begreep dat ze zich verkeerd had uitgedrukt.

'Wat ik bedoel is dat jij met jouw kennis in staat bent om ons te helpen bij het zoeken naar de moordenaar van je zoon.'

Jian stak haar hand uit naar de speelgoedauto en begon hem over de tafel heen en weer te rijden. Hij maakte een piepend geluid. Olivia haalde een papiertje tevoorschijn en schreef haar naam en telefoonnummer op.

'Je mag me altijd bellen.'

Ze schoof het briefje een stukje over de tafel. Jian keek er niet naar. Olivia stond op.

'Bedankt dat je verteld hebt wat Berntssons internetpseudoniem is.'

Olivia overwoog of ze Jians schouder zou strelen toen ze langs haar liep, maar ze zag ervan af.

In de hal hoorde ze het gepiep nog.

*

De mogelijke jogger heette Lars Brendman. Hij had kort, blond haar en een ongetraind lichaam. Zijn gezicht werd gedomineerd door een blonde ringbaard en doordringend blauwe ogen. Hij was achtendertig en had geen zichtbare schrammen. Op de vraag wat hij voor werk deed antwoordde hij dat hij werkloos was. Het natrekken van hem had geen concrete resultaten opgeleverd, hij stond niet in het strafregister. Hij was een tijd geleden echter verhoord in verband met een uit de hand gelopen demonstratie. Een groep homoseksuelen had voor het kantoor van een plaatselijke krant gedemonstreerd omdat ze vonden dat het blad een neerbuigend artikel had geschreven over LGBT-personen.

141

De demonstratie was uit de hand gelopen en Brendman was een van de personen die was opgepakt. Er werd beweerd dat hij tot een groep mannen behoorde die de homo's hadden aangevallen. Dat leidde niet tot zijn aanhouding. Het kon niet bewezen worden dat Brendman bij de aanvallende groep had gehoord, ook al had hij op een rechtstreekse vraag wat hij van homoseksualiteit vond geantwoord dat dat gelijkstond aan sodomie en pedofilie.

Een weerzinwekkende mening, maar niet strafbaar.

Brendman werd informatief verhoord en de ondervrager constateerde dat de man geen alibi kon geven voor de moord op Aram Mellberg. Op het tijdstip van de moord op Emelie Andersson had hij met een collega bij Biskopsudden op zalmforel gevist. Hij ontkende dat hij op de plaats delict op Värmdö was geweest.

Na het verhoor besloot Mette om Erik Adolfsson te laten komen voor een getuigenconfrontatie.

Die vond later die middag plaats. Adolfsson was duidelijk nerveus, maar de agenten verzekerden hem dat de personen naar wie hij moest kijken hem niet konden zien en niet te weten zouden komen wie hij was.

Hij moest naar vijf mensen kijken, die allemaal een briefje met een nummer vasthielden en in een rij stonden. De kleine ruimte achter het glas waar hij stond rook bedompt.

'Neem de tijd,' zei de politieagent naast hem.

'Wat gebeurt er als ik niemand herken?'

'Dat is ons probleem. Zeg niets als je het niet zeker weet.'

Adolfsson keek naar de vijf mannen. Ze hadden allemaal ongeveer dezelfde lengte en leeftijd, maar ze droegen andere kleding en hun uiterlijk verschilde.

Hij nam de tijd.

Uiteindelijk draaide hij zich om naar de politieagent naast zich.

'Het ging zo snel. Ik heb zijn gezicht nauwelijks gezien, maar het zou nummer twee kunnen zijn. Of vijf.'

Nummer twee en nummer vijf hadden wel iets van elkaar weg.

Nummer twee was Lars Brendman.

Nummer vijf was een politieagent.

Mette constateerde meteen dat Adolfssons getuigenis geen groot draagvlak had. Hij had Brendman weliswaar aangewezen als een van twee mogelijkheden, maar dat zou niet lang standhouden. Ze hadden meer over Brendman nodig.

'Laat hem gaan en zorg dat hij geobserveerd wordt.'

Om te beginnen moesten ze de collega met wie hij was gaan vissen spreken.

Mette beëindigde de bijeenkomst en ontmoette Olivia in de deuropening op weg naar buiten. Ze gingen naar Mettes kantoor.

'Ben je bij de Mellbergs geweest?'

'Ja.'

'Hoe ging het?'

'De vader was niet thuis, maar Jian deed open.'

'Deed ze dat?'

'Uiteindelijk ging de deur op een kier open en na een tijdje kreeg ik contact met haar.'

Mette keek naar de vrouw met het korte haar en was opnieuw verbaasd over Olivia's bijzondere vermogen om met mensen in contact te komen. Soms op een volkomen verkeerde manier, soms vruchtbaar. Nu had ze contact gekregen met een vrouw die vanaf het moment dat haar kind was vermoord, had geweigerd om met de politie te praten.

'Heeft het iets opgeleverd?' vroeg ze.

'Ja.'

Olivia vertelde wat ze te weten was gekomen. Concreet was dat niet veel, maar ze hoopte dat Jian Mellberg iets had gehad aan hun gesprek en de kennis die ze via haar eigen kanalen bezat met de politie zou delen. Misschien zou dat een puzzelstukje opleveren dat bij het onderzoek naar Måns Berntsson gevoegd kon worden.

'En hij noemt zichzelf Tyrrune?' vroeg Mette.

'Dat zegt wel iets.'

'Je hebt goed werk geleverd. En nu gaan we naar mijn huis.'

We? Olivia was vergeten dat ze bij Mette zou logeren. Ze had daar nog steeds gemengde gevoelens over. Twee seconden later verscheen het beeld van het gebroken raam met de houtvezelplaat voor haar geestesoog en besefte ze dat de vervallen woning in Kummelnäs een droomplek was.

De man had zijn mobiel in zijn hand. Hij had een tijdje geleden een mms gekregen, een foto van een vrouw in een auto. Hij zette twee vingers op het kleine display en vergrootte het beeld. De vrouw zat achter een stuur, in politie-uniform, en keek recht in de camera. Haar lange zwarte haar hing over haar schouders.

Hij herkende haar. Hij had haar op een ochtend toevallig ontmoet en had zich verstopt. Hij wilde niet gezien worden. Hij had achter een rotsblok gestaan, had de vrouw het bos in zien gaan en veel later terug zien komen. Intussen was hij naar haar fiets gelopen.

Hij hield van fietsen. Hij had als tiener een mooie fiets gehad. Die had zijn oma een keer achter slot en grendel gezet toen hij naar verkeerde plekken was gefietst en daarna had hij hem nooit meer teruggekregen. Deze fiets was minder mooi, het was een damesfiets. Hij zag dat er een groene haarwokkel aan het stuur hing. Die was waarschijnlijk van de vrouw. Hij pakte de haarwokkel en stopte hem in zijn zak, waarna hij zich weer verstopte. Toen de vrouw strompelend terugkwam leek ze een beetje bang.

De man keek naar de foto op zijn mobiel.

Ze was dus politieagent.

Was zij een van degenen die naar hem op zoek waren?

Hij stak zijn hand in zijn jas en haalde de groene haarwokkel tevoorschijn. Misschien moet ik hem teruggeven, dacht hij en hij keek weer naar de foto. Misschien mist ze hem?

Mette stopte bij haar favoriete restaurant, het stationsrestaurant Stazione in Saltsjö-Duvnäs. Ze hield niet van koken, dat was Mårtens terrein, dus werd het een afhaalmaaltijd als hij een keer niet aanwezig was. Vanavond waren dat twee porties ossobuco en carpaccio als voorgerecht.

'Je vindt ossobuco toch lekker?' vroeg ze Olivia in de auto op weg naar Kummelnäs.

'Mag je dat van je dieet?'

'Ik weet het niet, maar ik ben geen fundamentalist. Als ik ossobuco wil eten, dan doe ik dat. Met een lekker glas rode wijn erbij.'

Olivia had een vermoeden hoe de avond zich zou ontwikkelen. Daar had ze niets op tegen. Op dit moment snakte ze naar warm, veilig gezelschap. Ze had lang genoeg in een sociaal isolement geleefd, met duistere mannen en eenzame avonden. Een lange avond in de gezellige keuken van Mette was precies wat ze nodig had. En daar wilde ze graag een glas rode wijn bij drinken.

Op het moment dat ze de Värmdöleden af reden ging Olivia's mobiel.

'Met Olivia Rönning.'

'Hallo. Met Ola Mellberg. Ik ben getrouwd met Jian.'

'Hallo.'

Ze hoorde dat hij zachtjes praatte.

'Ik wil je graag bedanken,' zei hij.

'Waarom?'

'Omdat je hier vandaag naartoe gekomen bent. Ik weet niet waarover jullie gepraat hebben, maar Jian is veranderd. Ze heeft gedoucht en heeft een beetje gegeten, nu zit ze achter de computer.'

'Dat is fijn om te horen.'

'Het lijkt alsof er een vonkje is ontbrand.'

'Mooi. We kunnen haar kennis goed gebruiken.'

'Denken jullie ook dat de moordenaar een van hen kan zijn?'

'Een van hen?'

'Degenen die ze heeft ontmaskerd. De internethaters.'

Olivia keek even naar Mette en zag dat ze haar oren gespitst had.

'We kunnen het in elk geval niet uitsluiten, en als het zo is, dan is Jian heel waardevol voor ons. Je mag haar de groeten doen.'

'Dat doe ik liever niet, ik wil niet dat ze weet dat ik jou gebeld heb.'

'Oké, dat begrijp ik. Maar we houden contact.'

'Ja. Tot ziens.'

Olivia verbrak de verbinding.

'Ola Mellberg?' zei Mette.

'Ja. Jian is iets levendiger.'

'Fantastisch.'

Dat vond Olivia ook.

Het eerste wat Mette deed toen ze het licht in de keuken had aangedaan, was haar mobiel pakken.

'Laten we onze mobieltjes uitzetten.'

'Durf je dat?'

'Ja. Ik heb gezegd dat ze naar mijn vaste telefoon moeten bellen als er iets acuuts gebeurt.'

Het tweede wat ze deed was een fles ripassowijn ontkurken en twee praktische glazen inschenken. Mette hield van lage, robuuste glazen. Ze was nooit enthousiast geweest over tere wijnglazen met een hoge, dunne steel. Dat had misschien met haar grote handen te maken, dacht Olivia, misschien vindt ze het gemakkelijker om een glas zonder voet op te pakken.

'Waar denk je aan?' vroeg Mette.

'Dat het zo fijn is om hier te zijn, om in deze keuken te zitten. Het lijkt een eeuwigheid geleden dat ik hier geweest ben.'

'Proost. Welkom.'

Ze toostten en Mette dekte de tafel met een paar van haar zelfgemaakte borden met bizarre bloemen in schitterende kleuren. Dat deed ze graag als ze gasten had. Ze zette de afhaalmaaltijd op tafel en ze begonnen te eten en te drinken.

'Vind je het niet stil in huis?' vroeg Mette plotseling.

'Ja.'

'De eerste nacht kon ik niet slapen. Ik ben minstens vijftien keer opgestaan en heb door het huis gelopen en geluisterd. Het was zo eigenaardig stil. Uiteindelijk ben ik in Jolenes bed gaan slapen.'

'Mis je haar?'

'Verschrikkelijk. Misschien gaat ze binnenkort naar een speciaal woonproject.'

'Dat is toch goed voor haar?' zei Olivia.

'Het is heel goed voor haar.'

'Maar niet voor jou?'

'Dan heb ik geen dochter meer thuis. Helemaal geen kinderen. We hebben hier gedurende... wat is het... vijfendertig jaar kinderen gehad, en plotseling is er niemand meer.'

'Dat geldt toch voor alle ouders?'

'Natuurlijk, maar wat heb ik daaraan?'

'Je hebt Mårten.'

'Hij is geen kind.'

'Hij kan soms nogal kinderlijk zijn.'

Mette lachte en schonk de glazen bij. Ze voelden allebei hoe fijn het was om het politiewerk achter zich te laten en over heel andere dingen te praten. Tom was een van die onderwerpen.

Gedurende de rest van de eerste fles praatten ze elkaar bij.

'Heeft hij zijn hut op de aak nog?' vroeg Olivia.

'Dat denk ik wel.'

'Maar waarom heeft hij op Rödlöga gewoond?'

'Misschien mokt hij ergens over,' zei Mette.

'Heeft hij ruzie met Luna?'

'Geen idee. Ik dacht dat ze iets met elkaar zouden krijgen. Heeft hij niets tegen jou gezegd?'

'Nee,' zei Olivia. 'Het lukt hem altijd om over mij te praten en waar ik mee bezig ben.'

'Zo is hij.'

'Jij ook.'

'Ik?'

Olivia voelde dat de wijn haar loslippiger had gemaakt, misschien een beetje te veel. Hoe moest ze zich uit die onbezonnen opmerking redden?

'Je wordt nooit persoonlijk,' zei ze.

'Wat bedoel je? Ik heb je net nog over Jolene verteld.'

'Dat klopt, over haar kun je wel praten.'

'Maar niet over mezelf? Wat wil je weten?'

147

Mette had een afwachtende toon in haar stem zonder dat ze het wist, maar Olivia hoorde het.

'Ik wil niets speciaals weten,' zei ze. 'Of misschien wil ik dat wel.'

'En wat is dat?'

'Waarom was je zo snel gehecht aan me?'

'Vis je naar complimentjes?'

'Nee. Ik wil het gewoon weten.'

'Waarom?'

'Omdat ik me heb gebrand aan een aantal mensen die ik vertrouwde.'

Mette wist dat het klopte. Ze wist precies wat Olivia bedoelde.

'Wil je weten of je me kunt vertrouwen?' vroeg ze.

'Dat weet ik al.'

'Maar toch?'

'Maar toch.'

Mette kwam overeind en opende nog een fles wijn. Ze had een heerlijk kaasplankje meegenomen van Stazione, dat absoluut tegen haar dieet indruiste, en zette dat voor Olivia neer. Terwijl ze hun glazen vulde zocht ze de juiste woorden; ze wist dat ze niet slordig mocht zijn in haar woordkeuze. Toen de glazen tot de rand waren gevuld, pakte ze haar glas en nam een slok.

Olivia deed hetzelfde. Waarom ben ik hierover begonnen? dacht ze. Wat wil ik daarmee bereiken? We zouden ontspannen en het gezellig hebben en dan belanden we bij dit onderwerp? Had ze de hele sfeer nu verpest?

Mette ging naast Olivia zitten en boog zich naar voren.

'Ik ga je een geheim vertellen,' zei ze. 'Alleen Mårten weet daarvanaf. Ik ben biseksueel. Daarom ben ik zo gek op je.'

Olivia staarde naar Mette. Het duurde een paar seconden, toen begon Mette te lachen.

'Ik ben om twee redenen gehecht aan je,' zei ze toen ze klaar was met lachen. 'Ten eerste omdat je Arnes dochter bent, een man die ik op alle niveaus waardeerde. Jouw lot gaf bovendien niet veel ruimte voor iets anders. De tweede reden is wat Jolene een keer heeft gezegd: "Olivia ruikt lekker."'

'Ruikt lekker?'

'Dat is een uitdrukking die Jolene af en toe gebruikt. Voor haar betekent het dat iemand die lekker ruikt een goed mens is. Dat is haar manier om het te beschrijven. Je ruikt lekker.'

De geurmetafoor was Olivia niet helemaal duidelijk, maar ze begreep dat het positief was. Ze rook lekker en was daarom een goed mens.

'Is dat voldoende?' vroeg Mette terwijl ze haar glas leegdronk.

'Dat is helemaal voldoende.'

'Dan ga ik je iets heel persoonlijks vertellen, iets wat zowel angstaanjagend als onaangenaam is. Maar eerst ga ik naar het toilet.'

Mette liep enigszins onstabiel weg.

Ongeveer tien kilometer in oostelijke richting was Marianne Boglund in haar auto op weg naar huis. Ze had in een cursuscentrum op Djurö een seminar over een nieuwe forensische methodiek bijgewoond. Ze was een vooraanstaande forensisch specialist met een hoge positie bij het SKL in Linköping. Jaren geleden was ze getrouwd geweest met Tom Stilton, in de tijd waarin hij bij de Rijksrecherche werkte. Nu woonde ze samen met een nieuwe man en twee bonuskinderen en had ze een gasbarbecue in de tuin.

Ze was bijna bij de Värmdöleden toen ze een telefoontje kreeg van een van haar collega's in Linköping, die werkte aan de moord op Aram Mellberg. Marianne Boglund luisterde zonder commentaar te geven. Nadat ze de verbinding had verbroken, toetste ze het nummer van Mette Olsäter in. Mette en zij kenden elkaar goed, zowel beroepsmatig als privé. In de tijd waarin Marianne met Stilton was getrouwd, waren de gezinnen vaak met elkaar omgegaan.

Ze hing op toen ze haar voicemail kreeg.

Toen Mette terugkwam van het toilet had Olivia hun glazen opnieuw volgeschonken. Ze was haar controledrempel gepasseerd en genoot van de wijn. Bovendien had ze het misschien nodig als Mette ging vertellen wat ze net had aangestipt. Angstaanjagend en onaangenaam?

Mette ging naast haar zitten en pakte haar glas. Olivia zag dat ze haar gezicht had gewassen, strengen nat haar hingen langs haar gezicht.

Mette nam een slok wijn en keek naar Olivia.

'Kerouac is dood,' zei ze.

Het duurde een paar seconden voordat Olivia begreep wat Mette had gezegd. Ze wist welke Kerouac Mette bedoelde. Niet de schrijver, maar de grote kelderspin die Mårtens huisdier was in zijn muziekcrypte in de kelder. Een dier waarvan hij hield en waarvoor hij waardering had en die volgens Mårten goede muziek van troep kon onderscheiden.

'Wanneer is hij gestorven?' vroeg Olivia.

'Hij is niet gestorven. Ik heb hem vermoord.'

'Jij? Waarom?'

'Het ging per ongeluk. Ik was in Mårtens muziekkamer aan het stofzuigen en plotseling kwam hij aankruipen, precies op het moment dat ik de stofzuigermond naar voren schoof, en floep, weg was hij. Ik heb hem opgezogen!'

Mette nam een flinke slok uit haar glas.

'Die spin kan me niet schelen,' zei ze. 'Maar hoe moet ik het in vredesnaam aan Mårten vertellen? Hij zal er helemaal kapot van zijn. Je weet hoe hij is met dat beest.'

'Ik weet het.'

Olivia was een paar keer met Mårten in de kelder geweest en had een demonstratie gekregen hoe de grote zwarte spin op verschillende soorten muziek reageerde. Ze had het nogal walgelijk gevonden om hem over de witte muur te zien kruipen, maar Mårtens enthousiasme was aanstekelijk geweest. En nu was de spin dood.

Of niet?

'Misschien is hij niet dood,' zei Olivia.

'Wat bedoel je?'

'Misschien leeft hij in de stofzuigerzak. Je hebt hem tenslotte niet geplet, alleen opgezogen.'

Het was een gedachte die duidelijk nog niet bij Mette was opgekomen. Dat was te merken aan haar reactie. Ze sprong van de stoel en liep naar een van de keukendeuren.

'Pak een krant!' riep ze.

Olivia besefte wat er zou gaan gebeuren en pakte een krant van de hoek van het aanrecht. Ze vouwde hem open en legde hem op de grond. Dat is waarschijnlijk niet voldoende, dacht ze, en ze trok een paar pagina's los die ze ernaast legde. Mette kwam met de stofzuigerzak in haar hand naar binnen rennen en liet zich naast de krantenpagina's op de vloer vallen.

'Wijn,' zei ze.

Olivia pakte de wijnglazen van de tafel en ging naast de kranten zitten. Mette leegde de zak met voorzichtige bewegingen. Op de krant verscheen een grijze berg.

'Vork,' zei Mette.

Ze was volkomen geconcentreerd op haar missie en deelde opdrachten uit alsof ze in de vergaderkamer van de Rijksrecherche stond. Olivia haalde een vork en Mette begon in de grijze berg te zoeken. De grijze stof verspreidde zich tot de randen van de krantenpagina's. Mette prikte met de vork in verschillende richtingen terwijl ze tegelijkertijd wijn dronk. Ze had zweetdruppels op haar voorhoofd en was voor honderd procent geconcentreerd. Plotseling hield ze de vork stil.

'Dat lijkt op een spin,' zei Mette ademloos.

De vork hing een paar centimeter boven een ineengekrompen zwarte spin.

'Een dode spin,' zei Olivia.

'Misschien komt hij bij als hij wijn krijgt?'

Ze keken elkaar aan.

'Eetlepel,' zei Mette.

Olivia voerde haar nieuwe taak uit en gaf de eetlepel aan Mette, die de dode spin voorzichtig met de lepel oppakte.

'Lucifersdoosje. De grote die bij de kookplaat ligt.'

Olivia keek om zich heen en zag een lucifersdoosje op de schoorsteenmantel liggen.

'Maak hem leeg. Er ligt een zak watten in de la onder het bestek.'

Olivia leegde het lucifersdoosje op het aanrecht en pakte de zak watten.

'Leg wat watten in de doos.'

Olivia deed wat haar werd gezegd, ze was tenslotte een goed mens en rook lekker. Toen ze klaar was gaf ze het doosje aan Mette en ging weer naast haar op de vloer zitten. Mette legde de dode zwarte spin voorzichtig op de witte watten in het doosje. Samen keken ze naar de merkwaardige sarcofaag. Plotseling begon Olivia te giechelen, ze kon het niet inhouden. Mette begon ook te giechelen en dat ging al snel over in een hysterische lachbui. Ze steunden met hun armen op de vloer en Mette probeerde het lucifersdoosje rechtop te houden terwijl haar hele lichaam schudde van het lachen.

'Stoor ik?'

Marianne Boglund stond in de deuropening en geloofde haar ogen waarschijnlijk niet. Twee hysterisch lachende vrouwen op de keukenvloer naast een vierkante meter grijze rotzooi. Een van hen was recherchecommissaris Mette Olsäter van de Rijksrecherche.

'Hallo, Marianne,' zei Mette. 'Wat een verrassing. Kom binnen.'

Marianne bleef in de deuropening staan.

'Ik heb geklopt, maar er werd niet opengedaan en ik zag licht branden. Wat zijn jullie aan het doen?'

Mette was overeind gekrabbeld en had geen onmiddellijk antwoord. Marianne Boglund wees naar de vloer.

'Wat is dat?'

'Dat is... we...'

'Mette is een ring kwijt,' zei Olivia. 'We dachten dat die misschien in de stofzuiger terechtgekomen was.'

'O ja? Hebben jullie hem gevonden?'

'Ja.'

'Nee.'

Ze gaven tegelijkertijd antwoord.

'Wil je een glaasje wijn?' vroeg Mette.

'Nee, dank je,' antwoordde Marianne.

Olivia was ook opgestaan. Ze wist wie Marianne Boglund was, ze hadden elkaar een keer heel even ontmoet, maar ze besefte dat Mette degene was die de situatie moest hanteren.

'Kwam je toevallig langs?' vroeg Mette aan Marianne terwijl ze nuchterder probeerde te klinken dan ze was.

Marianne Boglund liep de keuken in en Mette trok een keukenstoel voor haar naar achteren. Marianne ontweek de grijze troep op de vloer en ging zitten.

'Ik was op weg naar huis van het seminar toen ik gebeld werd door het SKL. Ik probeerde je te bellen, maar je hebt je mobiel waarschijnlijk uit staan.'

'Dat klopt.'

Mette was van mening dat ze niet uit hoefde te leggen waarom dat was.

'Wat wilde het SKL?' vroeg ze.

'Ze hebben gisteravond een nogal eigenaardige match gevonden met de huidresten onder Aram Mellbergs nagels. Ik dacht dat je dat zo snel mogelijk wilde weten, dus besloot ik langs te gaan.'

'Daar heb je goed aan gedaan. Waarom was de match eigenaardig?'

*

De duisternis was neergedaald over de zee, de eilanden en de boten die als verlichte slakken aan de horizon voorbijgleden.

Stilton zat op een rots in de buurt van het huis. Een hoge rots, met

152

een zachte uitgeholde ronding, perfect voor een lichaam om in te zitten. Hij had in zijn jeugd heel vaak op deze rotsstoel gezeten en over de zee uitgekeken, vooral als hij erover piekerde wie zijn vader was. Zijn moeder had beweerd dat hij een zeeman was die na een tijdje was verdwenen, maar Stilton geloofde haar niet helemaal. Er was iets in de afwijzende toon die een andere waarheid vertelde. Die kreeg hij niet te horen voordat ze zeven jaar geleden was gestorven. Niet wie zijn vader was, maar hoe hij was.

Hij was geen zeeman.

Nu piekerde hij over Jill Engberg.

Het was het enige wat hij op dit moment kon doen. Piekeren en nadenken. Hij had geen toegang tot het onderzoeksmateriaal met betrekking tot haar zaak. Dat had Mette wel. Misschien zou hij er snel de beschikking over krijgen, maar op dit moment had hij niets.

Wie knipt een serie krantenartikelen uit over een bepaalde moord? En bewaart ze in een oud horrorboek uit Engeland? Als de dader dat niet heeft gedaan, wie dan wel? Een familielid van het slachtoffer? Waarom? En als je al die knipsels op dezelfde plek bewaart, in het boek, waarom doe je dat dan weg? Zonder de knipsels eruit te halen?

Hij besefte dat er een aantal alternatieven waren.

Degene die de knipsels had verzameld, was gestorven en het boek was beland in een doos die als onderdeel van de erfenis was verkocht aan een antiquariaat. Zo kon het gegaan zijn, en dat gold ook als de dader degene was die was overleden. Degene die de dozen aan Ronny had verkocht, hoefde helemaal niets te weten van dit speciale boek en wat het bevatte. Maar de persoon moest in elk geval weten van wie het boek was geweest voordat het in de doos belandde.

Als hij nog bij de politie had gezeten en het onderzoek naar de moord op Jill had geleid, dan had hij degene die de dozen naar het antiquariaat had gebracht misschien kunnen opsporen. Hij was echter geen agent en leidde ook geen onderzoek.

Behalve privé.

Hij had geen mogelijkheid om de boekenverkoper te benaderen, behalve via Ronny.

Een advertentie?

Ik wil graag in contact komen met de persoon die begin oktober drie dozen boeken aan Ronny's Antiquariaat heeft verkocht. Antwoord via Bibliofil.

Stilton pakte een hoge fles en schonk een groene plastic beker vol zelfgemaakt kant-en-klaar vlierbessensap. Hij hield van vlierbessensap. Deels omdat de grote vlierbesstruiken achter het huis een huwelijkscadeau van zijn opa aan zijn oma waren geweest, er zat dus een verhaal achter, maar vooral om de smaak. Hij nam een slok uit de beker.

Was er een verband met dit boek? De keuze om de knipsels juist in dat boek te verzamelen? Het was een heel bijzonder boek, had hij begrepen van Benseman, geen boek dat bij benzinestations werd verkocht. Had degene die de knipsels verzamelde dit boek ooit gekocht? Of had hij zomaar een boek gepakt om de knipsels in te verbergen? Stel dat iemand speciaal dit boek had gekocht en speciaal dit boek had uitgekozen om de krantenknipsels in te verbergen. Wie heeft belangstelling voor zo'n boek uit de achttiende eeuw? Zonder horror, maar met onhandige erotiek. Wie raakt daar opgewonden van?

Stilton voelde dat hij vastzat. Het lukte niet met denken, er was iets anders nodig. Op dat moment belde Mette.

'Hallo,' antwoordde Stilton. 'Heb je de informatie over de Jill-moordzaak mee naar huis genomen?'

'Nee. Ik wil morgenochtend vroeg met je afspreken.'

Mette leek een beetje met een dubbele tong te praten.

'Ben je dronken?'

'Ik kom om negen uur langs op de aak.'

'Ik ben op Rödlöga.'

'Dan moet je terugkomen.'

'Bij jou thuis?'

'Nee! Waarom kunnen we niet op de aak afspreken?'

Stilton had geen zin om daarover te praten. Negen uur? dacht hij. Dan is Luna op de begraafplaats.

'Oké, dan zien we elkaar op de aak,' zei hij. 'Waar ben je...'

Mette verbrak de verbinding. Ze was misschien niet dronken, maar ze was in elk geval niet nuchter, dacht hij. Negen uur? Waar ging het over? Waarom had ze aan de telefoon niets gezegd? Blijkbaar omdat ze minder helder was dan ze wilde zijn als ze zou zeggen wat ze wilde zeggen. En dan was de situatie ernstig. Mette ging tijdens een moordonderzoek niet naar de aak om een kop koffie te drinken en te praten over haar pottenbakken. Was er iets gebeurd? Met de familie? Of Olivia?

Stilton belde Olivia. Hij stond nog steeds op de rots, waar de ontvangst het best was. Toen ze opnam hoorde hij meteen dat zij ook niet helemaal nuchter was.

'Ben je bij Mette?' vrocg hij.

'Ja.'

'Is er iets gebeurd?'

'Kerouac is dood.'

'Kerouac?'

'Mårtens spin.'

'Zitten jullie te zuipen omdat er een spin dood is?'

'We zuipen niet. Wat wil je?'

'Niets. Tot ziens.'

Stilton verbrak de verbinding. Mette zou om negen uur naar de aak komen om te vertellen dat er een spin dood was? Niet geloofwaardig. Het was een smoes van Olivia om geen antwoord te hoeven geven.

Er was iets gebeurd.

Wat er was gebeurd, was verbluffend.

Stilton stond om zes uur op en ging meteen naar zijn ribboot, een zwarte vierpersoons Eagle die bijna vijftig knopen haalde. Hij had hem een jaar geleden tweedehands gekocht.

Hij voer op maximale snelheid naar het open water.

Het was donker toen hij vertrok en donker toen hij anderhalf uur later Söder Mälarstrand bereikte. Hij legde een flink stuk van de aak aan en wachtte tot na acht uur voordat hij aan boord ging. Voor alle zekerheid controleerde hij of Luna er niet was. Dat was ze niet. Hij maakte van de gelegenheid gebruik om te douchen en zich te scheren. Dat had hij al een tijdje niet gedaan. Dat hij dat deze ochtend wel deed had waarschijnlijk met Mette te maken. Ze had het vermogen om hem op zijn uiterlijk te beoordelen en vervelende conclusies te trekken die uitmondden in chagrijnige zedenpreken. Daar had hij geen zin in.

Toen Mette de loopplank op liep, had hij alles aan zijn uiterlijk gedaan.

'Je ziet er moe uit,' zei ze.

'Jij ziet eruit alsof je een kater hebt.'

'Ik heb een kater. Ben jij moe?'

'Zullen we naar beneden gaan?'

Stilton liep voor Mette uit naar de salon. Hij had koffie gezet. Mette wilde niets hebben.

'Zijn we alleen?' vroeg ze terwijl ze naar de gang keek waaraan Luna's hut lag.

'Ja.'

'Ga zitten.'

Stilton hoorde de toon en nam plaats op de muurbank. Mette ging bij de tafel zitten.

'Gisteravond kwam je ex-vrouw naar mijn huis.'

'Heeft zij ook gezopen?'

'Niemand zoop, en onderbreek me niet meer, want dan ga ik weg.'
Stilton knikte.

'De vermoorde jongen Aram Mellberg had huidresten onder zijn nagels,' zei Mette. 'Het SKL heeft het DNA daarvan onderzocht en gisteren hadden ze een match.'

'Van mij?'

Stilton besefte meteen dat het een ongelooflijk domme opmerking was en hief zijn hand bij wijze van verontschuldiging.

'Nee, niet van jou,' zei Mette. 'Het DNA kwam echter wel overeen met een moordzaak uit 2005.'

Mette wachtte tot het tot Stilton was doorgedrongen.

'De Jill-moord?'

'De Jill-moord.'

'Bedoel je dat...'

'De persoon die Aram Mellberg en waarschijnlijk Emelie Andersson in Skåne heeft vermoord, heeft in 2005 Jill Engberg vermoord.'

'Is het dezelfde dader?'

'Daar lijkt het op.'

Stilton probeerde de informatie te verwerken, maar slaagde daar niet meteen in.

'Maar het zijn totaal verschillende handelwijzen. En slachtoffers. Jill was een prostituee, de anderen zijn twee kleine kinderen.'

'Maar Jill was getint.'

'Ja?'

'We denken dat de moord op de kinderen een racistisch motief kan hebben. Dat kan ook voor de moord op Jill gelden.'

'Maar dat is acht jaar geleden gebeurd.'

'De afgelopen tien jaar hebben we minstens vier niet-opgeloste moorden gehad die een racistisch motief kunnen hebben. De jongen Mohammed in Linköping in 2004, de man uit Somalië die in 2007 in Sundsvall is doodgestoken, de getinte taxichauffeur die in 2010 in de buurt van Sveg is doodgeslagen, de vrouw uit Chili die vorig jaar verdronken in haar badkuip is gevonden. Achter al die moorden zou dezelfde dader kunnen zitten.'

'Een racistische seriemoordenaar?'

'Misschien. Dat is eerder gebeurd.'

Stilton knikte. Plotseling was alles op een nieuw niveau gekomen en was 'zijn moordzaak' een onderdeel van iets wat veel omvangrijker was en waar hij geen zeggenschap over had. Die lag bij de Rijksrecherche.

Mette gaf Stilton een vel papier.

'Dit is een compositietekening van de man die we zoeken. Hij bevond zich op de plek waar Aram vermoord is.'

Stilton pakte de tekening aan.

'Dat boek waarover je vertelde,' ging Mette verder. 'Met alle krantenknipsels over Jill.'

'Ja?'

'Dat is nu heel belangrijk geworden.'

'Dat is het voor mij de hele tijd al geweest.'

'Nu is het voor ons ook belangrijk.'

Stilton begreep waar Mette naartoe wilde. Dat wilde hij niet.

'Als we kunnen uitzoeken van wie het boek afkomstig is, dan kan dat misschien wat opleveren,' ging Mette verder. 'Of niet soms?'

'Absoluut.'

'Waar heb je het boek?'

'Op Rödlöga.'

Mette keek naar Stilton.

'Ik denk dat je het hier hebt,' zei ze.

'Dat is niet zo en als het wel zo was, dan zou je het niet krijgen.'

'Gaan we het nu hebben over diensten en wederdiensten?'

'Het Jill-materiaal tegen het boek?'

'Ongeveer.'

Ze keken een paar seconden naar elkaar en in de stilte klonk een klap van een deur, gevolgd door krachtige voetstappen op de trap. De voetstappen waren afkomstig van een lange oude man die moest bukken toen hij de salon in liep. Hij had een dichte grijze baard en een schipperspet op zijn hoofd. Hij had zijn handen in de zakken van een stevige bruine leren jas, die leek op de jas die Stilton had geërfd van Stor-Stilton, de zeehondenjager.

De man doet helemaal aan een zeehondenjager denken, dacht Stilton.

'Je hebt bezoek!'

De man met de schipperspet riep over zijn schouder naar iemand achter hem, met een stem die zowel door slecht weer als metalen schotten kon dringen. Stilton kwam overeind op het moment dat Luna achter de man in de deuropening verscheen. Ze bleef staan toen ze Stilton zag. Het duurde een paar seconden voordat haar gezicht weer een neutrale uitdrukking had. Daarna zei ze: 'Hallo. Dit is Justus, mijn vader.'

'Wie zijn dat?' vroeg Justus.

'Dat is Tom Stilton. Ik heb over hem verteld.'

'Die smeris?'

'Ja.'

'Hallo.'

Stilton stak zijn hand uit en Justus pakte hem. Stilton voelde dezelfde ijzeren greep die zijn opa had gehad: als je je hand terugtrok wist je nooit in welke staat die was.

'Ik ben ook een smeris,' zei Mette, die met een glimlachje was gaan staan.

'Mette Olsäter.'

Justus stak zijn hand naar haar uit en Stilton huiverde bij de gedachte aan wat er met Mettes hand kon gebeuren. Er gebeurde niets. Blijkbaar paste Justus zijn handdruk aan de tegenpartij aan.

'Ik hou van echte vrouwen,' zei hij met een glimlach naar Mette.

'Dan had je me zeventien kilo geleden moeten ontmoeten, dat had je geweldig gevonden.'

Justus en Mette lachten allebei. Stilton en Luna wisselden een snelle blik.

'Ik ga hier op proef wonen,' zei Justus tegen Mette. 'Woon jij hier ook?'

'Nee.'

'Jammer. Het had tussen ons kunnen vonken.'

'Pap, zal ik je laten zien welke hut je krijgt?' vroeg Luna terwijl ze Justus een arm gaf.

Terwijl ze Stilton passeerde kreeg hij een blik die hij maar op één manier kon uitleggen.

'Ik hoop dat we elkaar binnenkort weer zien,' zei Justus tegen Mette.

Hij ging met zijn hand naar zijn schipperspet en liep langs. Toen de salon leeg was keek Mette naar Stilton en glimlachte.

'Dat kan gezellig worden.'

'Hebben we een deal?' vroeg Stilton.

'Je hoort van me.'

Mette liep naar de trap en Stilton ging op de muurbank zitten. Hij hoorde Justus' stem bij de hutten in het vooronder, het klonk alsof hij vlak naast hem stond. Stilton liep naar zijn hut en liet zich op zijn kooi zakken. Die huurde hij tenslotte nog steeds.

Een goede zaak: de kans om de Jill-zaak op te lossen is dramatisch toegenomen, dacht hij.

Een minder goede zaak: de Rijksrecherche zou zich met de zaak bemoeien en dat zou zijn mogelijkheden om te handelen beperken.

Een onzekere zaak: Luna.

Op dat moment ging de deur open zonder dat er geklopt was.

'Wat doe je hier?' vroeg ze.

'Moet ik dat uitleggen? Ik huur deze hut.'

'Ben je van plan hier te blijven?'

'Nee. Dat was een vergissing. Het spijt me, ik ga zo meteen weer.'

Luna keek naar hem.

'Ik mis je,' zei hij.

Luna draaide zich om en liep weg.

*

Svensson liet Måns Berntsson in de vroege ochtend ophalen. Het tempo van het onderzoek was al voldoende gedaald, nu probeerde hij het zo goed mogelijk weer op te pakken. Hij zette Berntsson in een kleine kamer zonder ramen. Berntsson begreep niet waarom hij daar zat.

'Het gaat om de moorden op Emelie Andersson en Aram Mellberg,' zei Svensson.

'Wat heb ik daarmee te maken?'

'Daar wil ik een paar vragen over stellen. Je hebt Olivia Rönning een vals alibi voor de moord op Emelie gegeven. Dat hebben we gecontroleerd. Waarom heb je gelogen?'

'Ik heb er gewoon iets uitgeflapt.'

'Je hebt er gewoon iets uitgeflapt?'

'We waren een beetje aangeschoten en ze was heel erg aan het provoceren, dus toen heb ik dat gezegd.'

'Over de vlooienmarkt?'

'Ja.'

'Wat deed je dan wel toen Emelie Andersson vermoord is?'

'Ik was op de boerderij.'

'Wie kan dat bevestigen?'

'De koeien.'

Svensson keek naar Berntssons pokdalige huid en probeerde kalm te blijven. Hij wist dat Berntsson naast de boerderij van zijn ouders woonde en dat ze daar een veestapel hadden.

'Waren je ouders thuis?' vroeg hij.

'Die waren in Århus.'

'Je hebt dus niemand die kan bevestigen dat je op de boerderij was?'

'Waarom is dat nodig?'

'Om te bewijzen dat je niet in de tuin van de familie Andersson was en een driejarig meisje vermoord hebt. Een "negerjong", zoals je je schijnt uit te drukken. Wat heb je voor schoenmaat?'

Berntsson schudde zijn hoofd even en legde een van zijn voeten op de tafel. Hij droeg een paar grove schoenen.

'Zo groot ongeveer,' glimlachte Berntsson.

'Kun je je been weghalen?'

Berntsson haalde zijn been weg.

'Ik heb 43 en soms 44,' zei hij.

'Wat is de maat van deze schoenen?'

'43.'

'Aram Mellberg is op 21 oktober vermoord. Waar was je op dat moment?'

Berntsson pakte zijn mobiel en ging naar zijn agenda. Daar zou ik graag in willen kijken, dacht Svensson.

'Ik was in Helsingborg voor een tatoeage,' zei Berntsson, waarna hij zijn mobiel weer wegstopte.

'Waar?'

'Bij Straycat Tattoo. Wil je het telefoonnummer?'

'Graag.'

Berntsson pakte zijn mobiel weer, keek in de contactenlijst en gaf Svensson een nummer.

'Zijn we klaar?' vroeg hij.

'Voorlopig wel.'

Berntsson ging staan en liep naar de deur.

'Is de tatoeage klaar?' vroeg Svensson.

Berntsson bleef staan.

'Ja.'

'Mag ik hem zien?'

Berntsson keek met een spottende glimlach naar Svensson terwijl hij zijn trui omhoogtrok en zijn borstkas ontblootte. Vlak onder de tepels stonden twee woorden in gotische letters: BLANKE WRAAK.

161

*

Jian belde net voor acht uur. Olivia was op weg naar de ochtendbespreking toen ze het telefoontje kreeg. Ze had een kater.

'Heb je tijd om naar me toe te komen?' vroeg Jian.

'Natuurlijk. Waar ben je?'

'In mijn kantoor.'

Jian gaf Olivia een adres in de Luntmakargatan. Olivia legde de situatie uit aan Mette. Het was geen probleem.

Alleen al het feit dat Jian in haar kantoor was, was een stap voorwaarts die ze moesten aanmoedigen.

Het was geen echt kantoor, eerder een grote kamer met een keukenhoek. De kamer stond bomvol. Het eerste wat Olivia opviel was de technische apparatuur. Langs één muur stonden computers en beeldschermen en een heleboel zwarte dozen in een lange rij. De hoeveelheid snoeren was enorm.

'Kom binnen.'

Jian maakte een uitnodigend gebaar en Olivia liep naar binnen. Ze zag dat Jian geen schoenen droeg.

Het was een mooie kamer, met een houten vloer en een hoog plafond met wit stucwerk. De betimmerde muren hingen vol krantenknipsels, gele briefjes en lijsten.

'Bedankt dat je gekomen bent,' zei Jian.

Olivia draaide zich om.

'Natuurlijk kom ik...'

'Ik bedoel niet nu,' onderbrak Jian haar. 'Ik bedoel gisteren. Dat je toen gekomen bent. Dat was goed.'

'Dat vind ik fijn.'

Olivia zag dat Jians gezicht kleur had. Ze was heel knap nu de uitdrukking op haar gezicht minder gekweld was. Het was niet helemaal weg, maar er lag een uitdrukking in haar ogen die ze de vorige dag niet had gezien.

'Ik heb bijna de hele nacht nagedacht over wat je gezegd hebt,' zei Jian. 'Dat ik misschien kan helpen bij het vinden van Arams moordenaar. Dat ik bepaalde dingen weet waar jullie gebruik van kunnen maken.'

'Dat kun je.'

'Ja, dat weet ik. Ola heeft hetzelfde gezegd, maar het is alsof het niet goed tot je doordringt als je eigen man dat zegt. Wil je koffie?'

'Graag.'

Jian liep naar een espressoapparaat en pakte kopjes.

Olivia keek naar haar tengere lichaam. Ze wist dat het gemakkelijk was om omvang met kracht te verwarren, en ze vermoedde dat Jian een kracht had waar veel mannen jaloers op zouden zijn. Als ze op gang was. Ze had het tenslotte aangedurfd om een van de ergste groepen in de maatschappij aan te pakken, de internethaters. In samenwerking met Researchgroep had ze racisten ontmaskerd en hun identiteit bekendgemaakt. Dat getuigde van een kracht die niets met fysieke gesteldheid te maken had.

'Melk?' vroeg Jian.

'Graag.'

Olivia wachtte even, ze wilde op de juiste manier beginnen.

'Je man Ola vertelde dat je bedreigd bent,' begon ze.

'Dat klopt.'

'Via mail en telefoongesprekken?'

'Onder andere.'

'Nog andere bedreigingen?'

Olivia zag dat Jian aarzelde. Ze wilde het niet vertellen of ze kon het niet opbrengen.

'Het meest onaangename was de zak, omdat die zo fysiek, zo tastbaar was.'

'De zak?'

'Op een ochtend hing er een plastic zak aan de deur toen ik hier kwam, hij zat vol afgehakte varkenspoten. Dat was echt walgelijk.'

Olivia vond het niet moeilijk zich dat voor te stellen.

'Ik bedoel, ik had weerzinwekkende mails en weerzinwekkende dreigementen op alle mogelijke manieren gekregen, vooral op racistische sites, maar dat is afstandelijk, als je begrijpt wat ik bedoel. Dat is in de internetwereld. Maar toen iemand naar mijn deur is gegaan en die zak opgehangen heeft was dat een indringing in mijn privéwereld. Een heel andere soort bedreiging.'

'Heb je aangifte gedaan?'

'Ja. Overal van. Niet omdat ik denk dat het veel zal helpen, maar hoe meer mensen aangifte doen van pesterijen of dreigementen, hoe serieuzer het genomen wordt. Of niet soms? Jij bent tenslotte politieagent.'

163

'Ik weet zeker dat het serieus genomen wordt.'

Jian knikte even en liep met een hoog glas vol koffie naar haar toe. Olivia pakte het aan.

'Je herkende Måns Berntsson dus,' zei ze.

'Ja. Tyrrune/BW. Hij is heel actief op diverse racistische sites en is lid van het Zweeds Arisch Verzet. Hun invloed is politiek gezien vrij marginaal. We richten ons op het ontmaskeren van racisten die actief zijn binnen het politieke leven, degenen die officieel een keurige agenda hebben maar een heel andere als ze anoniem op internet zijn. Dat zijn voornamelijk Zweden-democraten.'

Olivia merkte dat Jians stem een onmiskenbare scherpte kreeg als ze over haar werk praatte.

'Hoe kunnen we verdergaan met Måns Berntsson?' vroeg Olivia.

'Als jullie denken dat hij betrokken kan zijn bij wat er gebeurd is, dan kan ik proberen zijn contacten en threads in verschillende sociale forums in kaart te brengen. Als dat kan helpen.'

'Daarvan ben ik overtuigd.'

Dat was ze niet, maar alleen al het feit dat ze Jian op gang zou krijgen was voldoende.

'Hoe ben je van plan te werk te gaan?' vroeg ze.

'Zoeken naar pseudoniemen waarmee hij communiceert en achterhalen wie zich daarachter verbergt.'

'En hoe doe je dat? Het spijt me, maar ik ben daar niet zo in thuis.'

'Heb je kinderen?'

De vraag kwam vanuit het niets en Olivia was perplex.

'Nee,' antwoordde ze. 'Waarom vraag je dat?'

'Ik doe dit voor Aram.'

'Dat begrijp ik.'

'Hoe ik het doe is niet zo interessant voor jou, maar het gaat om het blootleggen van hun gebruikersaccount bij Disqus, eenvoudige gecodeerde adressen zoeken, die kraken en daarmee concrete mailadressen krijgen. De rest is niet zo moeilijk. Je zoekt net zolang bij overheidsinstanties of op andere vlakken tot er vroeg of laat een naam opduikt.'

Olivia was ervan overtuigd dat het haar zou lukken. Ze besefte dat Jian wist waar ze mee bezig was. Als Måns Berntsson contacten had die interessant zouden zijn voor het onderzoek, dan zou Jian die vinden.

*

Waarschijnlijk hadden sommige collega's in de kamer in de gaten hoe vaak Mette haar waterglas vulde en in één keer leegdronk, maar niemand gaf daar commentaar op. Verder was ze net als anders. Iedereen in de kamer was verbaasd geweest toen ze vertelde over de DNA-match van het SKL en de link met de moord op Jill Engberg in 2005. Een paar onderzoekers hadden destijds aan dat moordonderzoek gewerkt.

'Versterkt of verzwakt dat onze hypothese?' vroeg Bosse Thyrén.

'Het een noch het ander,' antwoordde Mette. 'In het ergste geval gaat het om een seriemoordenaar met een racistisch motief.'

'De pers heeft al gespeculeerd over een nieuwe Peter Mangs, of Laserman.'

'Dat kan heel goed zo zijn,' zei Mette. 'Ik stel voor dat we de onopgeloste moordzaken die een bevestiging voor onze hypothese kunnen zijn, heropenen en ze opnieuw doornemen. De Jill-zaak doe ik zelf.'

'Hoe gaat het met Lars Brendman? De jogger?'

'We hebben met zijn viscollega gesproken,' zei Lisa Hedqvist. 'Hij bevestigt dat ze bij Biskopsudden hebben gevist op het tijdstip dat Brendman opgegeven heeft.'

'Hij kan liegen.'

'Absoluut. Maar hij is bereid om een getuigenverklaring af te leggen.'

'Helaas moeten we Måns Berntsson in Skåne ook schrappen. Volgens Svenssons rapport kan hij de moord op Aram Mellberg niet gepleegd hebben. Op dat tijdstip kreeg hij een tatoeage.'

Het werd stil in de kamer.

'Dus waar staan we dan?' vroeg een vrouwelijke moordonderzoeker uiteindelijk.

'We staan weer aan het begin,' antwoordde Mette.

Ze haatte het als ze terug bij af waren. Dat bevatte altijd het risico dat de energie uit een onderzoek verdween, ze wist dat ze afhankelijk waren van voorwaartse bewegingen, initiatieven, het kon gebeuren dat er een onderbewuste berusting binnensloop.

'Hoe gaat het met de eventuele connecties tussen de families? Nog steeds niets?' vroeg ze terwijl ze het antwoord al wist.

'Nee, niets,' zei Lisa. 'Het motief moet buiten die families liggen.'

Het werd weer stil in de kamer. Mette keek naar de onderzoekers en zag dat een paar van hen nicotinekauwgom in hun mond stopten. Wat een verschil, dacht ze. Vroeger had de vergaderkamer vol sigarettenrook gestaan, nu is het pruimtabak en kauwgom. Het was beslist een verbetering. Ze ging zitten en wist niet goed hoe ze verder moest gaan, hoe ze de energie terug moest krijgen.

'Maar waarom kinderen aanvallen? Ik vind dat zo extreem ziek,' zei Bosse plotseling. Het was een heel persoonlijke en emotionele reactie, nogal ongewoon in een groep waarin de persoonlijke geschoktheid verdrongen moest worden om zich op de feiten te kunnen concentreren. Op dit moment was dat echter precies wat gezegd moest worden, bij wijze van brandstof. Het was een persoonlijke herinnering aan datgene waar het bij deze zaak om ging.

Twee ongewoon wrede moorden op kleine kinderen en een net zo wrede moord op een jonge zwangere vrouw.

*

De man zat in Centralen in Stockholm, op een bank, en keek naar de mensen die passeerden. Het was een normale doorsnede, verschillende leeftijden, verschillende geslachten en verschillende huidskleuren.

Dat gold niet voor hem.

Hij zag alleen degenen die afweken, die in zijn ogen afweken, degenen die hier niet thuishoorden. Het waren er veel, en ze waren overal. Ze liepen vlak langs hem, lachend, haastig, kwamen iemand tegen en kregen een omhelzing.

Alsof ze hier thuishoorden.

In zijn land. In Zweden.

Hoe heeft dat kunnen gebeuren? dacht hij. Hoe heeft het zover kunnen komen? Hoe kon het hier plotseling krioelen van mensen die hier niet thuishoorden? Waarom hebben we daar geen eind aan gemaakt? Nu is het misschien te laat. Nu is het een kwestie van tijd voordat we vreemdelingen in ons eigen land zijn. Begrijpen de mensen niet wat het begrip raszuiverheid betekent? Zodra er een wasbeerhond in Zweden verschijnt wordt hij doodgeschoten omdat hij inheemse soorten bedreigt. Begrijpt niemand dat dat ook voor immigranten geldt?

Hij stond op en liep weg. Hij kon het niet meer aanzien.

Hij liep naar de Vasagatan en keek naar het grote sloopgat aan de andere kant. Het gat waar hotel Continental had gestaan.

Het hele hotel is weg, dacht hij.

Hij keek omhoog naar de plek waar de kamer was geweest, op de derde verdieping. Daar zat ik, dacht hij, bij het raam, het verkeerslicht op straat kleurde mijn gezicht afwisselend rood en groen, ik hoorde een lege fles breken, op het bed bewoog niets. Ik hield mijn bril in twee handen op mijn schoot, één poot was afgebroken. Ik zag een lichtbruine kakkerlak langs de plint kruipen, plotseling veranderde hij van richting en bleef hij bij een grote rode druppel op het kamerbrede tapijt staan. Alles was heel snel gegaan, heel onverwacht.

Ik heb in elk geval mijn steentje bijgedragen, dacht hij terwijl hij naar Norra Bantorget liep.

*

Stilton stak Nytorget in Söder over en dacht na over de situatie. Niet over Luna, dat was zoals het was en dat was verpest. Hij verlangde naar haar en dat ergerde hem. Het vertroebelde. In plaats daarvan probeerde hij aan de Jill-zaak te denken. Hij had het gevoel alsof zijn handen op zijn rug waren gebonden. Hij wist dat Mette een heldere scheidslijn aanhield als het om haar onderzoeken ging en nu was de Jill-zaak ook van haar. Niet van hem. Niet dat hij ver was gekomen, dat ging niet als hij het oude materiaal van de zaak niet mocht inzien. Hij wist dat hij daarin aanwijzingen kon vinden, ideeën, invallen en namen waarmee hij nooit iets had kunnen doen omdat hij van de zaak was gehaald.

Als Mette hem het materiaal zou laten zien, zou hij misschien verder komen.

Aan de andere kant had hij het boek met de knipsels. Hij wist dat ze dat wilde hebben. Misschien konden ze een deal maken.

Hij liep naar het Lilla Blecktornspark en ging op een bank zitten. Dit was bekend terrein voor hem. Hier waren de zogenaamde 'mobielmoordenaars' opgepakt. Twee jongens die hij mishandeld zou hebben met een honkbalknuppel als Abbas el Fassi en zijn zwarte messen er niet waren geweest.

Stilton dacht aan de tengere Abbas, de zwijgzame soefist die op dit moment met Mårten en Jolene in Marrakech was. Abbas had een merkwaardige achtergrond. Na een korte periode als bijzonder getalenteerd messenwerper in een circus in Zuid-Frankrijk was hij in criminele kringen beland en uiteindelijk in Zweden terechtgekomen. Stilton had hem uit dat leven weggehaald, met veel hulp van Mette en Mårten Olsäter die als een soort informele toezichthouders voor Abbas waren opgetreden tijdens zijn reis van crimineel naar croupier. Een reis die ertoe had geleid dat Abbas min of meer als een zoon in de familie Olsäter was opgenomen.

Maar Marrakech?

Wat deden ze daar? Stilton wist dat Abbas daar familie had, maar was het zo'n bezoek? Met Mårten en Jolene?

Stilton keek uit over het park en pakte zijn mobiel. Hij keek hoe laat het was en toetste het nummer van Abbas in. Na een paar seconden nam hij op.

'Hallo, met Tom,' zei hij. 'Hoe laat is het bij jou?'

'Net zo laat als bij jou.'

'Oké. Hoe is het met je?'

'Goed. Waarom bel je?'

'Zomaar, om even te praten.'

'Praten?'

Stilton wist hoe vreemd dat in Abbas' oren moest klinken. Ze hadden geen praatrelatie, ze gingen met elkaar om als ze samen betrokken waren bij een misdrijf. Af en toe speelden ze een spelletje backgammon bij Abbas thuis, maar dat gebeurde meestal in stilte. Dus praten?

'Hoe is het met Jolene?' probeerde Stilton.

'Ze denkt dat ze hier een vliegend tapijt kan vinden. Mårten heeft geprobeerd haar duidelijk te maken dat vliegende tapijten niet bestaan, maar dat lukt niet erg.'

'Aha. Doe ze de groeten van me.'

'Dat zal ik doen.'

'Wil je weten hoe het met mij is?'

'Nee. Hoe is het met je?'

'Fantastisch.'

'Je liegt.'

'Ja.'

'Dus?'

'De man die Jill Engberg vermoord heeft, heeft pasgeleden twee kinderen vermoord, een in Skåne en een hier.'

'Dezelfde man?'

'Het lijkt erop.'

'Ben jij erbij betrokken?'

'Binnenkort misschien, hoop ik.'

'Heb je hulp nodig?'

'Nog niet.'

'Wacht even. Jolene wil iets zeggen.'

Stilton hoorde een heleboel kabaal en fluitmuziek op de achtergrond en daarna kreeg hij Jolene aan de lijn.

'Tom!'

'Hallo, Jolene. Waar zijn jullie?'

'In de bazaar. Ik zoek een vliegend tapijt, maar papa zegt dat die niet bestaan.'

'Hij liegt. Natuurlijk bestaan er vliegende tapijten.'

'Ja? Ik wist het! Dag!'

Abbas kreeg de mobiel terug.

'Wat heb je tegen haar gezegd?'

'Dat ze niet te veel in de zon moet zitten. Tot ziens.'

Stilton verbrak de verbinding en keek naar een sjofel geklede, dikke vrouw die in een afvalbak naar lege blikjes zocht. Een paar seconden vond hij dat ze eruitzag als Drammerige Vera, een dakloze vrouw die hij had gekend en die een paar jaar geleden door de 'mobielmoordenaars' in haar caravan was doodgeslagen.

Hij stond op en liep weg.

*

Mette had zich teruggetrokken in haar kamer. Ze voelde haar ogen branden. Ze nam een Metformine-tablet en hoopte dat die zou helpen. Ze wilde absoluut niet dat iemand iets aan haar zou merken, dat er vragen gesteld zouden worden. Niet nu ze midden in deze zaak zaten. Het risico bestond dat het uit zou lekken naar Oskar Molin, die toch al aan haar gezondheid twijfelde en beslist vragen zou gaan stellen.

Dat wilde ze voorkomen.

Ze zat achter haar bureau en keek naar de grote ingelijste foto van al haar kinderen en kleinkinderen en hun echtgenoten die afgelopen zomer in hun tuin was gemaakt. Ze hadden allemaal een bloemenkrans op hun hoofd en lachten. Behalve zij. Waarom lach ik niet? dacht ze. Ze wilde de foto net oppakken toen de telefoon ging. Het was Marianne Boglund.

'Heb je heel even?' vroeg ze.

'Ja. Ik wilde de stofzuigerzak net legen.'

'Alweer?'

'Ik maakte een grapje. Ik ben op mijn werk. Waarom bel je?'

'Ik heb een nieuwe match met het DNA van de huidresten.'

'Van Aram Mellberg?'

'Ja.'

'Sinds wanneer?'

'Sinds daarnet. Het was een beetje toeval. Ik heb een paar maanden geleden geholpen bij het identificeren van een paar oude skeletdelen die in een meer op Möja gevonden waren. Ik deed een DNA-vergelijking met behulp van een paar plukken haar die we binnengekregen hadden en kon iemand identificeren. Het was een man. Ik constateerde dat het DNA van de man een genetische afwijking had die op een nogal ongebruikelijke erfelijke ziekte wees. Deze afwijking is ook in het DNA van de huidresten onder Arams nagels gevonden. Ik vond het een merkwaardig toeval en heb het DNA met elkaar vergeleken.'

'Had je een match?'

'Ja. De helft van het DNA van de huidresten kwam overeen met de helft van het DNA van de skeletdelen.'

'Een kind?'

'Een zoon.'

'Van wie waren de skeletdelen?'

'Van Stellan Eklind. Dat is het enige wat ik weet.'

Mette bedankte haar, hing op en liep snel naar de deur. Brandende ogen of niet, dit kon een doorbraak zijn!

*

Waarschijnlijk was het rusteloosheid waardoor Stilton opnieuw naar het antiquariaat ging, maar het kon ook een rudimentair restant van zijn oude politie-instinct zijn om elk spoor te volgen, ook al leek het uitzichtloos.

Hij bleef zoals gewoonlijk een stukje bij de winkel vandaan staan om te controleren of er iemand was. Het was nog geen sluitingstijd, maar de enige die hij zag was Ronny. Hij liep naar de deur en zag het bordje GESLOTEN hangen. Vreemd. Hij klopte op het raam en Ronny draaide zich om.

'Kom binnen.'

Ronny stapte opzij, liet Stilton binnen en deed de deur weer op slot.

Stilton wilde net iets zeggen toen Ronny zijn hand hief en een vinger op zijn lippen legde. Met zijn andere hand wees hij naar de achterkant van het antiquariaat. Stilton wist dat daar een klein keukentje en een smalle alkoof waren, verborgen achter een mooi kralengordijn. Ronny deed een paar stappen naar het gordijn en Stilton liep achter hem aan. Ronny schoof voorzichtig een paar kralenstrengen opzij, waardoor een kier ontstond. Stilton boog zich naar voren en keek naar binnen. Het keukentje was leeg, maar in de smalle alkoof las een vrouw in een lage fauteuil bij het licht van een wandlamp een boek. Na een paar seconden zag Stilton dat het Muriel was. Hij keek met een vragende blik naar Ronny. Ronny liet de kralenstrengen los en fluisterde: 'Ze zit daar al meer dan vier uur te lezen.'

'Is dat waar? Wat is het voor boek?'

'Het heet *Siddhartha*.'

'Hesse.'

Ronny staarde een paar seconden naar Stilton, daarna trok hij hem tussen een paar boekenkasten. Hij praatte nog steeds zachtjes: 'Hoe weet jij in vredesnaam wie *Siddhartha* geschreven heeft?'

'Ik heb het gelezen.'

'Is dat zo? Wanneer dan?'

'Toen ik op een booreiland in Noorwegen werkte.'

'Heb jij op een booreiland gewerkt?'

'Toen ik jong was.'

'En toen heb je *Siddhartha* gelezen?'

'Ja. Ik belandde daar nadat ik een stomme streek uitgehaald had. Ik voelde me niet goed en een meisje dat in de kantine werkte had dat boek. Ze zei dat ik het moest lezen en dat ik me daarna beter zou voelen.'

'Was dat zo?'

'Dat kan ik me niet herinneren.'

Ronny had nog geen antwoord gegeven toen Stilton zei: 'Kun je hiernaar kijken?'

Hij haalde de compositietekening tevoorschijn die hij die ochtend van Mette had gekregen en liet hem aan Ronny zien.

'Hij lijkt op jou,' zei Ronny.

'Ik ben het niet. Kan het de man zijn die de boeken hiernaartoe heeft gebracht?'

Ronny bestudeerde de tekening.

'Dat zou kunnen,' zei hij. 'Qua leeftijd misschien, maar ik bedoel, het zou iedereen kunnen zijn.'

'Maar dat is niet zo.'

Stilton vouwde de tekening weer op. Hij had het in elk geval geprobeerd. Plotseling hoorden ze Muriels stem: 'Ronny!'

Stilton liep snel naar de deur. Hij wilde niet storen. Het was fantastisch dat Ronny Muriel zover had gekregen om hier urenlang een boek te lezen. Een nogal verwarrend boek, zoals hij zich vaag herinnerde, maar toch.

Misschien was het de juiste verwardheid voor Muriel.

De aanstaande mevrouw Benseman.

Mette nam contact op met de politie van Stockholm en kreeg te horen wat ze wilde weten. Nu zou ze dat aan de onderzoeksgroep meedelen. Iedereen in de kamer zag aan haar bewegingen dat er een doorbraak had plaatsgevonden.

'De skeletdelen die een match vormen behoorden toe aan een man met de naam Stellan Eklind,' begon ze. 'De match toont aan dat de huidresten afkomstig zijn van een zoon van hem. Eklind woonde op Möja en is in oktober 1975 spoorloos verdwenen. Zijn vrouw Barbro Eklind heeft aangifte gedaan van zijn verdwijning. De skeletdelen zijn gevonden door een paar kinderen die afgelopen augustus in het Mellansjön zwommen. De vondst bevestigde het vermoeden dat Stellan Eklind verdronken was.'

Mette schonk water in een glas, maar dronk er niet van.

'Stellan en Barbro hadden een kind,' zei ze. 'Een dochter die in 1976 zelfmoord heeft gepleegd.'

'Hoe kan het DNA dan met hem matchen?' vroeg Lisa.

'Om de eenvoudige reden dat Stellan Eklind nog een kind gehad moet hebben. Een zoon.'

Het werd stil. Zou de moordenaar van Aram Mellberg de zoon zijn van een vermiste bewoner van Möja die in 1975 was verdronken en dit jaar was gevonden?

Dat was spectaculair nieuws.

'De weduwe Barbro Eklind leeft nog, ze is drieënzeventig jaar en woont op Möja,' ging Mette verder. 'Bosse, bel haar op en vraag naar dat kind. Stellan heeft misschien eerder een kind gekregen.'

Bosse knikte en kwam overeind.

'Hebben we een telefoonnummer van haar?'

'Je mag er zelf ook iets voor doen,' zei Mette, waarna ze het glas met water oppakte.

Toen ze in de gang stond belde ze Stilton.

'Waar ben je?' vroeg ze.

'Thuis.'

'En waar is dat? De aak of Rödlöga?'

De vraag was niet helemaal ongegrond.

'Rödlöga,' antwoordde Stilton.

'Kom je vanavond eten?'

'Waarom?'

Mette zweeg even.

'Op een keer ga ik je de elementaire regels van sociaal gedrag leren,' zei ze. 'Kom je?'

'Gaat het over het boek?'

'Dat moet je bij je hebben, ja.'

'En dan heb jij het Jill-materiaal?'

Mette hing op zonder antwoord te geven.

*

Sven Svensson zat achter zijn bureau in de vergaderkamer in Höganäs en bekeek de gesprekslijsten van Måns Berntssons mobiel. Hij had op eigen initiatief besloten om die te controleren. Een handelwijze die het budget flink belastte, maar hij wilde niets aan het toeval overlaten. Berntsson had nog steeds geen alibi voor de moord op Emelie Andersson.

Berntssons mobiel was de afgelopen weken veel gebruikt en bijna alle gesprekken hadden plaatsgevonden binnen de straal van de zendmast die het dichtst bij de boerderij van Berntssons ouders stond. Svensson controleerde of er telefoonnummers waren die vaker voorkwamen dan andere.

Nogal geestdodend werk.

Toen zijn tempo vertraagde haalde hij de herinnering van Berntssons getatoeëerde borst op: BLANKE WRAAK.

Dat maakte het werk minder geestdodend.

*

Bosse klopte goed hoorbaar op Mettes deur en wachtte op een reactie. Die kwam niet. Hij keek om zich heen in de gang en wist niet goed wat hij moest doen. Mette moest in haar kamer zijn. Hij duwde de kruk naar beneden en opende de deur.

Ze zat bij haar bureau, op de pas aangeschafte, wijnrode, bijzonder comfortabele stoel met een rugleuning die je met één handgreep kon verstellen. Op dit moment was dat heel ver naar achteren.

Ze sliep.

Bosse keek naar zijn baas. Hij mocht haar graag als collega en bewonderde haar als onderzoeker. Hij was er een jaar geleden getuige van geweest dat ze een hartaanval had gekregen en wist dat ze meer van haar lichaam vergde dan goed voor haar was. Hij wist niet dat ze diabetes had. Bosse wilde de deur net dichttrekken toen ze begon te praten.

'Heb je haar gesproken?'

Bosse liep het kantoor in. Hij maakte een verontschuldigend gebaar en deed de deur achter zich dicht.

'Dacht je dat ik sliep?' vroeg Mette.

'Daar leek het op.'

'Dat is een vergissing waar veel mensen spijt van gehad hebben. Niet in het minst Leonard Bernstein. Hij dirigeerde het Filharmonisch Orkest in New York en dacht dat de pianist achter zijn piano in slaap gevallen was. Op het moment dat hij driftig met zijn dirigeerstok wilde tikken, bewoog de pianist zijn handen over de piano, precies op het juiste moment, en speelde een fantastische solo. Hij had zich met gesloten ogen geconcentreerd. Heb je Barbro Eklind gesproken?'

'Ja.'

Bosse ging op een iets eenvoudigere stoel tegenover Mette zitten.

'Ze beweerde dat Stellan niet meer kinderen had. Ze was bovendien verschrikkelijk geïrriteerd dat ik haar die vraag stelde.'

'Waarom zou dat zijn?'

'Geen idee. Ze leek het als een persoonlijke belediging op te vatten en werd heel onvriendelijk.'

'Loog ze?'

'Hoe moet ik dat weten?'

'Je bent toch een moordonderzoeker?'

Mettes gezicht was volkomen uitdrukkingsloos terwijl ze het zei en Bosse vroeg zich onzeker af of het kritiek op zijn vakkundigheid was.

'Natuurlijk kun je dat niet weten,' ging Mette met een glimlach verder. Ze vond het soms leuk om anderen onzeker te maken.

Ze had nog steeds last van haar kater.

'Die weduwe krijgt hoe dan ook een schok te verwerken,' zei ze terwijl ze de stoel rechtop zette. 'Stellan Eklind had nog een kind en dat kind is waarschijnlijk een wrede moordenaar. Jij en Lisa blijven daaraan werken. Vraag hulp als jullie die nodig hebben. Ergens bevindt zich een moeder van onze moordenaar, als het Barbro niet is. Misschien kunnen we ook wat hulp van Stilton krijgen.'

'Stilton?'

'Hij komt vanavond eten. Denk ik.'

*

Het was al donker toen Stilton de kleine straat in Kummelnäs in liep. Vanaf het water waaide een ijzige wind waardoor de droge bladeren ronddwarrelden, de herfst was op weg om in de winter over te gaan en alle tuinen waren afgezet met bruine hagen. Het was een relatief welgestelde wijk en de grote woningen met ramen voorzien van spijlen en hoge hypotheken lagen een eind van de straat af.

Stilton had absoluut geen belangstelling voor de omgeving en liep zonder om zich heen te kijken naar de woning van Mette. Hij droeg een bruine leren pet op zijn hoofd en had zijn blauwe tas in zijn hand. Hij had razende honger, maar had er weinig hoop op dat hij iets lekkers te eten zou krijgen in de vervallen woning. Hij wist dat Mårten op reis was en kende Mettes beperkingen op culinair gebied. Bovendien was ze op dieet. In het ergste geval kreeg hij plakjes kalkoenfilet met rauwe wortelen.

Ze aten stoofschotel. Een heerlijke boeuf bourguignon die Olivia had gekookt. Mette had de uien gepeld en haar tranen gedroogd. Nu waren ze halverwege de maaltijd en ze genoten. Mette en Olivia dronken mineraalwater en Stilton had een glas rode wijn voor zich staan.

Ze hadden over van alles en nog wat gepraat, zoals dat gebeurt als mensen die elkaar kennen elkaar een tijdlang niet hebben gezien. Het ging voornamelijk over Stilton. Mette en Olivia hadden elkaar de vorige avond al gesproken. Toen Olivia vroeg of hij een relatie met Luna had, pakte hij zijn tas, haalde *De monnik* eruit en schoof het boek over de tafel naar Mette toe.

'Zitten de knipsels er nog in?' vroeg Mette.

'Allemaal. Waar is het Jill-materiaal?'

'Dat ligt in de Afrika-kamer.'

De Afrika-kamer was de grootste kamer in het huis, het was eerder een zaal, ingericht met voorwerpen die Mette en Mårten hadden meegenomen van hun verschillende reizen kriskras door het grote continent in het zuiden. De muren waren bedekt met grote kleurrijke brokaten kleden die ze in een van de sloppenwijken bij Kaapstad hadden gekocht. Midden in de zaal stond een prachtige, lange tafel van onbewerkte slooplanken uit een pruimtabakfabriek in Göteborg. Op de tafel lag al het materiaal over de moord op Jill Engberg.

Stilton besloot om nog niet naar de Afrika-kamer te gaan. Hij had geen haast.

'Proost,' zei hij terwijl hij zijn glas wijn hief.

Mette schoof haar bord weg en veegde haar mond schoon met een wit servet. Het was tijd voor de verdwenen zoon.

'Jij weet het een en ander van Möja, nietwaar?' zei ze tegen Stilton.

'Ja. Ik ben daar in de buurt opgegroeid. We gingen vaak naar Möja, ze hadden daar een dansvloer.'

'Danste jij?'

Olivia had een vragende uitdrukking op haar gezicht.

'Waarom zou ik dat niet gedaan hebben?' vroeg Stilton.

'Ze is gewoon nieuwsgierig,' zei Mette. 'Zo meteen wil ze weten waarom je gehecht bent aan haar.'

'Mette!'

'Waarom vraag je me naar Möja?' zei Stilton.

'Omdat je ambitieuze ex-vrouw vandaag een nieuwe match heeft gevonden met het DNA van Aram Mellberg.'

'Een nieuwe moordzaak?'

'Nee. Een tijd geleden zijn daar skeletdelen gevonden in een klein binnenmeer, het Mellansjön. Ken je dat?'

'Ja, daar gingen we vaak zwemmen.'

'Zwom jij?' vroeg Olivia met een glimlach.

'Van wie waren die skeletdelen?'

'Van een man die in 1975 op Möja uit zijn woning verdwenen is en van wie werd aangenomen dat hij verdronken was. Hij heette Stellan Eklind. De match was met een zoon van hem.'

Stilton kneep zijn ogen tot spleetjes en keek naar de tafel.

'Vreemd,' zei hij.

'Hoezo? Dat we nog een match hebben of Stellan Eklind?'

'Ik weet wie dat was. Hij was getrouwd met een vrouw van Möja, Barbro. Maar ze hadden toch alleen een dochter?'

'Linnea Eklind. Ze heeft in 1976 zelfmoord gepleegd,' zei Mette.

'Precies, dat herinner ik me nog.'

Stilton schonk nog wat wijn in om zijn herinneringen gezelschap te houden.

'Er werd veel over de Eklinds geroddeld op de eilanden,' zei hij nadenkend.

'Wat voor soort geroddel?'

'Barbro was heel knap, de halve scherenkust zat achter haar aan, veel mensen vroegen zich af waarom ze verliefd was geworden op Stellan.'

'Waarom dat?'

'Hij was een rare vent. Ik weet niet waar hij vandaan kwam, maar niemand mocht hem.'

'Heb je hem ontmoet?' vroeg Olivia.

'Ja, één keer. Hij was in een winkel in Berg, waar hij een pamflet ophing over een collectief dat Barbro en hij wilden beginnen.'

'Dat was toch niet zo ongewoon in die tijd?'

'Het was ongewoon dat er bewoners van het vasteland bij betrokken waren. Het waren voornamelijk raaskallende Stockholmers die naar de scherenkust kwamen, bouwvallige krotten huurden en van de natuur wilden leven. Ze stonden op de rotsen en probeerden te vissen met deegballetjes, ze wilden geen wormen gebruiken om de dieren niet te kwellen.'

'En de vissen dan?' vroeg Olivia. Stilton glimlachte.

'Zijn ze inderdaad een collectief begonnen?' vroeg Mette.

'Ja. Ze hadden een groot voormalig kinderkoloniegebouw in het bos boven de meren gekocht en daar kwamen flink wat jongeren op af. Er waren veel geruchten over dat collectief.'

'Wat voor geruchten?' vroeg Olivia.

'Dat kan ik me niet herinneren.'

'Ik wil dat je morgen naar Möja gaat,' zei Mette.

'Waarom dat?'

'Stellan Eklinds weduwe leeft nog en woont op Möja. We hebben met haar gebeld en ze beweert dat zij en haar man maar één kind hadden, de dochter die zelfmoord gepleegd heeft. Ze was blijkbaar heel geïrriteerd over de vraag of er meer kinderen waren en dat kan ergens op wijzen. We weten dat Stellan nog een kind heeft gekregen, een zoon,

178

en dat die zoon met onze moordzaak te maken heeft. Ik wil dat je met Barbro praat, zowel daarover als over het oude collectief.'

'Sinds wanneer ben ik een van je lakeien?' vroeg Stilton.

'Sinds het moment dat ik het Jill-materiaal mee naar huis heb genomen en het in de Afrika-kamer heb neergelegd.'

'Dat was de deal.'

'Wil je dat ik het materiaal terugbreng?'

'Nee.'

'Bovendien zou je heel nieuwsgierig moeten zijn. Het is op zijn zachtst gezegd een vreemde wending, vind je niet?'

Stilton was het met haar eens. Zou Jill Engbergs moordenaar opgespoord kunnen worden via Stellan Eklind en Barbro op Möja? Hij wilde zich echter niet meteen gewonnen geven.

'Dan wil ik dat Olivia meegaat,' zei hij.

'Ik?'

'Dat is een uitstekend idee,' zei Mette.

'Waarom dat?' zei Olivia. 'Ik wil daar niet naartoe. Jian en ik hebben het druk.'

'Dat kan wachten. Bovendien heeft deze reis een formele koppeling met ons onderzoek. Willen jullie een toetje?'

Olivia en Stilton beseften allebei dat het onderwerp Möja gesloten was. Stilton stond op en liep naar de Afrika-kamer.

'Tom...' zei Mette.

Stilton draaide zich om.

'Alles wat daarbinnen ligt blijft in die kamer. Elk vel papier, elke foto, elke plastic map. Alles. Oké?'

Stilton knikte en Mette liep naar de vriezer om vanille-ijs te pakken.

Op dat moment belde Sven Svensson.

'Stoor ik?'

'Nee. We zitten midden in een moordonderzoek. Jammer van Berntsson en zijn tatoeage. Je weet dat zijn alibi bevestigd is?'

'Ja, helaas. Maar ik heb zijn gesprekslijsten doorgenomen en een aantal interessante dingen ontdekt. Hij heeft in de periode rond de moorden op Emelie en Aram heel veel contact met drie personen gehad.'

'Weet je wie dat zijn?'

'We zijn bezig om dat uit te zoeken.'

'Mooi. Maar hij kan onze dader toch niet zijn? Hij heeft een alibi voor Aram Mellberg.'

'Ik weet het. Maar zolang er stenen om te draaien zijn, moeten die omgedraaid worden. Weet je wie dat ooit tegen me gezegd heeft?'

'Ja. Blijf jij maar omdraaien. Olivia doet je trouwens de groeten, en Tom ook.'

'Doe de groeten maar terug. Tom? Is hij betrokken bij het onderzoek?'

'Hij probeert het. Tot ziens!'

Het materiaal lag uitgespreid op de tafel in de zaal. Mappen, plastic hoezen, ordners.

Het was heel veel.

Maar Stilton was zelf verantwoordelijk voor een deel ervan en hij wist hoe hij tussen de stapels papieren moest navigeren. Hij wilde zijn eigen conclusies, samenvattingen en theorieën zien. Hij had zijn gedachten altijd bijgevoegd als extra bijlagen. Hij wilde die opnieuw lezen, zodat alles vers in zijn geheugen zat.

Stilton begon met het rapport van de plaats delict, waarin stond hoe ze de hotelkamer hadden aangetroffen. De bijlage van het rapport bevatte foto's van de plaats delict. Macabere foto's. Ze hadden in zijn kantoor gehangen en waren in zijn hersenen gegrift. Ze waren in veel nachtmerries teruggekomen. Toch was hij opnieuw geschokt, vooral door de close-ups, bevroren momenten die een perverse wereld openbaarden.

Hij keek opnieuw naar de foto's. Langzaam liet hij het verleden binnendringen, houvast krijgen, vorm aannemen, fragmenten, geluiden, bewegingen worden. Hij zag voor zich hoe hij op straat onder de hotelkamer stond en naar boven keek, alsof hij probeerde te zien wat daarbinnen was gebeurd, hij hoorde de stem van de geschokte schoonmaakster die Jill had gevonden, rook de lijkenlucht die hem tegemoet sloeg toen hij naar het tweepersoonsbed liep terwijl hij probeerde te voorkomen dat hij bloed op zich kreeg.

Hij zag het geschonden lichaam.

Alles kwam terug.

Hij draaide zich om naar de keukendeur, trok zijn trui een stukje omhoog en schoof de foto's eronder. Hij had ze nodig om zich in te leven en terug te keren naar het pijnpunt.

Daar wilde hij beginnen.

'Waarom?'

Olivia stond in de deuropening en keek naar Stilton.

'Waarom?' Stilton trok zijn trui nog een stukje naar beneden.

'Waarom wil je dat ik meega naar Möja?'

'Gezelschap.'

'Hou op.'

Stilton wist niet precies waarom hij had gezegd dat Olivia mee moest, het was een impuls geweest. Het kon heel goed zo eenvoudig zijn dat hij gezelschap wilde, of misschien was het iets anders. Iets wat met Möja te maken had. Misschien dacht hij dat het gemakkelijker zou zijn om met Barbro Eklind te praten als hij een jonge vrouw bij zich had. Maar was dat zo?

'Ik wil dat je meegaat omdat je goed bent in het contact maken met mensen,' zei hij. 'Dat is niet mijn beste eigenschap.'

'Wat is je beste eigenschap dan?'

'Humor.'

Ze keken elkaar aan en uiteindelijk begon Olivia te lachen. Stilton wist niet of ze lachte omdat dit het meest bizarre was wat ze ooit had gehoord of omdat ze het een grappig antwoord vond. Waarschijnlijk het eerste.

'Wil je Kerouac zien?' zei Olivia toen ze uitgelachen was.

'Hij is toch dood?'

'Ga mee.'

Olivia nam Stilton mee naar de keuken. Mette had ijs op tafel gezet. Olivia liep naar de lucifersdoos op de schoorsteenmantel en pakte hem.

'Hier is hij,' zei ze.

Stilton liep naar haar toe terwijl hij tegelijkertijd naar Mette keek. Ze deed alsof ze druk bezig was met het nagerecht. Olivia trok de doos een stukje open en liet de dode spin op de watten zien. Stilton keek ernaar.

Eigenlijk wilde hij weg, maar dat kon niet. Daarom vroeg hij: 'Kan ik vannacht hier slapen? Het kost me een paar uur om alles door te nemen.'

'Je kunt Ellens kamer nemen,' zei Mette.

Stilton at zijn ijs met tegenzin en sloot zich op in de Afrika-kamer. Daar besteedde hij bijna vier uur aan het doornemen van het materiaal. Toen hij klaar was sloop hij naar de zolderkamer die Mette had voorgesteld. Het was een mooie zolderkamer, waar Mårtens moeder Ellen vroeger had gewoond. Hij vond het prettig dat de deur op slot kon.

Hij deed de tafellamp aan, haalde de foto's van de plaats delict onder zijn trui vandaan en spreidde ze uit op het smalle bed bij het raam. Hij keek naar de foto's en dacht na over wat Mette had verteld, dat een zoon van Stellan Eklind de moordenaar van zowel Jill als de twee kinderen kon zijn.

Dat was merkwaardig.

Of misschien ook niet, dacht hij, moordenaars hebben ook vaders en moeders. Waarom zou deze de zoon van Stellan Eklind niet zijn? Stilton probeerde zich Stellan te herinneren van de enige keer dat hij hem had ontmoet, bijna veertig jaar geleden in de winkel in Berg. Er kwamen alleen vage beelden naar boven. Stellan was vrij lang geweest en droeg zijn blonde haar in een paardenstaart. Waar kwam hij vandaan? Niet van de eilanden, dat wist hij. Uit Stockholm? En wat gingen er voor geruchten over het collectief?

Hij voelde dat het zinloos was om vragen te bedenken die hij op dit moment niet kon beantwoorden. Hij keek weer naar de foto's. Waarom was juist deze moordzaak zo stevig in hem verankerd? Omdat hij hem nooit had opgelost. Omdat hij van de zaak was gehaald. Maar misschien ook omdat het slachtoffer een jonge, zwangere vrouw was die bovendien geschonden was. Hij pakte een van de close-ups van Jills verwondingen. Was het echt een haatmisdrijf? Tijdens het onderzoek was het niet in hem opgekomen dat de moord een racistisch motief kon hebben. Door de manier waarop het lichaam geschonden was, had hij aan een klassieke moord van een psychopaat gedacht. Hij besefte dat dat slordig was geweest.

Hij legde de foto's op elkaar en schoof ze onder de matras. Toen hij het licht uitdeed was het bijna vijf uur 's ochtends. Over een paar uur zou Luna naar de begraafplaats vertrekken en hij naar Möja. Hij keek nog één keer op zijn mobiel; hij kon een sms hebben. Een paar korte woorden. Het laatste wat hij had gezegd, was dat hij haar miste. Misschien miste ze hem ook.

Hij had één sms gekregen, van Ronny: DE MAN VAN DE MONNIK HAD BRUIN HAAR.

Olivia had eigenlijk geen tijd, maar ze kon niet weigeren. Jian Mellberg had gebeld en had tamelijk opgewonden geklonken, ze wilde dat Olivia naar haar kantoor kwam.

Dus Olivia belde Stilton, stelde het vertrek een halfuur uit en vertrok daarna naar Jian.

'Heb je iets gevonden?' vroeg ze terwijl ze haar jas uittrok.

'Ja.'

Olivia zag dat de donkere kringen onder de ogen van Jian terug waren, maar ze nam aan dat daarvoor een andere reden dan verdriet was.

'Ik heb bijna de hele nacht gewerkt,' zei Jian.

'Wat heb je gevonden?'

'Een hashthread op Flashback tussen Måns Berntsson en drie andere pseudoniemen. Ze noemen zich Wolfsangel/BW, Hagalrune/BW en Triskele/BW.'

'Wat een vreemde namen.'

'Het zijn allemaal nazisymbolen, verschillende vormen van kruisen en pijlen.'

'Wat betekent BW?'

'Dat weet ik niet.'

'En die pseudoniemen komen voor in een hashthread?'

'Ja. Ze hebben persoonlijke interacties in het commentaarveld.'

'Wat betekent dat?'

'Dat ze met elkaar gecommuniceerd hebben. Weet je daar iets van?'

'Nauwelijks. Waarover hebben ze gecommuniceerd?'

'Over de moorden.'

Jian draaide haar hoofd weg. Olivia zag haar halsslagader kloppen.

'Op welke manier hebben ze over de moorden gecommuniceerd?' vroeg ze voorzichtig.

'Dat mag je zelf lezen.'

Jian liep naar een scherm, ging naar Flashback, scrolde naar een plek op de site en wees het Olivia aan.

Olivia las de thread tussen de pseudoniemen. Het ging over de moorden, net zoals Jian had gezegd. Ze gebruikten uitdrukkingen zoals 'negerjong' en 'onkruid'.

'Onkruid?'

'Dat slaat op Aram,' zei Jian.

Olivia hoorde haar stem trillen. Ze las verder. Het waren korte, weerzinwekkende zinnen, zoals het commentaar van Wolfsangel/BW: 'Het is goed als het onkruid met wortel en al wordt uitgetrokken.'

Het leek een echo van Måns Berntssons toespraak in het Tivolipark.

'Kun je deze hele thread kopiëren?' vroeg ze.

'Ja. Wil je hem nu hebben?'

'Nee. Ik heb helaas nogal haast. Ik moet naar de scherenkust. Kun je hem naar me mailen?'

Olivia gaf Jian haar mailadres en trok haar jas weer aan.

'Kan ik je daar bereiken?' vroeg Jian. 'Als ik je wil bellen?'

'Dat denk ik wel. Er is misschien weinig bereik op bepaalde plekken, maar probeer het gewoon.'

'Mooi. Ik neem contact met je op als ik de namen achter de andere pseudoniemen heb.'

Olivia zag de intensiteit in Jians ogen.

'Werk je niet dood,' zei ze.

'Ik leef. Aram is dood. Als ik me doodwerk voor hem, dan is dat helemaal niet erg.'

Olivia begreep het.

*

Stilton zat blootshoofds achter de stuurconsole van de ribboot. Olivia zat naast hem in een warm, dik jack en met een muts over haar oren getrokken. Het waaide hard en het ging snel. Ze hadden de Lindalssund achter zich gelaten, waren Gällnö gepasseerd en waren nu op weg naar de Kanholmsfjärden, waar ze af zouden slaan naar Möja. Het geluidsniveau dat de snelheid veroorzaakte nodigde niet uit tot een gesprek, dus hadden ze nog niet veel tegen elkaar gezegd. Nu probeerde Olivia het toch: 'Moet je zo snel varen?'

Dat had ze al een keer gevraagd zonder dat Stilton de snelheid had aangepast. Hij had haast en dit was gewoon een route die zo snel mogelijk afgelegd moest worden. Bovendien vond hij het heerlijk als hij gas kon geven. Hij hield van snelheid.

'Alsjeblieft!' zei Olivia.

Ze vond het onaangenaam worden. De harde wind zweepte de golven op, waardoor de boot hoge sprongen maakte om daarna weer op het water te slaan. Ze hield de metalen stang naast zich stevig vast. Toen de boot nog hoger sprong en bijna omsloeg, had ze er genoeg van.

'Tom!' schreeuwde ze.

Stilton gaf minder gas. Hij besefte dat het gevaarlijk was om met deze golven bijna veertig knopen te varen. Hij minderde vaart tot net boven de twintig knopen en keek naar Olivia.

'Ik dacht dat je gewend was aan de zee,' zei hij. 'Jullie hebben toch een vakantiewoning op Tynningö?'

'Tynningö ligt in de binnenscherenkust. Daar verplaats je je op een fatsoenlijke manier. Bovendien zeilden we.'

'De hogere stand,' zei Stilton, voornamelijk tegen zichzelf. Hij wist dat het niet waar was. Hij had Olivia's vader en moeder heel goed gekend, ze behoorden niet tot de hogere stand. Misschien hogere middenklasse, maar meer niet. Het vooroordeel over zeilen kwam van Rödlöga, dat 's zomers werd overspoeld door steeds grotere boten, die werden gezeild door steeds rijkere mannen die steeds meer eisen stelden aan de ligplaatsen in de kleine haven aan de noordkant. De eilandbewoners zwegen en schikten zich erin, ze hadden de inkomsten nodig.

Niemand vond het echter prettig.

Ook Stilton niet.

Olivia negeerde zijn opmerking. Ze was blij dat het geluidsniveau zo ver gedaald was dat ze konden praten. Ze wilde weten hoe Stilton het aan wilde pakken als ze op Möja aankwamen. Hij was degene die Mettes opdracht moest uitvoeren, hij was degene die de instructies had gekregen. Zij was alleen mee als officieel alibi.

Maar nieuwsgierig was ze. Het ging tenslotte om Arams moordenaar, die Emelie misschien ook had vermoord.

'Zat de schedel bij de skeletdelen die ze gevonden hebben?' vroeg Stilton.

'Nee, het waren alleen een dijbeen en een heup en dat soort botten.'

Stilton sloeg af bij Fjärdholmarna en zette koers naar Möja. In dit jaargetijde waren er niet veel boten op het water, alleen Vaxholms-

boten en wat kleine kunststof boten met een stuurhut van de plaatselijke bevolking.

'Is hij verdronken?' vroeg hij.

'Dat vermoeden ze. Ze konden niets aan de skeletdelen ontdekken.
Waarom vraag je dat?'

'Omdat het Mellansjön geen meer is waarin je zomaar verdwijnt. Het
is niet bepaald groot. Als hij daar verdronken is, dan had het niet moeilijk moeten zijn om hem te vinden. Er zal toch naar hem gezocht zijn?'

'Misschien wisten ze niet dat ze daar moesten zoeken. Hij had tenslotte ook in de zee kunnen verdrinken.'

'Natuurlijk. Maar hij is verdronken in het Mellansjön en als je verdrinkt in een klein binnenmeer zonder stroming is het heel onwaarschijnlijk dat het lijk niet boven is komen drijven. Hoe zijn de skeletdelen gevonden?'

'Dat weet ik niet, dat moet je Mette vragen.'

Stilton hurkte bij de reling, pakte zijn mobiel en belde Mette. Ze nam
niet op. Hij verbrak de verbinding en keek naar Möja, dat zich voor
hen verhief. Het was een van de grotere eilanden in de archipel, met
een lengte van vijf kilometer, een schrale kustlijn en bijna driehonderd
vaste bewoners.

'Daar is Löka,' zei Stilton terwijl hij naar een haven wees. 'Wij gaan
verder, naar Långvik.'

Olivia kende beide plekken. Ze was met haar ouders zowel in Löka
als in Långvik voor anker gegaan. In een heel ander jaargetijde dan dit,
een jaargetijde waarin het warm was en het water verkoelde. Nu stond
er een gure wind en was de zee ijskoud.

Aan de andere kant was dit ook geen gezinsuitstapje.

'Hoe wil je het aanpakken?' vroeg ze.

'Met Barbro Eklind?'

'Ja.'

'Dat hangt af van haar houding.'

'Zeggen we dat we agenten zijn?'

'Ik ben geen agent. Ik denk dat we dat voor ons moeten houden.'

'Waarom?'

Stilton gaf geen antwoord. Hij week uit voor een grote ijzeren boot
met een tractor op het voordek. Hij keek in de stuurhut, voornamelijk
bij wijze van reflex. Veel kinderen die hier waren opgegroeid, waren
gebleven of teruggekomen en probeerden zo goed mogelijk in hun

levensonderhoud te voorzien. Ze vervoerden grofvuil en grote transporten tussen de eilanden, werkten als loods, sommigen waren bij de douancpolitie terechtgekomen. Bijna niemand hield zich beroepsmatig met vissen bezig.

Hij herkende de man in de stuurhut niet.

'Hier moeten we zijn,' zei hij.

Stilton zette koers naar Långvik en legde aan in de kleine passantenhaven. Hij gaf Olivia een hand zodat ze gemakkelijker op de steiger kon stappen.

'Moeten we ver lopen?' vroeg ze.

'Een eindje. Barbro Eklind woont ten noorden van de meren. Eigenlijk hadden we een bromfiets met laadbak moeten hebben, maar die kon ik niet te pakken krijgen. We zullen moeten lopen.'

Stilton begon tussen de rode vissershutten door naar de grindweg te lopen en Olivia liep achter hem aan. Ze wist niet wat Stilton met 'een eindje' bedoelde; hij was hier opgegroeid en 'een eindje' kon elke afstand zijn. Toen ze een voor de winter gesloten Coop-winkel passeerden, zag ze een publicatiebord met half stukgewaaide vellen papier in verschillende formaten. De meeste hadden betrekking op privéverkopen van buitenboordmotoren of kunststof jollen, maar het grootste vel papier ging over iets heel anders. Het was een uitnodiging van een vrouw die beweerde dat ze zowel het verleden als de toekomst kon zien. De handlijnkundige heette Barbro Eklind en haar praktijk was het hele jaar open.

'Tom!'

Stilton stopte, liep een paar stappen terug en keek naar de advertentie van Barbro Eklind.

'Houdt ze zich daar tegenwoordig mee bezig?' zei hij.

'Spannend.'

'Dat betwijfel ik.'

Stilton begon weer te lopen.

'We gaan eerst naar het Mellansjön,' zei hij.

'Waarom dat?'

'Ik wil zien waar de skeletdelen gevonden zijn.'

'Is dat een omweg?'

'Ja.'

Olivia zweeg, ze wilde niet zeuren. Stilton had de leiding en als hij naar het Mellansjön wilde, dan moest dat maar, ook al begreep ze niet waarom. Het meer was hetzelfde meer als toen hij erin had gezwommen, en onlangs waren er een paar skeletdelen gevonden. Wat had hij daar te zoeken?

'Het gaat om de gemoedstoestand,' zei hij.

Olivia bekeek het bos aan beide kanten van het pad, het was donker en diep met verschillende soorten bomen. Ze ging iets sneller lopen om Stilton in te halen.

'Zie je ertegen op?' vroeg ze toen ze bij hem was.

'Waar zie ik tegen op?'

'De ontmoeting met Barbro.'

'Waarom zou ik daartegen opzien?'

'Ik weet het niet. Wat is dat voor gemoedstoestand waar je het over hebt?'

'We moeten hier afslaan.'

Stilton wees naar een kleine weg, eerder een breed pad, dat het bos in liep.

'Ik wil in een gemoedstoestand terechtkomen waarin ik begrijp waar Barbro over praat,' zei hij. 'Ik denk dat ze een heel bijzondere vrouw is, dat was ze in de jaren zeventig al, en als ik haar zover krijg dat ze over het collectief gaat praten, dan wil ik daarvoor in de juiste gemoedstoestand zijn. Ik wil het zien zoals het toen was, omdat ze daar misschien over praat. Als ze tenminste iets zegt. Daarom wil ik het meer zien waar Stellans skeletdelen zijn gevonden. Ze hebben daar tenslotte al die jaren gelegen.'

Olivia begreep Stiltons redenatie niet helemaal, maar accepteerde die. Hij was bijna zijn hele volwassen leven een moordonderzoeker geweest, zij was een rookie. Als hij Barbro Eklind en het verleden op deze manier wilde benaderen, dan was dat zijn methode.

Omweg of niet.

Het Mellansjön was inderdaad geen groot meer. In Finland zou het nauwelijks een vliegenpoepje op de kaart zijn. Het was zwart en stil, met bomen die tot de waterkant groeiden. Ze stonden op de oever en keken uit over het water, de stilte was tastbaar. Stilton bukte zich en pakte een platte steen. Olivia dacht dat hij van plan was om hem op het water te laten ketsen, maar dat was niet zo. Hij gooide de steen naar het midden van het meer en keek hem na toen die met een zwakke plons in het water verdween. De kringen plantten zich langzaam over het wa-

188

teroppervlak voort. Stilton observeerde de kringen. Olivia durfde haar mond niet open te doen, bang om zijn gemoedstoestand te verbreken. Stilton zweeg. Na een aantal minuten voelde Olivia dat ze onder invloed kwam van de stilte van deze plek. De kringen op het water waren verdwenen, het oppervlak was weer spiegelglad en zwart, ze hoorde haar eigen ademhaling.

'Ik heb hier ooit een jongen ernstig mishandeld.'

Ze schrok van Stiltons stem.

'Jij?'

'Op een zaterdagavond. Er was ruzie geweest op de dansvloer, iedereen was heel dronken, en toen het afgelopen was wilden ze allemaal hiernaartoe om te zwemmen. Ik ging mee. Een van de jongens kwam uit de stad, een grote, sterke vent. Er werd gezegd dat hij een crimineel was, dat hij in de gevangenis had gezeten. De anderen waren een beetje bang voor hem.'

Stilton zweeg en Olivia vroeg: 'Hoe oud waren jullie?'

'We waren een jaar of achttien, negentien.'

'Wat gebeurde er?'

'Ik was dronken en wilde niet midden in de nacht in het meer zwemmen. Hij begon me te jennen.'

'De jongen uit de stad?'

'Ja. Hij heette Gorre. Hij zei dat ik een lafaard was, een bekrompen, stomme eilandbewoner die niet kon zwemmen.'

'Had je daar moeite mee?'

'Ik duwde hem opzij en wilde weglopen. Op dat moment gaf hij een klap op mijn achterhoofd. Ik viel op mijn knieën op de grond, mijn evenwicht was blijkbaar niet honderd procent, en daarna kreeg ik een trap in mijn zij. Het deed niet heel veel pijn, maar op dat moment werd alles zwart.'

Stilton zweeg. Olivia zag dat zijn blik over de oever gleed en bleef hangen op de plek waar het waarschijnlijk was gebeurd.

'Werd het een vechtpartij?'

'Dat beweerden ze. Ik herinner het me niet, ik weet alleen dat ik bij de boot stond en naar Rödlöga voer. De volgende dag vertelde mijn oma dat er midden in de nacht een ambulancehelikopter naar het Mellansjön op Möja was gekomen om een jongen op te halen die ernstig mishandeld was.'

'Was dat Gorre?'

'Ja.'

'Hoe reageerde je daarop?'

'Ik ben naar Noorwegen gevlucht en ben op een booreiland gaan werken. En nu gaan we naar Barbro.'

Stilton begon te lopen. Olivia bleef nog een paar seconden staan. Ze keek uit over het stille meer en hoorde een parelduiker in de verte.

Daarom wilde hij hiernaartoe, dacht ze. Waarom heeft hij dat verhaal over die gemoedstoestand verzonnen?

Ze liepen vanaf het Mellansjön in noordelijke richting, door een dicht bos vol kreupelhout. Stilton volgde een pad. Het was waarschijnlijk geen pad dat er destijds al was geweest, maar hij wist in welke richting ze moesten lopen. Hij wist ook dat het pad uitkwam op een iets bredere grindweg die naar het kinderkoloniegebouw leidde. Die hadden ze iets voorbij Långvik al kunnen nemen als hij het meer niet had willen zien. Nu moesten ze een tijdje op hun gevoel lopen.

'We hebben in dit bos veel cantharellen geplukt,' zei hij.

'O ja?'

'En schapenbuisjeszwammen, honderden.'

Olivia knikte. Ze had geen belangstelling voor paddenstoelen, maar ze nam aan dat Stilton weer in de juiste gemoedstoestand probeerde te komen en besloot hem te helpen.

'Had je in die tijd verkering met iemand?' vroeg ze.

'Nee.'

Toen ze bij de grindweg kwamen, bleef hij staan. Hij schatte dat het nog een paar honderd meter naar het gebouw was. Hij was daar nooit geweest, maar hij had een kaart van het eiland bekeken en had de plek in zijn hersenen geprent.

'Het gebouw ligt aan het eind van deze weg,' zei hij.

'Misschien hadden we eerst moeten bellen? Wat doen we als ze er niet is?'

'Teruggaan.'

Soms is hij niet goed bij zijn hoofd, dacht Olivia. Het was toch veel beter geweest om vooraf te vragen of Barbro er was? Aan de andere kant had Bosse Thyrén gisteren met haar gebeld en toen was ze thuis geweest.

Ze konden alleen maar hopen dat ze er was.

Het grote gebouw, dat rond de eeuwwisseling was gebouwd, was rood met witte hoeken. Of was ooit rood met witte hoeken geweest; het moest nodig geschilderd worden om het in de oude staat terug te brengen. Groene algen bedekten grote delen van de gevel en de verweerde planken vochten voor hun bestaan. Sommige waren losgegaan en hadden gapende, zwarte gaten achtergelaten, voor meerdere van de ramen met spijlen waren houtvezelplaten getimmerd.

Stilton en Olivia waren gestopt bij het hek van het perceel. Stilton begreep niet hoe iemand in dit huis kon wonen, het hele jaar door, en dat terwijl hij niet kieskeurig was. Een groot, stokoud, roestig schommeltoestel getuigde ervan dat het gebouw tijdens zijn glansjaren stadskinderen had gehuisvest die tijdens de zomer naar de scherenkust werden gestuurd om frisse lucht in te ademen.

Olivia en Stilton liepen het volgestouwde perceel op. Stapels oude planken, half bedekt met dekzeilen, oude fietsen en zelfs een oude sneeuwscooter omzoomden het pad naar het huis. Bij de entree zwaaiden een paar merkwaardige mobiles heen en weer. Ze bestonden uit stokjes, schelpen, veren en oude vogeleieren die aan lange touwen waren vastgemaakt. Toen ze dichterbij kwamen zagen ze vogelskeletten, iets wat de schedel van een nerts kon zijn en een aantal botten van verschillende formaten op de halfvergane zitbank bij de ingang liggen. Hier woonde heel duidelijk iemand die van alles verzamelde. Achter in de tuin hakte iemand hout. Ze zagen een lange man die met zijn rug naar hen toe stond, achter hem hing een lang, groen visnet te drogen.

Ze woonde hier dus niet alleen.

Stilton liep naar de deur en klopte aan, zo hard als hij durfde zonder dat de deur het zou begeven. Er gebeurde een hele tijd niets. Olivia en Stilton keken elkaar aan. Zou ze inderdaad niet thuis zijn? Waren ze hier voor niets naartoe gekomen? Heel onprofessioneel, dacht Olivia.

'Zal ik het aan de houthakker vragen?'

Op het moment dat Olivia de vraag stelde ging de deur langzaam open en een oude vrouw met lang, grijswit haar verscheen achter de kier.

'Barbro?' vroeg Stilton.

'Ja. Ben je hier om je hand te laten lezen?'

Stilton wilde ontkennen, maar hij kreeg een zachte, bijna onmerkbare por van Olivia.

'Ja, dat is hij,' antwoordde ze hardop, waarna ze in Stiltons oor fluisterde: 'Kom op, het is een fantastisch begin. Het kan de juiste gemoeds-toestand oproepen.'

Wat men zaait zal men ook oogsten, dacht Stilton. De deur ging langzaam verder open en Barbro werd helemaal zichtbaar. Ze was een vrouw die met stijl oud was geworden, in tegenstelling tot het huis waarin ze woonde. Het lange haar, de bruine amandelvormige ogen en de ivoorwitte, ruime jurk maakten dat ze eruitzag als een sprookjesfiguur, een elf of een goede fee. Het was nog steeds te zien dat ze ooit een van de mooiste vrouwen van de scherenkust was geweest.

'Kom binnen.'

Barbro maakte een uitnodigend gebaar met haar arm en deed een stap opzij. Olivia en Stilton liepen de grote hal in. Hier werd het oorspronkelijke gebruik van het huis opnieuw duidelijk. Aan de lichtblauwe, afbladderende muren hingen lange rijen zilverkleurige haken. In de hal, waar de jassen van de zomervakantiekinderen ooit hadden gehangen, lag nu een ratjetoe aan spullen. Dik, roestend staaldraad, kapotte visnetten, een oude boei van piepschuim en een paar afgedankte propellers van verschillende afmetingen. Links liep een grote houten draaitrap naar de bovenverdieping. Tegen de trapleuning stond een voorwerp dat onmiddellijk Stiltons aandacht trok. Het was een oude zeehondenharpoen. Hij had eerder zo'n harpoen gezien. Het wekte geen goede herinneringen.

'Zeehondenjagers in de familie?' vroeg Stilton.

'Nee, gelukkig niet,' antwoordde Barbro. 'Die hebben we lang geleden in een oud boothuis gevonden. We hadden hem moeten verbranden. Ik geloof niet in het doden van dieren.'

Terwijl ze dat zei, verscheen er vanuit het niets een grote grijze kat die langs haar been streek. Toverde ze die tevoorschijn? dacht Olivia, waarna ze zich bukte om hem te aaien. De kat wees haar hooghartig af en probeerde in plaats daarvan Stiltons aandacht te krijgen.

Vergeefs.

'Houden jullie je jassen nog maar even aan,' zei Barbro. 'We gaan naar mijn werkkamer. Daar is het warm.'

'Voorzie je in je levensonderhoud als waarzegster?' vroeg Olivia. Stilton was met zijn gedachten nog steeds bij de zeehondenharpoen.

'Ik geef er de voorkeur aan om handlijnkundige genoemd te worden. Ik zie wat er in het verleden gebeurd is.'

Barbro zag er bloedserieus uit terwijl ze dat zei en Olivia begreep dat dit een vrouw was die voorzichtig en onderdanig benaderd moest worden, die gevleid moest worden. Ze volgde Barbro naar de werkkamer.

Stilton rukte zich los van de harpoen en liep achter hen aan.

De kamer die ze binnenliepen was een grote zaal met een hoog plafond. Alle muren waren bedekt met boekenkasten die vol stonden met allerlei soorten boeken. Boeken over biodynamische teelt stonden tussen astrologische atlassen en buitenlandse literatuur over allerlei onderwerpen. De boeken waarvoor geen plek in de kasten was, lagen tussen enorme stofvlokken in stapels op de vloer.

Er was hier al jarenlang niet schoongemaakt.

Aan het plafond zweefden zwarte spinnenwebben, maar dat leek Barbro niet te kunnen schelen. Ze schreed door de zaal alsof ze zich in een kasteel bevond. Olivia snapte niet hoe ze haar jurk in deze omgeving zo wit kon houden. Het was net alsof het vuil niet aan haar vast bleef zitten omdat ze het negeerde. Plotseling bleef ze midden in de zaal staan en maakte een theatraal gebaar met haar arm.

'Dit is de bibliotheek, zoals jullie zien. Mijn man was heel belezen. Hij hield van boeken.'

Olivia nieste. Ze kon het stof niet meer verdragen.

'Sorry, ik begin een beetje verkouden te worden,' zei ze, waarna ze haar keel schraapte.

'Dan zal ik je wat van mijn speciale aftreksel geven als we klaar zijn. Espenknoppen, klein hoefblad en wat andere dingen. Een medicijn van de natuur, smaakt vies maar werkt uitstekend.'

Stilton glimlachte naar Olivia terwijl Barbro de deur naar de volgende ruimte opende.

'Kom binnen. Dit is het hart van het huis. Mijn werkkamer.'

Deze kamer was iets gezelliger en er lag minder stof. De muren waren bedekt met donkerrood fluwelen behang dat weliswaar aan een bordeel in een westernfilm deed denken, maar de kamer gezellig maakte. Aan de muren hingen foto's in lijsten met verschillende kleuren.

Olivia begon ze onmiddellijk te bestuderen. De meeste waren van een en dezelfde man. Waarschijnlijk Stellan Eklind, haar dode echtgenoot, dacht Olivia. Op een paar foto's poseerde hij samen met een meisje, verschillende leeftijden op verschillende foto's.

'Je mag hier gaan zitten.'

Barbro wees naar een versleten oorfauteuil en Stilton ging zitten. In een hoek stond een charmante witte tegelkachel die duidelijk brandde, het was warm in de kamer, in tegenstelling tot de rest van het huis. Olivia knoopte haar jas open en bleef de foto's bestuderen. Barbro ging tegenover Stilton zitten. Op de tafel tussen hen in stond een grote zandloper die eruitzag alsof hij afkomstig was uit een middeleeuwse burcht of een filmopname van *Game of Thrones*. Met krullen versierd donker hout ondersteunde het glas en op de bodem lag een grijswit poeder dat meer op stof dan op zand leek.

Barbro draaide de zandloper om en keek recht in Stiltons ogen.

'Weet je zeker dat je je vriendin erbij wilt hebben? Ik ben gewoonlijk alleen met degene van wie ik de hand lees. Er kunnen dingen zijn die je tussen jou en mij wilt houden.'

'Dat vind ik geen probleem,' zei Stilton. 'We hebben geen geheimen voor elkaar. Of wel soms?'

Olivia draaide zich om en glimlachte naar Stilton en Barbro.

'Nee, absoluut niet. Dat hebben we nooit gehad,' antwoordde ze terwijl ze dacht aan de vreselijke, noodlottige geheimen die ze hadden gehad.

'Ik begrijp het,' zei Barbro en ze ging rechtop zitten. 'Als de zandloper leeg is, dan is de tijd voorbij.'

Plotseling klonk er een geluid op de bovenverdieping, alsof er een stoel over de vloer schraapte. Was de houthakker binnengekomen? dacht Olivia. Barbro wierp een snelle blik op het plafond, daarna hief ze haar handen, wreef ze tegen elkaar en strekte ze naar Stilton uit.

'Geef me je handen.'

Stilton deed wat ze zei.

'Je hebt me je naam nog niet verteld.'

'Tom. Stilton.'

'Stilton,' herhaalde Barbro terwijl ze zijn linkerhand pakte en die grondig begon te bestuderen.

'Ik wil erop wijzen dat ik niet alleen handen lees,' zei Barbro. 'Ik ben ook een medium, maar ik krijg niet altijd iets door. Het ligt een beetje aan de persoon tegenover me of ik de kracht die ik van mijn godin krijg kan oproepen.'

Godin? Geen god? Stilton verschoof een beetje op zijn stoel. Hij voelde zich niet op zijn gemak. Dit was niet hoe hij zich het gesprek met Barbro had voorgesteld. Kon hij nog terugkrabbelen en zeggen wat de echte reden van hun bezoek was? Hij keek naar Olivia, maar die bleef koppig naar de foto's aan de muur kijken en negeerde hem.

Barbro begon te vertellen wat ze aan Stiltons handen kon aflezen.

'Je vingers zijn lang, dat duidt op gevoeligheid en intelligentie,' zei ze.

Ja, dat is logisch, zo werkt ze, dacht Stilton. Ze zegt wat ik wil horen. Ongevoelig en onintelligent was veel minder aangenaam geweest.

'Ik zie ook een zekere koppigheid,' zei ze, waarna ze verderging met zijn duim.

Die wees op een sterk karakter. En zijn geprononceerde vingerkootjes toonden bovendien dat hij logisch en methodisch dacht.

Fantastisch, dacht Stilton, ik krijg hier alleen maar complimentjes. Er is geen wolkje aan de lucht. Op dat moment fronste Barbro haar voorhoofd. Ze had haar aandacht op zijn middelvinger gericht. Ze pakte zijn rechterhand en bekeek die ook.

'Je hebt lange midelvingers.'

'Dat is toch altijd zo?'

Stilton glimlachte, maar Barbro beantwoordde zijn glimlach niet. Ze keek hem ernstig aan.

'Die van jou zijn heel lang.'

'O ja?'

Barbro aarzelde even voordat ze verderging. Dat is voor het effect, dacht Stilton, maar ik moet toegeven dat ze het heel handig aanpakt.

'Dat betekent dat je psychische problemen hebt of gehad hebt.'

Barbro keek hem doordringend aan terwijl ze de woorden uitsprak, alsof ze bevestiging zocht voor haar bewering. Stilton was niet van plan die te geven. Hij vertrok geen spier.

'Oké,' zei hij alleen.

'Wil je er niet over praten?'

'Nee.'

Olivia keek naar Stilton. Nu begon het interessant te worden. Het meeste wat Barbro had gezegd klopte, maar dat kon gewoon geluk zijn. Maar dat met zijn psyche? Ze ging voorzichtig op de windsorstoel die in de hoek stond zitten. Die kraakte en bewoog bedenkelijk door het gewicht.

Barbro keek geïrriteerd naar haar.

'Ik zou het prettig vinden als het stil is. Dit vereist een enorme concentratie van mijn kant.'

'Sorry,' zei Olivia met een schuldbewuste gezichtsuitdrukking.

Barbro richtte haar aandacht weer op Stiltons hand. Tot Stiltons opluchting ging ze niet door over zijn psychische problemen en begon ze in plaats daarvan over de Mercuriusberg, de Saturnusberg en een aantal andere bergen waarvan Olivia en hij nog nooit hadden gehoord. Maar Barbro kon van alles aflezen aan de hoogte van die bergen.

Alweer gemeenplaatsen, dacht Stilton, ook al stoorde het hem een beetje dat ook deze gemeenplaatsen heel goed overeenkwamen met zijn karakter. Olivia zat roerloos op de stoel, voornamelijk om niet te storen, maar ook omdat ze gefascineerd was door wat Barbro over Stilton vertelde. Ze vertelde zoveel rake dingen dat je het geen geluk meer kon noemen.

Uiteindelijk was het tijd voor de lijnen van Stiltons hand. Barbro fronste haar voorhoofd weer.

Wat nu weer? dacht Stilton.

'Je hebt een korte levenslijn.'

Nu komt er weer wat narigheid: geven en nemen, dacht Stilton. Barbro pakte plotseling allebei zijn handen vast en deed haar ogen dicht. Stilton keek naar Olivia. Een goed begin? Dit levert niets op.

Olivia beantwoordde zijn blik echter niet, ze keek naar Barbro, wier lichaam begon te trillen.

'Ik krijg kracht,' zei ze. 'Bedankt voor je begeleiding, heilige moeder.'

Stilton vond dat de situatie uit de hand begon te lopen. Hij had het gevoel alsof hij aanwezig was bij een exclusieve opwekkingsbijeenkomst. Hij wilde zijn handen het liefst terugtrekken, maar Barbro hield ze stevig vast. Ze had haar ogen nog steeds dicht.

'Die korte levenslijn heeft te maken met een traumatische gebeurtenis in je jeugd,' zei ze enigszins hijgend. 'Ja, zo is het. Ik voel warmte. Vuur misschien?'

Barbro's lichaam begon nog meer te trillen en Stilton vroeg zich af of ze een epileptische aanval had.

'Ja, het is vuur. Er staat een huis in brand en het lukt je niet om naar buiten te komen.'

Barbro liet één hand los en bracht de hare naar haar gesloten ogen, alsof ze haar gezicht tegen het licht en de hitte probeerde te beschermen. Stilton keek verbijsterd naar haar, hij wist niet wat hij moest geloven. Tegen zijn wil kwamen er beelden in zijn hoofd op. De kast. Het gebulder van de vlammen. De geur van rook en petroleum. Maar hoe kon deze vrouw dat weten?

'Er komt iemand om je te helpen. Wacht. Ja, het is een vrouw. Ze pakt je hand vast.'

Barbro liet haar hand zakken en pakte die van Stilton weer. Ze trok zijn handen met een dramatisch gebaar naar zich toe. Stilton moest naar voren buigen.

'Overal is vuur. Jullie ogen branden en de hitte is ondraaglijk. Naar buiten. Jullie moeten naar buiten. Naar buiten!' Het laatste schreeuwde ze.

Na een paar seconden deed ze haar ogen open en hoestte even, alsof ze zelf in het met rook gevulde huis was geweest. Het trillen van haar lichaam verminderde, maar door de inspanning glom haar gezicht van het zweet. Druppels gleden via de rimpels bij haar ogen over haar wangen.

Ze liet Stiltons handen los en veegde het zweet weg met een witte zakdoek die ze uit de zak van haar jurk haalde. Stilton leunde achterover op de stoel en staarde naar haar. Zijn hoofd was net een caleidoscoop. Hij probeerde zijn gedachten ingespannen te ordenen. Hoe kon ze dat in vredesnaam allemaal weten? Het was vijftig jaar geleden gebeurd! Olivia zat als vastgenageld op haar stoel en dacht hetzelfde.

Wat gebeurt hier?

Barbro vouwde de witte zakdoek netjes op en stopte hem weer in haar zak.

'Er is iemand in het huis achtergebleven,' zei ze kalm. 'Iemand die het niet gelukt is om naar buiten te komen. Ik kon hem voelen, maar ik heb hem niet gezien.'

Stilton merkte dat hij automatisch knikte bij wijze van antwoord, hoewel hij niet had willen bevestigen dat Barbro gelijk had. De man die in het huis was achtergebleven, was zijn zogenaamde vader, een man die zijn moeder meerdere keren had verkracht. Dat had ze hem op haar doodsbed verteld. Hij was echter niet van plan om dat aan Barbro te vertellen.

'Waarom kon hij niet naar buiten komen?'

Barbro keek vragend naar Stilton met haar mooie bruine ogen.

'Hij was dronken en sliep te diep,' loog hij.

De werkelijke omstandigheden waren nooit bekend geworden. De waarheid was dat zijn moeder zijn vader had vermoord met de oude zeehondenharpoen van zijn opa en het huis op Gällnö daarna in brand had gestoken. Na de brand waren ze naar zijn oma en opa op Rödlöga verhuisd. Omdat het lijk van zijn vader ernstig was verbrand, was er geen reden om te twijfelen aan het verhaal van de wanhopige jonge vrouw over wat er was gebeurd. Ze beweerde dat ze had geprobeerd de man te redden, maar uiteindelijk had ze dat op moeten geven om zichzelf en haar zoon te redden.

Dat had zijn moeder ook verteld voordat ze stierf, waarna ze hem achterliet met de waarheid. Een waarheid die hij het liefst niet had geweten.

'We hebben allemaal onze eigen last te dragen,' zei Barbro terwijl ze Stiltons hand streelde. 'Sommigen een grotere dan anderen.'

Ze kreeg een verdrietige uitdrukking in haar ogen terwijl ze naar de zandloper keek.

'Stellan is klaar. De tijd is om.'

Stellan? Wat bedoelde ze? Olivia durfde voor de eerste keer van houding te veranderen op de harde windsorstoel. Hij kraakte weer en stortte plotseling in. Olivia kon niet op tijd reageren, ze viel met een klap op de vloer. Dat verbrak de betovering en de ernstige sfeer die in de kamer hing.

Stilton en Barbro keken naar haar.

'O jee, je hebt je toch geen pijn gedaan?'

Barbro glimlachte voor het eerst naar haar. Een beetje met leedvermaak, dacht Olivia, die snel opstond.

'Nee, helemaal niet,' antwoordde ze, hoewel haar stuitje pijn deed.

Olivia veegde het stof van haar broek.

'Wat bedoelde je met Stellan?' vroeg ze. 'Toen je het over de zandloper had?'

Barbro streelde liefdevol met haar hand over de zandloper.

'In de zandloper zit de as van mijn geliefde man,' zei ze, alsof het de normaalste zaak ter wereld was.

Olivia verstijfde. Jezus, bewaarde ze de as van de skeletdelen van haar man in een zandloper? Waar heeft ze haar dochter dan? Het beeld van de botten op de bank bij de voordeur dook in haar hoofd op.

'Is de man op de foto's Stellan?' vroeg Stilton terwijl hij naar de muur wees.

'Ja,' antwoordde Barbro.

'Jullie hadden hier een collectief, nietwaar? Was dat in de jaren zeventig?'

'Ja.'

'Hoe was het om in een collectief te wonen?' vroeg Olivia.

Zij voelde ook dat het tijd was om over te gaan op de reden van hun bezoek.

'Dat was fantastisch.'

Barbro glimlachte voor de tweede keer.

'Een magische tijd,' zei ze. 'Een grootse tijd. Stellan was uitverkoren. Samen kozen we ervoor om ons terug te trekken uit de kapitalistische maatschappij. Stellan was van mening dat die onze zielen vergiftigde met haar hebzucht en consumptiewaanzin. We wilden in liefde en harmonie leven van wat de natuur ons gaf.'

Net als veel anderen in die tijd, dacht Stilton.

'Met hoeveel waren jullie in het collectief?' vroeg Olivia.

'Ze kwamen en gingen, maar de kern bestond uit negen mensen, als ik het me goed herinner.'

'Waren dat mannen en vrouwen?'

'Ja.'

'En woonden ze allemaal hier? In dit huis?'

'Bijna allemaal, sommigen woonden in het gastenverblijf. Nu woont Clark daar.'

'Is dat de man die we in de tuin gezien hebben?' vroeg Stilton.

'Ja.'

'Is hij een familielid?'

'Nee. Hij is de enige die overgebleven is.'

'En het meisje op de foto's, is dat jullie dochter?'

Olivia wees naar een van de foto's en probeerde het beeld van de botten te verdringen.

Barbro keek naar beneden.

'Ja. Dat is Linnea. Mijn geliefde meisje. Ze leeft niet meer. Ze was nog maar vijftien toen ze zich uit wanhoop omdat Stellan vermist was in zee heeft verdronken.'

Barbro keek naar Stilton.

'Dat is de last waarmee ik moet leven. Ze heeft zelfmoord gepleegd omdat haar geliefde vader verdwenen was.'

De tranen schoten in Barbro's ogen en dat maakte ze nog mooier. Stilton voelde iets wat op medelijden leek. De oude vrouw was eerst haar man en daarna haar dochter kwijtgeraakt, dat moest zwaar zijn geweest.

'Weet je hoe Stellan verdronken is?' vroeg hij zachtjes.

Dat had hij niet moeten zeggen. Hij schrok van de onmiddellijke verandering in Barbro's ogen, haar tranen verdwenen bliksemsnel en de blik in haar gloeiende ogen werd zwart.

'Hij is niet verdronken! Hij is vermoord!'

'Vermoord?'

Barbro sloeg met haar hand op de tafel. Niet hard, maar om haar woorden te benadrukken.

'Dat heb ik al die jaren geweten, maar niemand luisterde naar me! En nog steeds niet, hoewel er afgelopen zomer skeletdelen van hem gevonden zijn.'

'Ik heb gehoord dat hij verdronken is,' zei Stilton.

Stilton en Olivia hadden allebei niet gehoord dat Stellan Eklind vermoord zou zijn.

'Hij is vermoord en ik ga dat bewijzen,' zei Barbro. 'Vroeg of laat komt de waarheid boven water en dan moet de schuldige zich verantwoorden!'

Het werd stil na Barbro's plotselinge uitval. Stilton wilde niet vertellen dat de moord was verjaard, ook al kon ze bewijzen dat Stellan was vermoord.

Barbro keek naar beneden, misschien besefte ze dat ze zich had laten gaan. Olivia vond dat het tijd was om van onderwerp te veranderen. Ze keek weer naar de foto's.

'Jullie dochter is heel knap. Was zij jullie enige kind?'

'Ja.'

'En had Stellan geen andere kinderen?'

'Waarom stellen jullie zoveel vragen? Zijn jullie van de politie?'

'Ik wel,' zei Olivia snel voordat Stilton zijn mond open kon doen. 'Het is belangrijk voor me om daar antwoord op te krijgen.'

Barbro staarde naar Olivia.

'Ik had het kunnen weten toen de kat je negeerde. Politie? Waarom heb je dat niet meteen gezegd?'

Vleien, dacht Olivia, ook al was ze een beetje gekwetst door wat Barbro over de kat had gezegd. Vleien, anders krijgen we niets meer te horen.

'Omdat Tom heel graag wilde dat je zijn handen las,' zei ze. 'Daarom is hij meegegaan. Hij heeft gehoord dat jij de beste handlijnkundige in Zweden bent. En ik wilde de sfeer niet verstoren door te zeggen dat ik politieagent ben.'

Olivia hield haar adem in. Zou het werken? Het werkte. Barbro beet in het aas en glimlachte naar Stilton. Olivia ademde uit. Vleierij werkte altijd.

200

'Is dat waar?'

De toon in Barbro's stem was milder geworden.

'Ja,' antwoordde Stilton met zijn beste glimlach.

'Dan vergeef ik je.'

Barbro knikte genadig naar Olivia. Daarna keek ze weer naar Stilton, terwijl ze tegen Olivia praatte.

'Waarom is het belangrijk voor je om te weten of Stellan andere kinderen had? Daar heb ik trouwens al antwoord op gegeven toen die politieagent gisteren belde. Stellan had geen andere kinderen. Hij had niet eens een dochter.'

'Wat bedoel je?'

'Dat Linnea zijn dochter niet was, hoewel ze dat niet wist. Niemand wist dat, behalve Stellan en ik.'

Barbro streek met haar handen over haar jurk en rechtte haar rug.

'Ik was zwanger toen we elkaar ontmoetten, maar dat kon Stellan niet schelen. Hij nam het vaderschap op zich. "De liefde is de enige gezonde band die mensen verbindt, de bloedband is geen garantie voor liefde en een kind heeft recht op liefde," zei hij altijd. Hij was zo verstandig.'

Het werd even stil. Stilton en Olivia beseften dat Barbro er waarschijnlijk geen idee van had dat het niet waar was. Stellan had wel een kind en dat kind was waarschijnlijk een moordenaar. Ze hadden er echter allebei geen behoefte aan om haar dat te vertellen. Ze moesten het kind duidelijk op een andere manier opsporen.

Barbro keek plotseling met een ondoorgrondelijke blik naar Olivia.

'Ik voel dat jij daar ervaring mee hebt.'

'Waarmee?'

'Dat de liefde voor een kind niet bepaald wordt door een bloedband,' constateerde ze uitdrukkingsloos. Olivia was perplex en wist niet wat ze moest antwoorden. Dat zag Stilton. Het was zijn beurt om Barbro af te leiden.

'Wat ben ik je schuldig?' vroeg hij om haar aandacht af te leiden.

Dat lukte. Barbro draaide zich naar hem om.

'Duizend kronen.'

Ze wil betaald hebben, hoewel ze zich uit de kapitalistische samenleving heeft teruggetrokken, dacht Stilton terwijl hij een rol met briefjes van vijfhonderd tevoorschijn haalde. Hij haalde er twee af en legde ze op de tafel voor Barbro.

'Alsjeblieft. Het was heel interessant, nietwaar, Olivia?'

Olivia was sprakeloos. Ten eerste door wat Barbro tegen haar had gezegd en nu dit? Hoe kwam Stilton aan al dat geld?

'Ja, absoluut,' antwoordde ze.

Barbro kwam overeind, pakte het geld en stopte dat in de zak van haar jurk.

'Ik ga bewijzen dat Stellan vermoord is,' zei ze, aanzienlijk kalmer dan eerst. 'Jullie zullen het zien. Hij was een groot denker. Groter dan de buitenwereld ooit zal begrijpen. Vooral in deze tijden, waarin racisten en fascisten weer in opmars zijn en de mensen vergeten lijken te zijn wat liefde en solidariteit is.'

Stilton keek naar haar. Hij begreep niet goed van welke planeet Barbro afkomstig was, maar hij moest toegeven dat ze bijzonder was. Heel bijzonder, en daar had hij respect voor. Hij ging staan. Barbro trok een la onder de tafel open en haalde er een schrift uit dat ze aan hem gaf.

'Alsjeblieft. Lees dit en denk erover na, zodat je begrijpt wat ik bedoel.'

Stilton pakte het schrift aan. MIJN ROEPING, DOOR STELLAN EKLIND, stond er op het omslag.

'Dank je.'

Olivia opende de deur naar de bibliotheek. Ze wilde weg. Het gesprek met Barbro was uiteindelijk meer over haar en Stilton dan over het politieonderzoek gegaan. Bovendien had ze gezien dat Stilton zonder blikken of blozen duizend kronen had betaald en dat hij nog genoeg geld overhad.

Toen ze met z'n drieën in de hal stonden, verscheen de kat weer. Deze keer was Olivia niet van plan een poging te doen om bij hem in de gunst te komen. Ze gaf Barbro een hand en bedankte haar. Stilton deed hetzelfde. Toen Olivia de voordeur opendeed voelde ze dat de kat langs haar been streek voordat hij naar buiten verdween.

De man in de kamer had een glas op de houten vloer gezet en had zijn oor tegen de bodem van het glas gehouden. De resonantie had het geluid van de stemmen versterkt. Hij had elk woord gehoord dat in Barbro's werkkamer was gezegd. Nu stond hij bij de muur naast het raam, dat hij op een kier had gezet. Achter de gordijnen zag hij de man en de vrouw naar buiten komen. Ze bleven onder zijn raam staan. Hij kon duidelijk horen wat ze zeiden.

'Ze is vergeten je dat aftreksel te geven,' zei Stilton.

'Daar ben ik heel dankbaar voor,' antwoordde Olivia. 'Heb je altijd zoveel geld op zak?'

'Ja.'

'Aha. Gaan we nu naar Rödlöga?'

'Ja.'

De man zag dat ze naar het hek begonnen te lopen. Hij draaide zich om en haalde een grijs jack van de haak aan de muur.

*

Het was een zware tafel met een lengte van bijna zes meter. Måns Berntsson droeg het ene eind en een vijfendertigjarige man met kort blond haar het andere eind. Hij heette Jonas Eriksson en was lid van het Zweeds Arisch Verzet. Een heel toegewijd lid, fysiek getekend door een aantal gewelddadige acties en eerder gestraft voor een weerzinwekkende moord.

Ze zetten de tafel in het midden van de grote schuur op de aarden vloer. Berntsson had een van de vijf lampen aangedaan; het licht verspreidde zich over de zwetende mannen. Eriksson leunde tegen de tafel en streek over zijn gezicht.

'Hoeveel komen er?' vroeg hij.

'Bijna twintig.'

'Uit heel Scandinavië?'

'Niet uit Groenland. Dat moeten de Denen regelen. Wanneer print je het actieplan?'

'Morgen.'

'Mooi.'

Berntsson liep langzaam langs de tafel en streek met zijn hand over het bruine, houten blad. Toen hij bij de korte kant was, legde hij zijn handen op de tafel en boog zich naar voren.

'Hier zit ik,' zei hij.

Zijn blik gleed langzaam van de ene kant naar de andere kant van de tafel en weer terug, alsof hij naar de personen keek die hier binnenkort zouden zitten. De meesten had hij eerder ontmoet, maar er waren een paar nieuwe gezichten bij. Ze zouden allemaal naar hem kijken. Wat hij ging zeggen, zou op een goudschaaltje worden gewogen, wist hij. Elke zin moest raak zijn. Hij had lange tijd aan zijn voordracht geschaafd en hij was ervan overtuigd dat hij zou kunnen overbrengen wat iedereen moest horen.

Eriksson keek naar de man aan de korte kant van de tafel. Ze kenden elkaar al ruim tien jaar. Misschien had hij daarom de opdracht gekregen om de bijeenkomst voor te bereiden. Hij beschouwde het als een eer. Hij wist dat er honderd procent zwijgzaamheid en loyaliteit vereist was. Wat hier zou worden besproken, mocht deze ruimte nooit verlaten. Hij keek weg van de tafel en zag een dikke rat langs de witgekalkte muur sluipen.

Hij verlangde naar de bijeenkomst.

Het was donker geworden.

Ze liepen over de grindweg die naar Långvik leidde. Stilton had een zaklamp bij zich, maar wilde die niet gebruiken. Ze hadden een boottocht voor de boeg en het zou pikdonker zijn als ze Rödlöga bereikten. Het was gelukkig een heldere avond en de maan verlichtte de weg.

Ze liepen in een rap tempo zwijgend naast elkaar, deels om warm te worden, deels omdat Stilton zo snel mogelijk bij de zee wilde zijn.

Toen ze een flink eind hadden gelopen, verbrak Olivia de stilte.

'Wat vind jij ervan dat Stellan Eklind vermoord zou zijn?' vroeg ze enigszins hijgend door de snelle wandeling.

'Barbro gelooft dat blijkbaar.'

'Maar stel dat het zo is?'

'Wat heeft dat nu nog voor betekenis?'

'Voor haar heeft het dat wel.'

'Natuurlijk. Maar als ze zoveel kan zien als ze beweert, dan zou ze toch moeten weten wie hem vermoord heeft?'

'Misschien weet ze dat wel.'

Stilton gaf geen antwoord. Hij maakte zijn passen nog groter en Olivia moest haar best doen om bij te blijven.

'Hoe ver is het nog?' vroeg ze.

'We zijn er zo.'

'En wat is zo?'

'Over een tijdje. Loop ik te snel?'

'Nee.'

Ze liepen weer een tijdlang zwijgend naast elkaar. De weg liep om het bos heen. Op sommige plekken had het maanlicht moeite om de weg te bereiken, maar nu hun ogen aan het donker waren gewend, konden ze de lichte grindstrepen aan beide kanten van de middenstrook zien.

'Een bosuil,' zei Stilton plotseling.

'Wat?'

Stilton bleef staan en keek naar het bos. Het geluid van een bosuil weergalmde tussen de bomen en bereikte de weg.

'Hoorde je dat?' vroeg hij.

'Ja. Zullen we verdergaan?'

Olivia begon weer te lopen. Ze wilde naar de boot. Ze had absoluut geen belangstelling voor uilen in het bos. Ze wilde naar Stiltons huis om thee te drinken en te praten over datgene waarover ze nu niet praatten.

Stilton haalde haar in.

'Wat denk jij van dat collectief?' vroeg hij.

'Geen idee. Het was waarschijnlijk gewoon een collectief.'

'Denk je?'

'Wat denk jij dan?'

'Ik probeer me te herinneren wat het gerucht was.'

'Dat was waarschijnlijk het gebruikelijke, dat er hasj werd gerookt en over de revolutie werd gepraat.'

'Misschien. We kunnen het de Drankbaron vragen.'

'Wie is dat?'

'Hij woont zijn hele leven al in Långvik. Hij zou zich het collectief moeten herinneren.'

'Wil je nu met hem gaan praten?'

'Waarom niet? Hij woont daar.'

Stilton wees en Olivia zag in de verte een paar daken. Ze waren bij Långvik.

'Het is al heel laat, kunnen we dat morgen niet doen?' vroeg ze.

'Ik dacht dat je bezig was met een moordonderzoek?'

'En? Wat heeft dat met het collectief te maken?'

'Dat gaan we de Drankbaron vragen. Kom mee.'

Stilton had zijn zaklamp aangedaan en verlichtte een kleine heuvel met daarop een rood huis. Olivia zag dat er licht achter de ramen brandde. Ze rende achter Stilton aan en haalde hem bij de voordeur in. Stilton probeerde door het raam te kijken. Hij zag niemand.

'We kloppen.'

Stilton liep een paar treden van de oude houten trap op en klopte op de deur.

Na een paar seconden hoorden ze een heldere mannenstem.

'Kom binnen!'

Stilton trok de deur open. Er dreef een vlaag pijprook en alcohol naar buiten. Stilton ging naar binnen en Olivia volgde hem. Ze trok de deur achter zich dicht.

'Ik zit hier,' klonk de heldere stem. 'Loop maar rechtdoor.'

Omdat ze in een minimale hal stonden met maar één deur was die informatie tamelijk overbodig. Ze liepen naar binnen en kwamen in een kleine zitkamer met donkergroen behang aan de muren en oude meubels die dicht tegen elkaar aan stonden. Aan het plafond hing een kleine, stoffige kroonluchter die schaars licht over de tafel en de bank verspreidde. De Drankbaron zat op de bank. Hij was oud, de huid van zijn gezicht had donkerblauwe vlekken, zijn schedel glom. Hij had een pientere blik in zijn ogen, die op jeneverbessen leken. Hij keek strak naar Stilton.

'Willen jullie brandewijn?'

De heldere stem paste bij zijn pientere ogen.

Olivia vroeg zich af waar dit toe zou leiden. Eerst een eigenaardige handlijnkundige en nu een drankbaron. Weliswaar had ze horen vertellen over de zonderlingen die op de eilanden woonden, maar dit?

'Möja Taffel,' zei Stilton. 'Maak je dat nog steeds?'

'Jazeker. Anijs, penis en venkel, zeggen we altijd. Hoewel ik eigenlijk kervel gebruik. Willen jullie een fles kopen of willen jullie eerst proeven?'

'Dit is Olivia Rönning. Ik heet Tom Stilton en ik ben van Rödlöga.'

'Familie van Stor-Stilton?'

'Dat was mijn opa.'

'Dan krijg je een borrel. Het staat daar.'

De Drankbaron wees naar een plank waarop een rij flessen stond, allemaal met een etiket waarop MÖJA TAFFEL stond. Stilton pakte een fles.

'Olivia!' zei de Drankbaron.

'Ja?'

'Drie glazen, in de rechterkast.'

'Ik hoef niet, dank je.'

'Een paar druppels maar, hier proosten alle gasten!'

Olivia haalde haar schouders op en pakte drie hoge, smalle, kristallen borrelglazen. De Drankbaron pakte de fles van Stilton aan, draaide de dop eraf en schonk twee glazen tot de rand vol. In het derde glas schonk hij een paar druppels.

'Proost,' zei hij terwijl hij zijn glas hief.

Stilton hief zijn glas en dronk het voor de helft leeg. De Drankbaron dronk dat van hem in één teug leeg. Olivia bevochtigde haar tong met de druppels en vond dat het smerig smaakte.

'Ga zitten.'

Olivia keek naar Stilton. Ze was niet van plan om urenlang in deze kamer door te brengen met twee Möja Taffel drinkende eilandbewoners.

Stilton ging echter op een stoel zitten.

'Willen jullie horen hoe ik in de Atlantische Oceaan ben gered door een rubberlaars?' vroeg de Drankbaron.

'Nee,' zei Olivia snel. 'Daar hebben we helaas geen tijd voor. We willen weten of je je iets herinnert over het collectief dat Stellan en Barbro hadden.'

Stilton hoorde de aandrang in Olivia's toon. Dat was niet de juiste manier om de Drankbaron aan het praten te krijgen.

'Het collectief?'

'Ja, dat ze in de jaren zeventig in het voormalige kinderkoloniegebouw leidden.'

'Waarom hebben jullie daar belangstelling voor?'

'Ik ben etnoloog en doe onderzoek naar die tijd,' zei Olivia.

'O ja? Zo zie je maar, die mensen moeten er ook zijn.'

'Inderdaad. Tom?'

Olivia keek naar Tom met een blik die betekende dat het zijn beurt was.

'Ik woonde toen op Rödlöga en voor zover ik me kan herinneren waren er veel geruchten over het collectief,' zei hij.

'O ja?'

'Weet je dat niet?'

'In de jaren zeventig was ik op zee, dat was toen dat met die laars gebeurde. Weten jullie zeker dat jullie dat niet willen horen?'

'Je weet dus niets over het collectief?' vroeg Olivia.

'Nee, maar je kunt het aan Barbro vragen.'

'Dat hebben we al gedaan.'

'Viola dan, zij moet het weten.'

'Viola?'

'Wistam, ze woont op Furusund. Zij zat bij het collectief.'

'O ja? Dat is mooi,' zei Olivia. 'Dan kunnen we contact met haar opnemen. Bedankt voor de druppels.'

Olivia glimlachte naar de Drankbaron en liep naar de voordeur. Stilton dronk zijn glas leeg en kwam overeind.

'Bedankt voor de borrel,' zei hij. 'Wat vraag je voor zo'n fles?'

'Vijfhonderd kronen.'

Stilton besefte dat het een schaamteloos hoog bedrag was, maar hij haalde zijn rol bankbiljetten tevoorschijn en pakte er een briefje van vijfhonderd af. Nog een week in de scherenkust en hij zou blut zijn.

'Bedankt voor het bezoek,' zei hij terwijl hij een gebaar naar zijn voorhoofd maakte.

'Kom eens hier.'

De Drankbaron gebaarde met zijn hand en Stilton boog zich naar hem toe.

De heldere stem ging over in een net zo heldere fluistering.

'Ze hielden zich daar bezig met schunnige dingen, maar dat wilde ik niet zeggen waar dat knappe meisje bij was.'

'In het collectief?'

'Schunnigheden.'

'Oké...'

De Drankbaron wreef langzaam met een wijsvinger onder zijn neus, alsof het gebaar een heel significante betekenis had. Stilton begreep het niet. Hij ging rechtop staan, pakte een ongeopende fles Möja Taffel van de plank en ging Olivia achterna.

Ze liepen naar de haven.

Op de steiger brandden een paar hoge lantaarns. Stilton bleef onder een ervan staan en keek naar Olivia.

'Viola Wistam op Furusund,' zei hij. 'Dat was toch een borrel waard?'

'Misschien. Wat was dat met die laars?'

'Geen idee. Je was toch niet geïnteresseerd? Stap in.'

Stilton stak zijn hand naar Olivia uit om haar in de ribboot te helpen.

'Kun je een beetje voorzichtig varen?' vroeg ze.

'Natuurlijk.'

Stilton stak de fles alcohol naar haar uit en maakte de boot los. Hij was inderdaad van plan om voorzichtig te varen. Het was donker op zee, ondanks het maanlicht, en er waren veel riffen die hij moest ontwijken, vooral als ze in open water waren. Hij had deze route echter jarenlang in het pikdonker gevaren, het zat in zijn ruggenmerg.

Hij deed de boordlichten aan en startte de boot.

Ze voeren een flink stuk op de vaarweg.

De wind was afgenomen en Stilton hoopte dat het zo bleef. Hij wist dat ze bij de Kobbfjärden in open water zouden komen en hij dacht niet dat Olivia het zou waarderen als hij harder moest gaan varen om door hoge, donkere golven te breken. Het kon daar flink spoken.

Olivia zat zwijgend naast hem te genieten. De heldere hemel boven hen waarin de sterren glinsterden en de duisternis om hen heen waren heel rustgevend. Af en toe zag ze licht op de eilanden, vuurtorens die knipperden, en ver weg in de duisternis zag ze af en toe een boot.

Het was prettig dat Stilton niet sneller ging varen.

Het monotone geluid van het water dat ze doorkliefden bracht haar gedachten op gang. Ze dacht na over iets wat Barbro over haar had gezegd. Dat ze ervaring had met liefde die niet voortkwam uit een bloedband.

Dat klopte namelijk.

Ze was bijna vierentwintig geweest toen ze erachter kwam dat ze was geadopteerd, dat haar geliefde vader en moeder haar echte ouders niet waren. Hoe kon een verwarde handlijnkundige op Möja daar iets van weten? Gokte ze gewoon? Maar wat ze over Tom had gezegd, over dat brandende huis, klopte angstaanjagend goed.

Ze keek naar Stilton. Hij concentreerde zich op het water voor zich.

'Dat was heel vreemd,' zei ze.

'Het handlezen?'

Ze begreep dat hij over hetzelfde nadacht als zij.

'Ja.'

'Laten we dat vergeten.'

'Waarom? Wil je er niet over praten?'

'Nee.'

'Ik wel. Hoe kon ze weten wat er met je...'

'We zijn bijna in open water.'

'Vond je het vervelend?'

Stilton gaf geen antwoord. Hij sloeg af naar het open water. Aan de andere kant lag de eilandengroep waar ze naartoe moesten. Tot nu toe was die niet zichtbaar.

'Ik vond dat wel,' ging Olivia verder.

Als ze nu niet ophoudt, dan draai ik het gas open, dacht Stilton. Olivia keek naar hem. Hij wilde er dus niet over praten. Waarom niet?

'Maar je moet toch nieuwsgierig zijn?' vroeg ze. 'Het klopte precies.'

Stilton draaide zich haastig naar Olivia om.

'Er is een volkomen natuurlijke verklaring voor,' zei hij met een hatelijke ondertoon. 'Ze hoorde mijn naam en wist natuurlijk over de brand.'

'Maar dat is ruim vijftig jaar geleden gebeurd.'

Stilton gaf gas.

Flink.

Ze waren vlak bij het eiland toen Olivia ze pas zag. Plotseling zag ze aan beide kanten van de boot grote, donkere rotsblokken in zee. Ze verstrengelde haar vingers en hoopte dat de man bij de stuurconsole wist wat hij deed.

'Dat is Rödlöga.'

Stilton maakte een gebaar naar de duisternis voor hen. Olivia keek voor zich en probeerde contouren en lampen te zien, maar het enige wat ze zag waren de rotsformaties die ze passeerden. Stilton voer door een smalle vaart en sloeg af naar de oostkant van het hoofdeiland. De eilandengroep lag het verst van de kust af. Vanaf dit punt was er in principe open water tot Åland.

Olivia hield zich vast.

Het laatste stuk was bezaaid met gevaarlijke riffen, Stilton voer een paar minuten bijna slalom in de duisternis. Olivia merkte hoe geconcentreerd hij was. Ze passeerden een landtong en voeren een kleine baai in. Stilton liet het gas los en liet de boot naar een lange houten steiger glijden. Olivia zag dat er een rood huis bij het water stond.

'Is dat het?'

'Ja.'

Stilton meerde af bij de houten steiger en hielp Olivia uit de boot. Ze gaf hem de fles. Naast elkaar liepen ze naar het huis. Olivia huiverde een beetje, ze had het koud gekregen door de boottocht.

'Zal ik de sauna aanzetten?' vroeg Stilton.

'Dat zou fantastisch zijn.'

'Je kunt naar binnen gaan, de deur is open. Het lichtknopje zit links naast de deur.'

'Ik dacht dat er op Rödlöga geen elektriciteit was?'

'Ik heb zonnecellen, een windmolen en een aggregaat.'

Stilton liep naar de sauna en Olivia opende de voordeur. Ze deed het licht aan en liep naar binnen. Ze was hier nog nooit geweest,

211

maar ze had al een paar jaar over de plek horen vertellen.

Het huis was een van de woningen die Stilton had geërfd van zijn moeder, die het op haar beurt had geërfd van haar ouders, Stor-Stilton en zijn vrouw Eivor. Ruim een jaar geleden had Stilton een paar kleine eilanden aan de noordkant verkocht omdat hij geld nodig had.

Daar leefde hij nog steeds van.

Een deel ervan had hij in zijn zak.

Olivia liep naar binnen en hing haar jas over een windsorstoel in de zitkamer. Het was een van de twee kamers van het huis, de andere was de slaapkamer. Ze keek naar binnen en zag dat er behalve een breed houten bed niet veel stond. Rechts van de zitkamer was een keuken met een eettafel en nog een paar windsorstoelen. Ze deed de witte hanglamp boven de tafel aan en zag dat er roodgeruite gordijnen voor het raam hingen. Het was heel schoon en opgeruimd. Ze was eerst een beetje verbaasd, alsof ze dat niet had verwacht. Alsof ze een vieze keuken had verwacht. Waarom zou dat zijn? Waarom zou Tom niet opruimen en schoonmaken? Omdat hij dakloos was geweest en op straat had geleefd?

'Jij mag het bed hebben, dan neem ik de keukenbank, die kan uitgeschoven worden.'

Stilton stond in de deuropening met een zwakke geur van brandende jeneverbestakken om zich heen.

'Ik kan de bank toch nemen?' zei Olivia.

'Heb je honger?'

'Ja.'

'Het duurt even voordat de sauna warm is. Vind je ham in blik lekker?'

Stilton opende een onderkastje in de keuken en haalde een blik tevoorschijn.

'Dat is prima.'

Olivia had razende honger en kon alles eten. Ham in blik was lekker. Stilton trok een la open en haalde er een zak aardappelen uit. Hij schonk water uit een emmer in een bak en begon de aardappelen te wassen.

'Ga zitten,' zei hij.

Olivia ging op een van de windsorstoelen zitten.

'Heb je kaarsen?' vroeg ze.

'Hoezo?'

'Brandende kaarsen zijn gezellig.'

'Ik denk dat er daar nog een paar liggen.'

Stilton wees naar een la onder het aanrecht en Olivia trok hem open. Er lag van alles. Tussen de chaos zag ze een paar halve kaarsen en waxinelichtjes. Olivia pakte ze allemaal. Ze pakte een paar glazen, deed de waxinelichtjes erin en zette ze op tafel. Van de plank boven het fornuis pakte ze een paar messing kandelaars, waar ze de kaarsen in zette. Toen ze allemaal brandden, deed ze de plafondlamp uit en ging weer op de windsorstoel zitten.

'Is het nu gezellig?' vroeg Stilton.

'Ik vind van wel. Zal ik je ergens mee helpen? De tafel dekken?'

Stilton wees naar een kast terwijl hij tegelijkertijd de aardappelen op het gasfornuis zette, dat op propaan werkte.

Olivia dekte de tafel en ging weer zitten. Ze keek naar Stilton, die het conservenblik opende. Ze vond het fijn om hier te zijn, het gaf haar een veilig gevoel. Ze keek rond in de kleine keuken en dacht aan alle generaties die hier hadden gewoond en hadden geleefd van vissen en de zeehondenjacht en de groenten die ze verbouwden. Nu was er bijna niets meer van over. Het is jammer dat het natuurlijke leven verdwijnt, dacht ze, dat iedereen naar de grote steden met hun problemen trekt, zoals vermoorde kinderen en racisten en andere ellende. Ze keek weer naar Stilton.

'Waarom ben je niet naar de aak gegaan?'

Stilton draaide zich een stukje om.

'De aak?'

'Gisteren. Waarom ben je bij Mette blijven slapen?'

'Het was laat,' zei hij, waarna hij zich weer naar het fornuis draaide.

'Het is daar vaak laat geworden en je bent altijd weggegaan. Je hebt verteld dat je het niet prettig vindt om bij andere mensen te slapen. Heb je problemen met Luna?'

Stilton wist dat Olivia een bijzondere intuïtie had. Waarschijnlijk had ze een vermoeden. Hij draaide zich weer om.

'Ze wil niet dat ik op de aak slaap.'

'Waarom niet?'

'Dat moet je haar vragen.'

Olivia zag dat Stilton zich snel omdraaide en besefte dat hij niets meer wilde zeggen. Hierover ook al niet. Het moest heel lastig zijn om met hem te leven, dacht ze.

'Waar heb je het schrift dat je van Barbro gekregen hebt?' vroeg ze om de stilte te verbreken.

'In mijn jaszak.'

Olivia liep naar de hal en voelde in Stiltons jaszak. Ze pakte het schrift en ging weer bij de tafel zitten. *Mijn roeping.* Het was geschreven in 1975, het jaar waarin Stellan was verdwenen. Olivia boog zich naar de waxinelichtjes en bladerde in het schrift. Stilton legde de ham op een bord en zette dat op de tafel neer.

'Wil je een biertje?'

Olivia keek op van het schrift.

'Graag.'

Stilton haalde twee lichte biertjes uit een kast, opende ze en gaf er een aan Olivia, die verdiept was in de tekst.

'Dit voelt eerder als een religie dan hippiewartaal uit de jaren zeventig,' zei ze.

Ze hield het schrift omhoog. Stilton leunde tegen het aanrecht en nam een slok uit het bierflesje.

'Het een hoeft het ander niet uit te sluiten,' zei hij. 'New age. Je haalt een beetje hiervandaan en daarvandaan, waar je je maar goed bij voelt. Eenvoudige psychologie.'

'Misschien wel.'

Olivia bleef lezen. Stilton zette het vuur onder de aardappelen zachter omdat het water een beetje te hard kookte. De stoom uit de pan verwarmde de kleine keuken en het raam besloeg. Olivia fronste haar voorhoofd en verschoof op haar stoel.

'Hoewel dit hoogdravender klinkt,' zei ze. 'Een beetje Bijbels bijna. Hij beweert dat hij een openbaring van een godin heeft gekregen.'

'Misschien dezelfde waarover Barbro het had, de godin waar ze haar kracht van kreeg.'

'Dat zou kunnen. Luister, hij beweert dat die godin ervoor gezorgd heeft dat hij op Möja belandde. "Ze zei tegen mij: dit is waar jij en je familie jullie moeten vestigen. Hier wordt je familie elke dag groter, niet via een bloedband maar door jullie liefde en jullie geloof."'

Olivia keek op van het schrift.

'Dat klinkt nogal bombastisch,' zei Stilton.

Hij prikte met een lucifer in de aardappelen. Ze waren gaar. Hij pakte de stomende pan en goot het dampende water in de gootsteen.

'Zo, het is klaar. Smakelijk eten.'

Hij zette de pan op tafel, maar Olivia kon zich niet losmaken van het schrift. Stilton sneed de ham in plakken.

'Luister,' zei Olivia zonder op te kijken. 'Het lijkt erop dat hij zichzelf als een profeet beschouwde.'

'Alsjeblieft.'

Stilton legde twee schijven ham op Olivia's bord.

'Luister, dit is de godin die spreekt. "Jullie zullen een uitverkoren groep zijn. Een groep die sterk zal groeien en weerstand zal bieden aan de duistere krachten die ons bedreigen. De krachten die in de schemering een zaadje van ontevredenheid in de harten van de mensen planten om dit daarna, onder bescherming van de nacht, te voeden met haat, zodat het zaadje in de dageraad wortel heeft geschoten en de ziel langzaam vergiftigt met haar wortels. Die dageraad is een zwarte dageraad. Een dageraad waarin de vergiftigde zielen worden verleid om te geloven dat iedere vreemdeling een vijand is en dat mammon de enige ware god is."'

'Een zwarte dageraad?'

'Dat staat er.'

Olivia bleef uit het schrift lezen.

'"Deze zwarte dageraad moeten jullie met liefde bestrijden en jij, Stellan Eklind, bent degene die deze strijd moet leiden. Je bent de eerste die is uitverkoren en je moet de goddelijkheid die je binnen in je draagt delen. Jij moet de mensen naar een lichte dageraad leiden."'

Olivia sloeg het schrift dicht en keek naar Stilton.

'Wat is dat in vredesnaam als het niet religieus is?'

Stilton haalde het deksel van de pan, pakte met zijn vingers twee dampende aardappelen en legde ze op zijn bord. Daarna schoof hij de pan naar Olivia.

'Ik ben het met je eens. Dit is geen gewone politieke onzin. Het lijkt erop dat hij een stap verder is gegaan en zijn politieke gedachten ingelijfd heeft in een soort zelfbedachte religie.'

'Ja.'

'En hij is heel traditioneel met zijn praatjes over duistere krachten en uitverkorenheid. Het enige waarin hij een beetje vernieuwend is, is dat het een vrouwelijke god is. Neem aardappelen, voordat ze koud zijn.'

'Ik vind het nogal sekteachtig klinken.'

'Dat vind ik ook.'

Olivia stopte haar vingers in de pan, pakte een aardappel en liet hem meteen weer vallen.

'Au!'

'Wat is er?'

'Ze zijn heet!'

Stilton glimlachte.

'Heb je je vingers verbrand? Hoeveel wil je er hebben?'

'Twee graag.'

Olivia blies tegen haar vingers.

Stilton legde twee aardappelen op haar bord en nam een grote hap ham. Voor hem was het de smaak van zijn jeugd. Toen hij klein was had hij de trillende, zoute gelei heerlijk gevonden. Er waren weinig luxe etenswaren in die tijd. Verse vis was dagelijks voedsel en ham in blik was een zondagse luxe.

Olivia schoof haar lege bord weg. Ze had zwijgend gegeten. Nu dronk ze het restant van haar bier en keek naar Stilton.

'Ik ben heel nieuwsgierig naar waar ze zich mee bezighielden in dat collectief,' zei ze.

'Ik ook. En daarna heeft Stellan zichzelf verdronken.'

'Als hij dat gedaan heeft.'

'Als hij het niet gedaan heeft, maakt me dat nog nieuwsgieriger.'

'En een jaar later pleegde de dochter zelfmoord,' zei Olivia. 'Waarom? Omdat haar vader verdwenen was? Klinkt dat niet een beetje vergezocht?'

'Inderdaad, maar eigenlijk is het allemaal geschiedenis.'

'Behalve dat Stellan een kind heeft dat wij ervan verdenken een moordenaar te zijn. Daarmee is het niet alleen geschiedenis.'

'Nee, misschien niet,' zei Stilton. 'Maar dat hij toen een kind kreeg dat zich nu bezighoudt met het vermoorden van mensen hoeft niets met elkaar te maken te hebben. Behalve verwantschap misschien.'

'Dat klopt. Ik vraag me af met wie hij dat kind kreeg. Volgens Barbro was dat niet met haar.'

'Misschien liegt ze.'

'Waarom zou ze dat doen?'

'Misschien schaamt ze zich voor het kind, misschien wil ze het niet erkennen.'

'Maar ze weet toch niet dat wij denken dat Stellans zoon een moordenaar is?'

'Nee,' beaamde Stilton.

'Misschien hadden we het haar moeten vertellen.'

'Misschien wel, ik weet het niet. We moeten afwachten wat Viola Wistam ons morgen kan vertellen. Als zij ook in het collectief zat, dan moet ze er iets van weten. Niet alleen of er iets met Stellan gebeurd is, maar ook wat er met hem gebeurd is. Ik denk dat de sauna inmiddels gereed is.'

'Ik moet eerst plassen.'

Olivia stond op, liep naar de hal, trok haar jack aan en ging naar buiten. Ze zag een sleedoornstruik achter de sauna, liep ernaartoe, knoopte haar broek open, trok hem samen met haar onderbroek naar beneden en ging op haar hurken zitten. Ze verbaasde zich erover hoe stil het was, zoveel sterren en het heelal en de zee en de natuur en toch was het zo merkwaardig stil. Ze kon haar eigen ademhaling en de urine die op de grond sijpelde horen. Plotseling werd de stilte verbroken door een zachte mannenstem achter haar.

'Olivia.'

Olivia schrok zich dood en gaf een gil. Ze probeerde op te staan uit haar gehurkte positie, maar viel naar voren met haar broek op haar knieën, waardoor haar hoofd tegen een steen sloeg. Ze draaide zich razendsnel om en staarde naar de donkere struik waar de stem vandaan was gekomen. Wie was dat verdomme?! Ze probeerde op te staan en hoorde Stiltons stem bij het huis.

'Olivia? Wat is er?'

Ze had zo hard gegild dat hij het in de keuken had gehoord.

Olivia liep struikelend naar het huis terwijl ze haar broek met één hand omhooghield. Ze ontmoette Stilton bij de hoek van de sauna. Hij zag dat ze bloed op haar gezicht had.

'Wat heb je gedaan?' vroeg hij.

'Er zit een klootzak in de struik!'

'Waar?'

'Daar!'

Olivia wees en Stilton keek naar de struik. Hij zag alleen duisternis.

'Ga mee.'

Hij pakte Olivia vast en trok haar het huis in. Daarna liep hij naar de hoek van de hal, pakte een jachtgeweer en haalde zijn zaklamp tevoorschijn.

'Doe de deur achter me op slot,' zei hij, waarna hij door de deuropening verdween.

Olivia wilde net protesteren toen ze voelde dat er warm vocht langs haar mond liep. Ze veegde met een hand over haar wang en zag dat die onder het bloed zat.

'Verdomme!'

Ze deed de deur op slot, rende naar de keuken, deed de plafondlamp aan en schonk water uit de emmer in de bak.

Stilton was al snel bij de donkere sleedoornstruik. Hij had de zaklamp in zijn linkerhand en het jachtgeweer in zijn rechter. Hij luisterde of hij geluid in de struik hoorde. Hij wist dat die zich een flink stuk naar achteren uitstrekte, helemaal tot de heuvel. Hij wist ook dat de struik nagenoeg ondoordringbaar was, met lange, stevige doorns op de takken.

Hij rende langs de struik naar het pad dat rond de struik liep. Toen hij daar was, stopte hij om te luisteren. Het was stil. Hij hoorde niets.

Hij deed de lamp uit en begon over het pad te lopen. Hij kende elke wortel en elke steen, helemaal tot aan de top van de heuvel. Af en toe stopte hij om te luisteren. Geen geluid.

Toen hij bij de heuvel was, deed hij de zaklamp weer aan en liet hij de lichtstraal over de helling glijden. Er was niemand. Hij begon de heuvel te beklimmen.

Olivia vond een scheerspiegel in een kast en constateerde dat ze een flinke wond boven haar oog had. Ze stelpte het bloeden met een paar papieren servetten en zocht naar een pleister. Die vond ze niet. Plotseling hoorde ze een klap tegen het keukenraam. Het was geen harde klap, eerder alsof er een tak of een kleine steen tegenaan was gekomen. Olivia liep naar het raam, haalde de haak eraf en probeerde het raam omhoog te duwen. Dat lukte niet. Ze draaide zich om en rende naar de hal. Op weg daar naartoe pakte ze de pook. Ze deed de deur van het slot en liep de trap af.

'Tom!'

Ze luisterde. Er kwam geen antwoord. Ze klemde haar hand rond de pook en liep naar de zijkant van het huis, de kant waar het keukenraam zat. Bij de hoek duwde ze zich tegen de muur en keek er voorzichtig omheen: het licht van de keuken scheen door het raam en verlichtte een stukje grond. Ze zag dat er een houten krukje en een paar ijzeren emmers stonden. Ze sloeg de hoek om en liep naar het raam. In de verte zag ze bomen en rotsen. Het was stil, het enige geluid kwam van het water dat tegen de oever en de rotsen sloeg.

Stilton was bijna op de heuveltop toen hij het geluid van een motor hoorde. Hij rende het laatste stuk en keek in de duisternis in de richting waar het geluid vandaan kwam. Ver onder hem zag hij een eenzame boordlantaarn uit de baai verdwijnen. Hij haastte zich de heuvel af en rende over het pad langs de struik naar de houten steiger. Toen hij bij de bolder was waaraan hij de boot had vastgelegd, zag hij dat het touw was verdwenen. En de boot. Stilton scheen met zijn zaklantaarn op het water en zag dat de ribboot een eind bij de oever vandaan dreef. Hij gooide het jachtgeweer op de steiger.

'Verdomme!'

'Wat is er?! Heb je iemand gezien?'

Olivia kwam de steiger op rennen. Toen ze aan het eind was zag ze dat Stilton naar de ribboot wees.

'Hij heeft hem losgemaakt.'

'Heb je hem gezien?'

'Nee, toen ik boven op de heuvel was zag ik een boot wegvaren. Verdomme!'

Stilton ging op de bolder zitten. Olivia keek uit over het water. Het geluid van de verdwijnende motorboot weergalmde tot in de baai.

Stilton trok de jol naar het water en was een hele tijd bezig met zoeken naar de roeispanen. Uiteindelijk roeide hij het water op en haalde de ribboot binnen. Olivia zat zwijgend op de houten bank op de steiger met een servet tegen de wond op haar voorhoofd gedrukt. Ze was gekalmeerd en probeerde te begrijpen wat er was gebeurd.

Toen Stilton de boot vastlegde en voorstelde om naar de sauna te gaan, knikte ze en kwam overeind.

'Heb je pleisters?' vroeg ze.

'In de keuken. Ik haal er een voor je.'

Stilton liep naar het huis en Olivia liep de sauna in. Ze ging in de kleine warme ruimte zitten en begon haar broek uit te trekken. Stilton kwam binnen. Hij had een pleister en twee grote badhanddoeken bij zich.

*

Mettes handen gleden langzaam over de vochtige klomp klei, die ze met behulp van haar voeten draaide. Eigenlijk wist ze niet wat ze aan het maken was, het was therapie, het gevoel van de warme zachte klei die opzwol en versmalde onder de lichte druk van haar handen was pure balsem voor haar ziel. Misschien zou het een kruik worden, misschien een kandelaar, of anders gewoon een klomp klei.

Het was niet belangrijk.

Ze had besloten om vroeg naar bed te gaan. Ze was sinds vijf uur 's ochtends aan het werk geweest, voornamelijk in de vergaderkamer, onderbroken door een paar inspannende gesprekken met mensen die wilden weten hoe het onderzoek verliep. Ze haatte het om verslag uit te brengen van zaken waar ze zelf nog geen duidelijkheid over had. Meestal loog ze of vertelde ze halve waarheden, of vertelde ze helemaal niets.

Ze wilde gewoon rust hebben als ze aan het werk was.

Die kreeg ze nu ze voor de lichtgrijze klomp klei zat. Het afgelopen uur had ze over alle details van het onderzoek kunnen nadenken, iets waar ze bij de Rijksrecherche nooit tijd voor had. Niet dat het de oplossing van de moord dichterbij had gebracht, maar ze had de details in haar eigen tempo kunnen analyseren en in haar geheugen kunnen prenten. Ze wist hoe waardevol dat later zou kunnen zijn, als er misschien nog maar één puzzelstukje nodig was, een onvoorzichtige opmerking, een tijdstip dat niet klopte, een naam die genoemd was.

Nu was ze daar klaar mee en dacht ze aan haar gezin. Vanochtend had ze een ansichtkaart van Mårten gekregen, een ouderwetse ansichtkaart met een postzegel en een stempel. Dat was typisch Mårten. Hij gebruikte geen digitale communicatievormen als dat niet hoefde, hij hield vast aan de dingen waarvan hij hield. Op de voorkant van de ansichtkaart stond een foto van de prachtige Koutoubia-moskee, op de achterkant had Jolene een grappige tekening onder Mårtens tekst gemaakt. Met een beetje fantasie kon Mette er een vliegend tapijt in herkennen.

Lieve Jolene, dacht ze, ben je er echt aan toe om zelfstandig te wonen?

Ze keek op de klok en zag dat het bijna middernacht was. Ik had een paar uur geleden al in bed moeten liggen. Waarom doe ik dat niet? Een van de redenen daarvoor wist ze. Dat waren Stilton en Olivia. Ze had er de hele avond op gewacht dat ze contact met haar zouden opnemen. Over Möja, over het collectief, en vooral over de centrale vraag: wie was Stellan Eklinds onbekende kind?

Anders bel ik zelf.

Ze duwde haar vingers in de klomp klei en besloot om iets verrassends te maken.

*

Ze zaten druipend van het zweet op de houten banken. Olivia voelde hoe de spanning door de warmte uit haar lichaam verdween, hoe ze in een rustgevende toestand van verdoving terechtkwam. Ze zou hier eeuwig kunnen zitten.

'Laten we gaan zwemmen.'

Stilton kwam overeind en liep naar buiten. Olivia volgde hem met een badhanddoek in haar hand. Ze renden de houten steiger op. Stilton dook in het zwarte water, dat deed Olivia niet. Ze had respect voor het water, voor het duiken in onbekend water, dus nam ze de trap aan de zijkant van de steiger. Ze vond het water ijskoud, maar het was heerlijk. Ze zwom een stukje en keerde daarna naar de steiger terug. Toen ze de trap op liep zag ze dat Stilton met lange, krachtige zwemslagen de baai uit zwom. Is hij zich aan het uitsloven? dacht ze, waarna ze de badhanddoek naar zich toe trok. Ze ging op de bolder zitten en keek naar de man in het water. Hij was een van de beste vrienden van haar vader geweest, nu was hij een van haar beste vrienden. Ongelooflijk, dacht ze. Wat een reis heeft hij gemaakt. Opgegroeid in de scherenkust, in deze omgeving, zo dichtbij als je kunt komen bij een leven in de natuur, om daarna als dakloze in een stinkende grofvuilruimte te belanden.

En nu weer terug?

Stilton keerde en zwom naar de steiger.

'Zijn we klaar met de sauna?' vroeg hij toen hij de trap op kwam.

'Ik denk het. Maar we hoeven toch nog niet naar binnen? Het is zo heerlijk om hier te zitten.'

'Dan doen we dat. Wacht even...'

Stilton liep over de steiger naar het huis. Toen hij weer naar buiten kwam had hij een badjas over zijn arm en de fles Möja Taffel in zijn hand. Hij gaf de badjas aan Olivia, zelf had hij een trui en een spijkerbroek aangetrokken.

'Wil jij?'

'Een klein beetje.'

Dat wilde ze eigenlijk niet, maar ze voelde dat de situatie daartoe uitnodigde. Stilton hield een plastic beker omhoog en schonk een beetje voor haar in.

'Dank je.'

Hij schonk meer voor zichzelf in.

'Als ik eerlijk ben vond ik het smerig smaken,' zei Olivia.

'Dat regel ik.'

Stilton liep weer naar het huis en kwam terug met een andere fles in zijn hand.

'Wat is dat?'

'Vlierbessensap. Dat heb ik afgelopen zomer gemaakt.'

'Heb jij vlierbessensap gemaakt?'

'Ja. Bovendien danste ik in mijn jeugd en zwom ik in de meren op Möja. Hou je beker omhoog.'

Olivia glimlachte en hield de beker voor zich. Stilton vulde hem met sap.

'Proost,' zei hij.

'Proost.'

Ze namen een slok. Olivia vond dat het vlierbessensap de smerige smaak niet helemaal camoufleerde, maar het was te drinken.

'Wat denk jij dat er gebeurd is?' vroeg Stilton terwijl hij over de zee uitkeek.

'Waar kunnen we uit kiezen?' zei Olivia. 'Hoeveel mensen weten dat ik hier ben?'

'Weet je zeker dat hij Olivia zei?'

'Ja. Voor honderd procent.'

'Barbro kan het weten. Zij wist tenslotte ook andere dingen,' zei Stilton.

'Ja,' antwoordde Olivia. 'Maar ze had niet bepaald een mannenstem.'

'Misschien heeft ze het aan iemand verteld.'

'Je bedoelt de houthakker, ik ben zijn naam vergeten.'

'Clark?'

'Misschien heeft ze het aan hem verteld en is hij ons gevolgd. Maar om wat te doen? Proberen me de stuipen op het lijf te jagen?'

'Eilandbewoners.'

'Hou op.'

Ze lachten zachtjes. Wat er was gebeurd, was absurd, maar er moest een verklaring voor zijn.

'Als het Clark niet was, wie kan het dan in vredesnaam geweest zijn?' zei Stilton.

'De Drankbaron?'

Nu lachten ze harder, als rechtstreeks gevolg van de alcohol. Na de sauna was daar niet veel voor nodig.

'De Drankbaron wist dat ik een band met Rödlöga heb,' zei Stilton.

'Absoluut. Maar afgezien van een heleboel andere onwaarschijnlijkheden is het fysiek onmogelijk. De Drankbaron heeft namelijk geen onderbenen. Daarom zat hij de hele tijd op de bank. Ze zijn jaren geleden geamputeerd.'

'Dan kunnen we hem schrappen. Wie blijft er dan over?'

Op dat moment ging Stiltons mobiel, die hij in de zak van zijn spijkerbroek had gestopt. Hij pakte hem en keek op het display.

'Het is Mette,' zei hij. 'Zal ik opnemen?'

'Natuurlijk.'

Hij nam op.

'Hallo,' zei hij. 'Is er iets gebeurd?'

'Die vraag moet ik jou stellen. Is er iets gebeurd? Waarom hebben jullie geen contact opgenomen?'

'Daar hebben we nog geen tijd voor gehad.'

'Waar zijn jullie?'

'Op Rödlöga.'

'Wat doen jullie daar?'

'De heerlijke Taffel van de Drankbaron drinken. Daarvoor zijn we in de sauna geweest en hebben we gezwommen. Zo meteen gaan we misschien nachtpaaltje-tik doen.'

'Mag ik Olivia even?' vroeg Mette.

'Natuurlijk.'

Stilton gaf zijn mobiel aan Olivia. Ze zette zich schrap.

'Hallo, Mette! We hebben je heel veel te vertellen, maar dat doen we morgen wel, er zijn op dit moment geen acute zaken.'

'Jullie lijken het leuk te hebben.'

'Op dit moment wel, een uur geleden was het minder leuk. Toen was het verschrikkelijk onaangenaam.'

'Wat is er gebeurd?'

'We weten het niet precies, misschien weten we morgen meer. Hoe is het met jou?'

'Waarom vertel je niet wat er gebeurd is?'

223

'Dat doe ik als we elkaar zien.'

'Oké. Laat het me weten zodra jullie er zijn.'

'Dat duurt misschien nog even, we gaan eerst langs een vrouw op Furusund.'

'Waarom dat?' vroeg Mette.

'Ze zat in het collectief op Möja.'

'Mooi. Iets nuttigs naast de Taffel. Doe de groeten aan de paaltjetik-man.'

Mette verbrak de verbinding en Olivia gaf de mobiel aan Stilton.

'Wat is nachtpaaltje-tik?' vroeg ze.

'Je plaatst twee kaarsen met een tussenruimte van vijftien meter in de duisternis en dan gooi je er een steen naartoe. Als de vlam dooft, heb je hem geraakt. Heb je daar zin in?'

'Nee.'

Ze hield de plastic beker voor Stilton omhoog omdat ze nog wat wilde drinken. Geen Taffel, maar vlierbessensap.

*

De Skånse duisternis was volkomen. Inktzwart. De boerderij, die een stukje van de schuur af lag, was nauwelijks te onderscheiden, hoewel de afstand niet groot was. Alle lampen waren uit. De gure wind waaide over de binnenplaats en Berntsson knoopte zijn jack dicht. Eriksson was net vertrokken, ze zouden elkaar binnenkort weer zien. Toen Berntsson halverwege de binnenplaats was ging zijn mobiel. Hij keek op het display en zag dat het zijn vader was.

'Hallo, pa. Wat is er?'

'Kunnen we een wandeling maken?'

'Nu?'

'Ja.'

'Gaat het om ma?'

'Ja.'

Berntsson keek op de klok. Het was al laat, na middernacht, en hij was van plan geweest om zijn voordracht nog minstens één keer door te nemen. Dat zou moeten wachten.

'Ik kom eraan,' zei hij.

Hij wist waar ze elkaar zouden zien, op de plek waar ze altijd afspraken. Zijn boerderij stond op een afgebakend stuk grond van zijn ouders en de grenslijn tussen de percelen bestond uit stenen. Ze spraken altijd af op de plek waar de stenen stopten. De laatste tijd steeds vaker, op verschillende tijdstippen, zowel overdag als 's nachts. Ze ontmoetten elkaar voor een wandeling, die soms lang en soms kort was. Vaak liepen ze tijdenlang zwijgend naast elkaar, het meeste was tussen hen gezegd, de hardste woorden waren uitgesproken. Nu liepen ze voornamelijk als vader en zoon. Dat kan niemand ons ontnemen, dacht Berntsson, toen hij het krachtige profiel van zijn vader bij het eind van de stenen omheining zag. In ideologisch opzicht staan we niet op dezelfde plek. Mijn vader is van een andere generatie, hij begrijpt niet wat ik begrijp. Hij wil het niet begrijpen. Dat heb ik geaccepteerd. We hebben allebei ons eigen leven, maar hij is mijn vader.

'Zullen we naar de eikenheuvel gaan?' stelde Berntssons vader voor. Hij heette Arvid en was zijn hele leven boer geweest.

'Laten we dat doen,' zei Berntsson.

Ze begonnen vlak naast elkaar te lopen, de duisternis bemoeilijkte de wandeling niet. Zo lang Berntsson zich kon herinneren hadden ze over deze grindweg gewandeld, langs greppels en akkers, korte stukken toen hij klein was, waarbij hij op Arvids schouders werd gedragen als zijn benen niet meer wilden.

'Hoe is het met ma?' vroeg Berntsson na een tijdje.

'Vanavond was ze heel slecht. Ik breng haar morgen naar het ziekenhuis.'

'Dat kan ik ook doen.'

'Ik doe het liever zelf.'

Berntsson knikte in de duisternis. Zijn vader deed bijna alles liever zelf.

'Heeft ze pijn?' vroeg hij.

'Heel veel pijn. Ze heeft drie tabletten genomen zonder dat het hielp.'

Berntsson voelde het in zijn borstkas trekken.

'En het wordt er niet beter op door waar jij mee bezig bent,' zei Arvid.

Het was voor het eerst in lange tijd dat hij erover begon. Ze waren gestopt met het bespreken van Berntssons opvattingen. Mijn vader is uit balans, dacht hij. En flink ook. Hij wil me een slecht geweten bezorgen door mijn moeder naar voren schuiven. Hij wist niet wat hij moest antwoorden.

'Ga je mee naar huis om welterusten tegen je moeder te zeggen?' vroeg Arvid.

'Natuurlijk doe ik dat.'

'Misschien is het de laatste keer.'

Arvid draaide zich om en begon terug te lopen. Berntsson bleef nog even staan. Hij moest moed verzamelen.

*

Olivia trok het warme dekbed over zich heen en blies de kaars op de stoel naast haar uit. De matras was precies hard genoeg. Ze keek in de duisternis naar het plafond. Ik lig in Toms bed, dacht ze, waarna ze terugdacht aan het moment waarop ze hem voor het eerst had ontmoet. Een dakloze met lang, vies haar die *Situation Stockholm* voor een supermarkt verkocht. Ze kon zich het gevoel in haar maag nog steeds herinneren toen ze besefte wie de haveloze man tegenover haar was. De bijna mythische recherchecommissaris en een van de beste vrienden van haar vader. Ze herinnerde zich hoe geschokt ze was geweest. En nu lag ze in zijn bed.

'Slaap je al?' vroeg Stilton vanuit de duisternis in de keuken.

'Nee.'

'Mette vertelde dat je het niet gemakkelijk hebt in Skåne. Hoe komt dat?'

Ze was niet van plan om het aan Tom te vertellen. Ze hadden allebei hun eigen dingen. Maar nu lagen ze hier in de duisternis, een paar meter bij elkaar vandaan, vlak bij de zee, dus vertelde ze het. Ze begon met Måns Berntsson.

Toen ze klaar was stelde Stilton maar één vraag: 'Wil je dat ik meega als je daar weer naartoe gaat?'

Ze wist hoe Tom had gereageerd toen ze vorig jaar met de dood was bedreigd. Hij was buiten zichzelf geraakt en had zijn eigen leven op het spel gezet. Het was ermee geëindigd dat hij was opgepakt door de politie en een etmaal in de cel had gezeten. Het was geen goed idee om hem mee te nemen naar Skåne en het risico te lopen dat hij daar een paar personen zou opzoeken, ook al was het een verleidelijk idee.

'Nee,' zei ze. 'Maar toch bedankt. En nu ga ik slapen.'

Stilton was opgestaan toen het licht begon te worden. Hij had zich in de zee laten zakken om wakker te worden en zijn bloedsomloop op gang te krijgen. Zijn lichaam was stijf na de nacht op de keukenbank. Nu liep hij langzaam langs de sleedoornstruik. In het grijze ochtendlicht leek hij minder groot dan de afgelopen nacht, maar hij was nog net zo doornig en ondoordringbaar. Hij keek tussen de takken, misschien was degene die daar had gestaan aan de doornen blijven haken en was er een stukje van zijn kleding gescheurd.

Hij vond echter niets.

Hij liep de heuvel op. Hij wist zeker dat het een scherenkustbewoner was geweest, of in elk geval iemand met een gedegen kennis van het vaarwater, anders kon je midden in de nacht niet naar en van Rödlöga komen.

Met of zonder gps.

Dat was onmogelijk.

Hij bereikte de top van de heuvel en keek om zich heen. Geen spoor. Olivia had verteld over de klap tegen het keukenraam de vorige avond. Hij was op onderzoek uitgegaan, maar had niets gevonden wat daar niet hoorde te zijn. Het kon een tak van de dennenboom zijn geweest die door de wind tegen het raam was geslagen.

Hij was op de terugweg toen hij Olivia hoorde roepen.

'Tom!'

Stilton versnelde zijn pas. Was die idioot teruggekomen? Hij rende naar het huis. Olivia stond bij de sauna, ze had de pleister nog op haar voorhoofd zitten.

'Ik heb koffie gezet,' zei ze. 'Waarom ren je?'

'Om warm te worden,' antwoordde hij terwijl hij vaart minderde. 'We drinken een snelle kop koffie, daarna moeten we vertrekken.'

Ze waren vrij snel bij Furusund, dat aan de andere kant van het open water lag. Stilton legde aan bij een stenen steiger en ze liepen van de steiger naar een smalle weg. Olivia had het telefoonnummer van Viola Wistam opgevraagd en had haar gebeld terwijl ze koffie dronken. Ze was thuis en woonde in een grijs huis. Ze zagen het al na vijf minuten.

'Daar moet het zijn,' zei Stilton.

'Ja.'

'Hoe pakken we het aan?'

'Misschien kan ze handlezen?'

'Gaaf.'

'Ik regel dit wel. Ik heb al gezegd dat het om een politieonderzoek gaat. We hoeven geen details te geven als dat niet nodig is.'

'Oké.'

Viola Wistam opende de voordeur toen ze de tuin in liepen. Ze had een grote witte sjaal rond haar bovenlichaam geslagen, haar bruine rok kwam bijna tot haar klompen.

'Olivia Rönning?' vroeg ze.

'Ja.'

Olivia liet haar politielegitimatie zien.

'Dit is Tom Stilton,' zei ze. 'Hij bestuurt de boot.'

Bestuurt de boot? Dus dat was het plan? Hij begreep dat hij zich op de achtergrond moest houden. Daar heb ik niets op tegen, dacht hij.

Ze volgden Viola Wistam naar de zitkamer.

'Woon je hier alleen?' vroeg Olivia.

'Op dit moment wel.'

Viola ontweek het om in Olivia's ogen te kijken, ze keek opzij of naar de vloer. Deze vrouw voelt zich niet op haar gemak, dacht Olivia. Omdat ik een politieagent ben?

'Kunnen we gaan zitten?' vroeg Olivia.

Viola maakte een nauwelijks zichtbaar gebaar naar een versleten bank en een paar doorgezakte fauteuils. Olivia en Stilton gingen zitten. Viola bleef staan. Olivia glimlachte naar haar. Moest ze niet vragen waar het politieonderzoek over gaat?

Viola zweeg echter.

'Zoals ik aan de telefoon vertelde ben ik betrokken bij een politieonderzoek waarin jouw naam opgedoken is,' zei Olivia.

'Aha.'

Vraagt ze niet waarom? Komen hier vaak politieagenten die vragen stellen of is ze gewoon ongeïnteresseerd? Of bang?

'Het gaat om een collectief op Möja, in de jaren zeventig, dat werd geleid door Stellan en Barbro Eklind. Ken je dat?'

'Ja.'

'Ik heb informatie gekregen dat jij in dat collectief gewoond hebt. Klopt dat?'

'Ja.'

Viola's antwoorden waren monotoon en ze ontweek het nog steeds om naar Olivia te kijken. Olivia keek even naar Stilton en verbeeldde zich dat hij vanbinnen glimlachte. Het liep niet bepaald op rolletjes.

'Hoe lang ben je bij het collectief geweest?'

'Een tijdje.'

'Hoe lang is een tijdje? Een jaar misschien?'

'Zoiets.'

'Kun je iets vertellen over het collectief?'

'Nee.'

'Waarom niet?'

'Ik heb er heel weinig herinneringen aan.'

'Wil je het je niet herinneren?'

Olivia begon het een beetje zat te worden. Ze vond dat ze heel voorzichtig was, maar daar kreeg ze niets voor terug. Ze zou een andere houding aannemen als dat nodig was.

'Het is lang geleden,' zei Viola op dezelfde monotone toon.

'Misschien kan ik je helpen om je geheugen op gang te krijgen.'

Viola zweeg. Olivia keek naar haar. Waarom wilde ze niet over het collectief praten?

'Onlangs zijn delen van Stellan Eklinds lichaam in het Mellansjön op Möja gevonden,' zei Stilton plotseling. 'Een dijbeen en een bekken, behoorlijk aangetast.'

Hij was het ook zat.

Viola sloeg een hand voor haar mond en knikte. Ze wist ervan.

'Weet je wat er met hem gebeurd is?' vroeg Olivia.

'Nee.'

'Er wordt beweerd dat hij verdronken is.'

'Aha.'

'Was je bij het collectief toen hij verdween?'

'Ja.'

'Dus dat kun je je wel herinneren?'

Olivia kon de opmerking niet binnenhouden.

'Dan herinner je je beslist ook dat zijn dochter zelfmoord heeft gepleegd,' ging Stilton verder. 'Een jaar later.'

'Ja.'

'Linnea.'

Viola knikte weer, met haar ogen op de vloer gericht.

'Hoe reageerde het collectief daarop?' vroeg Olivia.

'Dat weet ik niet.'

'Dat herinner je je niet?'

'Toen was ik daar al weg.'

Olivia stond op het punt om op te staan, maar Stilton legde een hand op haar knie.

'Weet je of Stellan naast Linnea ook nog andere kinderen had?' vroeg hij.

'Volgens mij niet.'

'Echt niet?'

'Nee.'

Olivia ging staan.

'Dank je,' zei ze. 'Je hebt ons echt geholpen.'

Viola keek naar het raam. Stilton kwam ook overeind. Hij liep naar Viola toe en ging vlak naast haar staan. Hij deed het bewust en liet zijn stem dalen.

'Je hebt beslist je redenen om niet over het collectief te praten, en dat respecteer ik,' zei hij. 'We zijn hier niet om dingen op te halen die je niet wilt ophalen. Iedereen heeft het recht om het verleden achter zich te laten. Dat heb ik zelf ook gedaan. Bedankt dat we langs mochten komen.'

Stilton knikte en liep naar de deur die naar de hal leidde. Olivia volgde hem.

'Ik heb een foto.'

Viola's stem was nog steeds toonloos, maar Stilton en Olivia draaiden zich allebei om. Ze zagen dat Viola naar een bureau liep en een la uittrok. Ze tilde een paar papieren op, stak haar hand in de la en haalde er een foto uit, die ze Stilton voorhield.

'Deze.'

Stilton pakte de foto aan en hield hem zo dat Olivia hem kon zien. Het was een kleurenfoto, genomen op de binnenplaats van het koloniehuis, van een aantal mensen die in een lange rij stonden. In het midden zagen ze twee jonge versies van Stellan en Barbro Eklind, naast hen stonden meisjes en jongens.

'Allemaal in het wit gekleed,' zei Stilton bijna tegen zichzelf.

'Dat moest,' zei Viola. 'We mochten geen donkere of zwarte kleding dragen, omdat dat aan verdriet deed denken.'

Viola had in één keer meer gezegd dan ze had gedaan sinds ze waren binnengekomen en ze had dat op een andere toon gedaan, alerter. Ze ging naast Stilton staan en keek naar de foto.

'Het lichte moest van hem op alle mogelijke manieren bevestigd worden.'

'Van Stellan?'

'Ja.'

'Wat gebeurde er als jullie dat niet deden? Als jullie iets anders dan wit aantrokken?'

'Dan kregen we problemen.'

Viola keek weer weg. Stilton wilde haar niet meer onder druk zetten, dus ging Olivia verder: 'Had het collectief een religieuze basis?'

'Religieus?'

'We hebben gelezen over Stellans ideeën met betrekking tot het collectief. Dat kwam heel religieus over. Was dat zo?'

Viola gaf geen antwoord.

'Heb je tegenwoordig nog contact met de anderen uit het collectief?' ging Olivia verder.

'Nee.'

Haar stem was weer toonloos.

'Mogen we deze lenen?'

Olivia pakte de foto van Stilton aan en hield hem een stukje omhoog. Viola knikte.

'We sturen hem zo snel mogelijk terug.'

Viola hief haar hoofd en keek Olivia voor de eerste keer aan.

'Dat is niet nodig,' zei ze.

Ze waren bijna bij de steiger toen ze begonnen te praten.

'Volgens mij zijn daar veel duistere dingen gebeurd,' zei Stilton.

'Ja. Waarom denk je dat dat zo was?'

'Misschien heeft het te maken met waar we het gisteren over hadden. Dat het eerder een sekte dan een collectief leek.'

'Ja. Het moet behoorlijk ziek geweest zijn. Ze was helemaal verstijfd.'

'Maar ze heeft de foto tevoorschijn gehaald.'

'Dat klopt,' antwoordde Olivia.

'Waarom wilde je hem meenemen?'

'Omdat er meerdere meisjes op staan. Ik bedacht dat Stellan misschien een kind bij een van hen heeft gekregen. Zonder dat Barbro dat wist, of wilde weten.'

Stilton dacht daarover na terwijl ze naar de boot liepen. Olivia bleef bij het begin van de steiger staan. Haar mobiel ging. Ze pakte hem en keek op het display. Het was Jian Mellberg.

Olivia nam op.

'Stoor ik?' vroeg Jian.

'Nee. Ben je verder gekomen?'

'Ja, ik heb een naam gevonden achter een van de pseudoniemen in de internetthread, Hagalrune/BW.'

'Nu al?'

'Vannacht. Ik had geluk. Het is een man die in Täby woont, Axel Sönnerman.'

'Is dat iemand die je kent?'

'Ik kende hem niet, maar ik heb informatie over hem gezocht. Hij is sinds drie jaar lid van de Zweden-democraten. Daarvoor is hij betrokken geweest bij diverse racistische bewegingen. Wil je dat ik het materiaal over hem samen met de thread naar je toe stuur?'

'Graag. Ik kan er vanavond pas naar kijken, maar stuur het zo snel mogelijk op.'

'Dat doe ik nu.'

'Mooi. En nu vind ik dat je naar huis moet gaan om te slapen.'

'Misschien. Tot ziens.'

Jian verbrak de verbinding. Olivia stopte haar mobiel weg en liep naar Stilton. Hij vroeg niets over het telefoongesprek en Olivia begon er ook niet over.

Ze waren met iets anders bezig.

*

Barbro Eklind had een zware nacht gehad. Het bezoek van de vorige dag van de mensen uit de stad had dingen uit het verleden opgehaald die haar bijna tot het ochtendgloren wakker hadden gehouden. Dingen over Stellan. Over zijn plotselinge verdwijning en dat iedereen zei dat hij verdronken was. Dat had ze geen seconde geloofd. Hij zwom nooit, niet in de zee en niet in de meren. Hij had verteld dat hij in zijn jeugd een akelige gebeurtenis had meegemaakt, waardoor hij bang was voor diep water.

Stellan was niet verdronken.

En hij had haar ook niet verlaten voor iemand anders, zoals sommige boze tongen beweerden.

Stellan hield van haar.

Eerst had ze gedacht dat hij voor een van zijn missiereizen naar de stad was gegaan, dat gebeurde af en toe. Hij ging daarnaartoe om jonge mensen te ontmoeten die misschien belangstelling voor het collectief hadden. Dan bleef hij twee tot drie dagen weg zonder contact met haar op te nemen.

Dus wachtte ze.

Toen er ruim een week verstreken was, werd ze ongerust. Was er iets met hem gebeurd? Uiteindelijk had ze contact met de politie opgenomen om te vertellen dat haar man was verdwenen.

'Maar hij is niet vrijwillig verdwenen!'

Dat vond ze belangrijk om te zeggen.

De weken werden maanden en Barbro begon te beseffen dat Stellan misschien niet terug zou komen. De gedachte dat hij haar had verlaten, het collectief en het eiland achter zich had gelaten en gewoon was vertrokken, bestond in haar wereld niet.

Er was iets gebeurd met Stellan.

Iemand had Stellan iets aangedaan.

Meerdere personen.

Ze lag nachtenlang wakker en herhaalde de namen van de drie jongeren die het collectief meteen na Stellans verdwijning hadden verlaten. Degenen die als reden hadden opgegeven dat hij de leider was. Als hij er niet meer was, dan wilden zij ook niet langer blijven.

Stellan was de leider, daar was ze het mee eens, maar ze voelde dat er andere redenen voor hun vertrek waren, redenen die met Stellans verdwijning te maken hadden.

Dat was vannacht allemaal weer naar boven gekomen.

'Clark!' riep Barbro naar de tuin. Clark kwam achter het kippenhok vandaan. Hij was een grofgebouwde man met iets te lange armen, bruin haar en ogen die onder hangende, uitstekende wenkbrauwen vandaan keken.

'Ja?'

'Kom eens hier.'

Clark zette de hooivork weg, veegde zijn handen aan zijn blauwe werkoverall af en liep naar Barbro toe. Hij zag dat ze een beroerde nacht had gehad en in een slecht humeur was. Ze had haar haar niet eens gekamd.

'Wat is er?' vroeg hij.

'We moeten de rest van Stellan vinden.'

'De rest?'

'We moeten zijn schedel vinden.'

'Waarom dat?'

'Omdat de politie me niet gelooft. Ze denken dat hij verdronken is. Dat is niet zo.'

'Nee?'

'Stellan is vermoord en degenen die dat gedaan hebben moeten gestraft worden.'

Clark keek naar zijn modderige rubberlaarzen. Ze hadden dit al vaker besproken.

'Wat wil je dan gaan doen?' vroeg hij.

'Op zoek gaan naar zijn schedel.'

'In het Mellansjön?'

'Waar anders?'

'Maar dat hebben we al een paar keer gedaan zonder iets te vinden. De politie heeft daar zelfs gedoken en zij hebben ook niets gevonden.'

'Ze weten niet van het bestaan van het gat. Ik heb dat vannacht bedacht, we moeten in het gat zoeken. Weet je nog waar dat is?'

Clark gaf geen antwoord. Hij liep naar het kippenhok terug en pakte de hooivork weer. Barbro keek hem na.

Plotseling vroeg ze zich af of hij er ook bij betrokken was geweest.

*

Het was bijna zes uur toen ze plaatsnamen aan een tafeltje in het restaurant van het politiegebouw. Stilton was niet enthousiast geweest over het voorstel, hij vond het nog steeds niet prettig om zich op zijn voormalige werkplek te laten zien, maar Mette had het druk en kon het gebouw niet uit.

Dus werd het de plek die Mette had bepaald.

'Hebben jullie nachtpaaltje-tik gedaan?' vroeg ze terwijl ze met een eenvoudige groene salade en een glas water ging zitten.

234

'Is dat je avondeten?' vroeg Stilton.

Hij had braadworst en een Franse aardappelsalade genomen en Olivia had een broodje garnalen voor zich staan. Stilton wist dat Mette op dieet was, maar hij maakte toch een opmerking over de in zijn ogen karige maaltijd.

'Nee,' zei Olivia. 'We hebben geen nachtpaaltje-tik gedaan. Ik ben vlak na ons telefoongesprek in Toms bed gaan slapen.'

'In zijn bed?'

Mette keek naar Stilton.

'Ik lag op de bedbank in de keuken,' zei hij. 'Gaan we het nog over iets zinnigs hebben?'

Mette stopte wat groene salade in haar mond en keek Stilton strak aan.

'Wat hebben jullie ontdekt?'

Stilton begon. Hij liet achterwege dat Barbro zijn hand had gelezen en vertelde wat hij had ontdekt en welke conclusies hij had getrokken.

Hij vertelde niets over de Drankbaron.

Olivia nam het over en vertelde over het gesprek met Viola Wistam.

Ze wilden allebei niet vertellen wat er op Rödlöga was gebeurd.

'Als ik het goed begrijp is de strekking dus als volgt,' zei Mette. 'Barbro Eklind blijft erbij dat haar man geen kinderen had, zelfs zijn dochter is zijn dochter niet, klopt dat?'

'Ja,' zei Stilton.

'En Viola Wistam zei dat hij volgens haar geen kinderen had, behalve de dochter die eigenlijk zijn dochter niet was. Klopt dat ook?'

'Ja,' zei Olivia.

'Wat hebben jullie dan bereikt?'

Mette nam een grote slok water. Olivia en Stilton keken elkaar aan. Wat hadden ze bereikt?

'We zijn niets over Stellans kind te weten gekomen, als je dat bedoelt, over de dader dus,' zei Olivia.

'Maar?'

'We hebben een foto van het collectief van Viola Wistam gekregen, waarop een paar jonge meisjes staan die misschien een kind van Stellan gekregen kunnen hebben.'

'Waarom denken jullie dat?'

'Omdat we het collectief nogal verdacht vinden,' zei Olivia. 'Het lijkt erop dat het eerder een sekte was.'

'Een sekte? Met een seksueel element?'

'Dat weten we niet. Toen we met Barbro Eklind praatten, beschreef ze het collectief als een fantastisch fenomeen, maar toen we met Viola Wistam over het collectief praatten, werd ze zo gesloten als een oester. Ze wilde er absoluut niet over praten.'

'We zouden de moeder van onze dader dus onder de meisjes in het collectief kunnen vinden?' vroeg Mette.

'Dat is toch de moeite van het onderzoeken waard?'

'Absoluut.'

Stilton en Olivia haalden allebei opgelucht adem. De tocht naar de scherenkust had toch iets opgeleverd.

'Wat was er zo verschrikkelijk onaangenaam?' vroeg Mette terwijl ze naar Olivia keek. 'Je weet wel,' ging ze verder. 'Ons telefoongesprek gisteren. Jullie waren in de sauna geweest en...'

'Ik weet het,' onderbrak Olivia haar.

Ze kwamen er niet onderuit. Afwisselend vertelden ze over de gebeurtenis van de vorige avond op Rödlöga, vanaf het moment dat Olivia ging plassen tot het moment dat Stilton een motorboot bij het eiland hoorde wegvaren.

'Dat is vreemd,' zei Mette.

'Ja. Alsof er bij Barbro op Möja iets is gebeurd waardoor iemand ons is gevolgd.'

'Dan begrijp ik het iets beter,' zei Mette.

'Wat begrijp je beter?'

'Waarom jullie zo eigenaardig klonken toen jullie op de steiger met me belden. En nu moet ik terug.'

Mette stond op en begon weg te lopen.

'Mette!'

'Ja?'

'Ik bedenk net iets,' zei Olivia. 'Jian heeft me vanochtend gebeld om te vertellen dat ze de naam heeft gevonden achter een van de pseudoniemen met wie Måns Berntsson contact heeft. Axel Sönnerman, een SD-politicus uit Täby. Bovendien heeft ze een thread met racistische commentaren over de kindermoorden gevonden. Die ga ik bekijken zodra ik er tijd voor heb.'

'Mooi.'

'Je klinkt niet bepaald enthousiast.'

'Het spijt me, maar we zijn op dit moment bezig met een heel omvangrijk onderzoek en Måns Berntsson en zijn contacten staan niet boven aan onze prioriteitenlijst.'

Olivia liet het antwoord tot zich doordringen. Mette had natuurlijk gelijk, er waren beslist belangrijkere dingen om uit te zoeken. Ze was echter niet van plan om dat aan Jian te vertellen.

'Oké. Ik slaap vannacht bij mijn moeder,' zei ze. 'Ik moet morgen naar Skåne. De eigenaars komen thuis en ik moet een nieuw raam in het gastenhuis regelen. Ik was van plan om vanavond bij haar langs te gaan.'

'Doe haar de groeten. En nu moet ik rennen!'

Rennen was misschien geen adequate omschrijving, maar Mette liep zo snel mogelijk weg. Stilton keek naar Olivia.

'Een thread?' zei hij. 'Jian? Was dat het telefoongesprek dat je op de steiger hebt gehad?'

'Ja.'

'Wat is dat voor thread?'

Olivia besloot om hem te vertellen over Jians nasporingen. Hij was er nu tenslotte net zo bij betrokken als zij.

'Er is communicatie over de kindermoorden tussen vier internethaters en racisten,' zei ze. 'Een van hen is in elk geval een uitgesproken nazi.'

Stilton nam een besluit zodra hij het gebouw van de Rijksrecherche uit liep: hij was niet van plan om vanavond naar Rödlöga terug te gaan en hij was ook niet van plan om op een matras bij Benseman of op Mettes zolder te slapen. Daar had hij geen zin in. Hij was van plan om in zijn gehuurde hut te slapen, wat Luna ook zei.

De aak was donker toen hij daar aankwam. Mooi. Hij liep de lege salon in, deed een wandlamp aan en ging op de bank zitten. Hij vond het niet erg om Justus Johansson te ontlopen, integendeel. Terwijl hij vanaf het Rijksrecherchegebouw naar de aak was gelopen, had hij nagedacht over het collectief op Möja. Niet omdat hij dacht dat het hem dichterbij zou brengen bij degene naar wie hij eigenlijk op zoek was, de moordenaar van Jill Engberg, maar omdat hij nieuwsgierig was. Hij had er in zijn jeugd tenslotte veel geruchten over gehoord en nu vermoedde hij waar de geruchten over waren gegaan. Hij haalde Stellan Eklinds schrift tevoorschijn en begon erin te lezen.

Na een halve bladzijde hoorde hij de deur op het dek opengaan. Hij leunde naar achteren, alle pezen in zijn lichaam waren gespannen. Luna kwam de gang in met een paar zware boodschappentassen in haar handen. Justus liep vlak achter haar met zijn schipperspet op en zijn dikke jas aan. Hij droeg niets.

'Ben je er weer?' zei Luna.

'Ja.'

'Hoe was het in de scherenkust?' vroeg Justus terwijl hij naast Stilton op de bank ging zitten. Te dichtbij. Stilton schoof een stukje opzij.

'Ik hoorde dat je naar Rödlöga zou gaan.'

'Ja. Ik hou van de scherenkust.'

'De scherenkust is niets vergeleken bij de zee,' zei Justus. 'Daar is het mooi. Ben je weleens op zee geweest?'

'Ik heb op een booreiland in de Noordzee gewerkt.'

'Zo zo.'

Stilton zag dat Justus een bijna waarderende uitdrukking op zijn gezicht kreeg.

'Daar kan het flink spoken!' zei hij.

'Dat klopt.'

'Maar dat is niets vergeleken met Kaap Hoorn. Als je niet rond Kaap Hoorn bent gevaren, dan weet je niet wat een ruwe zee is.'

Tot zover zijn waardering.

'Wil je een borrel?' vroeg Justus. 'Half rum en half frisdrank.'

'Nee, dank je. Heb je hulp nodig?' vroeg Stilton aan Luna. Hij stond op voordat ze antwoord kon geven, liep naar haar toe en begon de boodschappen aan te pakken die ze uit de tassen haalde. Hij wist niet goed waar hij ze neer moest zetten, maar hij kon in elk geval met zijn rug naar Justus toe staan. Luna begreep heel goed waar zijn behulpzaamheid vandaan kwam.

Justus pakte het schrift dat Stilton op de tafel had gelegd. Hij zette zijn leesbril op en sloeg het open.

'Ik blijf hier vannacht slapen,' fluisterde Stilton tegen Luna. 'Het lukt me niet meer om naar Rödlöga te gaan.'

'Dat begrijp ik.'

Plotseling lachte Justus hardop. Luna en Stilton draaiden zich om. Justus las voor uit het schrift: 'Alles komt voort uit de goddelijkheid van de moeder van het universum... Wat is dat voor gezwam?'

Justus keek naar het omslag van het schrift.

'Stellan Eklind? Wie is dat verdomme?'

'Dat is het schrift van Tom, papa. Misschien wil hij niet dat je erin kijkt.'

'Waarom ligt het hier dan?'

'Stellan Eklind beschouwde zichzelf blijkbaar als een profeet,' zei Stilton terwijl hij naar de tafel liep.

'Profeten en zwartrokken moeten gekielhaald worden, dat is duivelsgebroed,' zei Justus.

'Daar ben ik het mee eens,' antwoordde Stilton.

Hij stak zijn hand uit en Justus gaf het schrift aan hem. Stilton maakte een gebaar naar Luna en liep naar zijn hut. Justus keek naar zijn dochter.

'Geen prettig gezelschap, die vent.'

*

Olivia passeerde het hek van het rijtjeshuis in Rotebro en liep meteen naar de garage. Daar wilde ze eerst kijken. Ze trok de deur open en deed de lamp aan, die een warm licht verspreidde over de witte Mustang die daar stond, de auto die ze van haar vader Arne had geërfd. Nu stond hij hier, in afwachting van het moment dat haar tijd in Skåne erop zat. Ze streek met haar hand over de witte lak. Ze miste de auto. Ze miste de herinneringen aan haar vader die altijd in haar opkwamen als ze erin ging zitten.

'Wat heb je met je haar gedaan?' was het eerste wat Maria zei toen ze de deur opendeed voor Olivia.

'Ik heb het laten knippen.'

'Ja, dat zie ik,' zei Maria terwijl ze een haarlok wegstreek die over Olivia's wang was gevallen. 'Het staat je fantastisch.'

Daarna omhelsde ze Olivia. Een lange, innige omhelzing waarnaar ze heel erg had verlangd.

'Ik heb je gemist,' fluisterde Maria in haar oor voordat ze haar losliet.

'Dat is mooi,' antwoordde Olivia, hoewel ze eigenlijk had willen zeggen dat ze haar ook had gemist.

Olivia trok haar jas en schoenen uit en liep de zitkamer in. Alles was hetzelfde in het keurige, witte huis met de Scandinavische meubelen. Stijlvol. Dat was Maria's signatuur, of dat nu voor haarzelf of haar inrichting gold. Tegenwoordig waardeerde Olivia dat. Toen ze nog thuis woonde had ze haar kamer uit protest knalrood geschilderd en had ze gezorgd voor een voortdurende chaos en een onopgemaakt bed.

'Mmm, wat ruikt er zo lekker?' vroeg ze.

'Hertenstoofschotel met cantharellen.'

Ze had altijd bewondering gehad voor Maria's kookkunst. Maria ging naar de keuken terwijl Olivia naar de zitkamer liep.

'Wil je een glas wijn?' vroeg Maria vanuit de keuken.

'Nee, dank je. Ik moet morgen vroeg op.'

Op de salontafel stond een enorm boeket langstelige witte rozen. Olivia vroeg zich af of ze iets was vergeten. Haar moeders verjaardag in elk geval niet, dat wist ze zeker. Waarschijnlijk was de bos van een van Maria's tevreden klanten. Ze was een gewaardeerde advocate, wist Olivia. Ze liep ernaartoe en keek op het kaartje dat aan een van de stelen hing. BEDANKT VOOR GISTEREN. THOMAS, stond er op het kaartje. Olivia draaide zich om naar de keuken.

'Wat een mooie bloemen! Wie is Thomas?'

Het duurde even voordat Maria in de deuropening verscheen. Olivia zag dat haar moeder een beetje verlegen leek.

'Dat had ik je tijdens het avondeten willen vertellen.'

Na een fantastische hertenstoofschotel met rode wijn, die heerlijk mals was, wist Olivia wie Thomas was. Dat probeerde ze tijdens het dessert te verwerken.

Haar moeder had een man ontmoet.

Er borrelden tegenstrijdige gevoelens in haar op. Ze was blij voor haar moeder, maar tegelijkertijd was ze een beetje verdrietig over iets wat ze niet goed kon definiëren. Misschien was dat omdat de aandacht van haar moeder zich van haar naar Thomas zou verplaatsen? Misschien was ze bang dat het evenwicht en de liefde die Maria en zij eindelijk in hun relatie hadden gevonden nu verstoord zouden worden?

Tegelijkertijd was ze nieuwsgierig naar de man die het was gelukt om door haar moeders harde pantser door te dringen, want Maria Rönning was niet gemakkelijk in te palmen.

'Je bent dus weer voor een politieagent gevallen,' constateerde Olivia uiteindelijk na de laatste hap zelfgemaakte frambozensorbet.

'Weer? Dat klinkt alsof ik dat om de haverklap doe.'

Olivia glimlachte.

'Ja, dat kun je wel zeggen, de vorige was tenslotte nog maar dertig jaar geleden.'

Nu glimlachte Maria ook. Ze legde haar hand op die van haar dochter en gaf er een kneepje in. Daarna kreeg ze een verdrietige blik in haar ogen. Olivia zag de verandering en dat deed haar pijn, omdat ze vermoedde waarom dat was.

'Je vader kan nooit vervangen worden. Ik denk dat je dat wel weet,' zei Maria. 'En wat er ook gebeurt, jij bent de belangrijkste persoon in mijn leven.'

Oliva verschoof op haar stoel. Het verdriet in Maria's ogen en de ernst in haar stem riepen gevoelens bij Olivia op die ze niet goed onder controle had. Gevoelens die met het gemis van haar vader te maken hadden. Ze haalde diep adem om de steen in haar maag weg te krijgen. Dat lukte niet. Het gevoel verspreidde zich in haar lichaam en de tranen glansden in haar ogen.

'Ik was er niet.'

Maria begreep meteen wat Olivia bedoelde.

'Hij heeft je dat nooit verweten.'

'Maar dat deed jij wel.'

'Ik?'

Maria liet Olivia's hand los.

'Dacht je dat ik dat deed?'

'Ja.'

Maria pakte Olivia's hand weer vast.

'Olivia, ik was buiten mezelf van verdriet. Het lukte me nauwelijks om je in je ogen te kijken. Ik kon er niet tegen om het verdriet daarin te zien, maar dat kwam niet doordat jij er niet was. Het kwam doordat ik niet in staat was om te zijn wie ik op dat moment moest zijn. Je moeder.'

Olivia haalde haar neus op. Maria ging staan, zette haar stoel naast Olivia neer en sloeg haar arm om haar heen.

'Ik heb nooit afscheid van hem kunnen nemen,' zei Olivia. 'En ik heb hem nooit verteld hoeveel ik van hem hield.'

Olivia leunde met haar hoofd tegen Maria's wang. Ze had zoveel spijt van haar laksheid toen Arne op zijn sterfbed lag. Een laksheid die vooral met ontkenning te maken had. Haar vader kon niet sterven, daarom kon ze rustig in Barcelona blijven.

'Hij wist hoeveel je van hem hield,' zei Maria. 'Als er iets was wat hij wist, dan was dat het. En hij hield ook verschrikkelijk veel van jou. Zoveel dat hij op het eind niet wilde dat je hem zo zag. Hij wilde dat je het beeld bij je zou dragen van hoe hij was, je grote, sterke, geliefde vader.'

De dam brak bij Olivia en vlak daarna bij Maria. Voor het eerst huilden ze samen om Arne, omdat ze nooit met elkaar hadden gepraat over het verdriet en omdat ze elkaar na zijn dood jarenlang hadden ontweken.

Ze huilden tot ze geen tranen meer hadden.

Daarna droogde Olivia haar gezicht met de mouw van haar shirt, maakte zich los uit Maria's armen en ging rechtop zitten. Ze was uitgeput. Ze keek naar haar moeder. Maria's ogen en neus waren rood en het zwarte Spaanse haar zat in de war. Wat er was gebeurd, was bijzonder. Niet omdat Maria's haar erdoor in de war zat, maar omdat ze op de een of andere manier allebei een punt achter hun verdriet om Arne konden zetten.

Maar ook het verdriet om haar biologische moeder, in Olivia's geval. Ze voelde dat ze een 'echte' moeder had, een levende moeder.

Ze zwegen een tijdje. Uiteindelijk stond Maria op, streek haar haar glad en begon de tafel af te ruimen. Olivia bleef zitten en keek naar haar.

'Ik weet zeker dat ik hem graag mag,' zei ze.

'Wie?'

'Thomas.'

'Dat hoop ik wel.'

Maria zette alles in de afwasmachine en deed hem aan.

'En nu wil ik horen waarom je je haar hebt laten knippen.'

Olivia glimlachte.

'Ik denk niet dat je dat wilt weten.'

Ze ging staan en omhelsde Maria even.

'Ik ga slapen, ik ben kapot.'

Olivia ging in bed liggen. Het voelde altijd heel speciaal om dat hier te doen, als volwassene. Alsof ze weer een kind was. Dezelfde roodgeschilderde muren, hetzelfde mooie kleed, hetzelfde gevoel van veiligheid. Ze besefte wat een privilege het was om nog steeds de beschikking over haar kinderkamer te hebben. Hoe goed ze het ondanks alles had.

Ondanks alles.

Ze trok haar laptop naar zich toe en zette hem aan, ze wilde zien wat Jian had gestuurd. Ze vond het bestand meteen. Het eerste wat ze opende was een bericht van Jian waarin ze uitlegde dat ze een selectie had gestuurd van de communicatie tussen de vier pseudoniemen die ze had gevonden. Achter twee daarvan zaten Måns Berntsson en Axel Sönnerman, de SD-man uit Täby. De andere twee namen had ze nog niet achterhaald. Ze schreef ook dat de contacten volgens haar over de moorden op Emelie Andersson en haar zoon gingen. De data waarop de contacten hadden plaatsgevonden kwamen overeen met de tijdstippen waarop ze vermoord waren.

Hoeveel moeite zou het haar gekost hebben om dit te schrijven? dacht Olivia. Om over de moord op haar eigen zoon te schrijven? Ze zag de tengere gestalte voor zich, de ogen met de donkere kringen. Hoe lang zou het haar lukken om hiermee bezig te zijn?

Olivia voelde hoe ontzettend graag ze degene of degenen die achter de moord zaten te pakken wilde krijgen. Voor iedereen, Liv en Sebastian, Judith, Ola, maar misschien nog wel het meest voor Jian.

Ze opende het bestand en begon de contacten tussen de pseudoniemen te lezen. Het eerste commentaar was van Tyrrune/BW: 'Elk onkruid dat verwijderd is, biedt plaats aan nieuw, vers gras. Dat weten we. We hebben onkruid verwijderd in Arild, ik hoop dat dit een inspiratiebron voor jullie is.'

Dat was Måns Berntssons pseudoniem.

'Ik ben het met je eens. Laten we hopen op een symbiotisch effect.' Hagalrune/BW.

Dat was Axel Sönnermans pseudoniem.

'Ik denk dat het elimineren van die bastaard op Värmdö mensen kan ophitsen.' Triskele/BW.

'Dat mag ik hopen. Maar er blijft nog veel te doen.' Wolfsangel/BW.

'Er is hier een kankerwijf dat we op de lijst kunnen zetten.' Tyrrune/BW.

Måns Berntsson kreeg antwoord van Wolfsangel/BW: 'Zeg het maar als je hulp nodig hebt.'

Olivia las het meerdere keren. Het was de eerste keer dat ze aan deze vorm van bedreiging blootstond. Een bedreiging die niet rechtstreeks aan haar was gericht, maar waar een paar mannen over communiceerden.

Haar op een lijst zetten?

Ze overwoog of ze Mette zou bellen, maar besloot het niet te doen. In plaats daarvan stuurde ze Jians bestand naar haar door, met alle commentaren. Daarna klapte ze haar laptop dicht, deed het bedlampje uit en trok het dekbed over haar hoofd.

De veiligheid van haar kinderkamer was weg.

Morgen ging ze naar Skåne.

*

Stilton lag op zijn kooi en had het schrift van Stellan bijna uit toen er op de deur werd geklopt. Hij herkende Luna's klopje, drie keer kort, pauze, twee keer kort.

'Kom binnen.'

Luna kwam binnen en Stilton rook de etensgeur die ze meenam. Luna trok de deur dicht.

'De goddelijkheid van de moeder van het universum,' zei ze.

'Ja. Wartaal.'

'Weet je het niet meer?'

'Wat?'

'Het boek met de knipsels dat je bij je had. *De monnik*. Daarin stond toch een met de hand geschreven opdracht? Op het schutblad.'

'Ik geloof het wel.'

'Volgens mij stond daar net zoiets.'

'De goddelijkheid van de moeder van het universum?'

'Ja, iets in die richting.'

Stilton pakte zijn mobiel en belde Mette.

'Ben je thuis?'

'Nee, op het bureau.'

'Heb je het boek in de buurt? *De monnik*?'

'Wacht even.'

Stilton wachtte, Luna stond nog steeds in de deuropening. Stilton maakte een gebaar en ze ging naast hem op de kooi zitten.

'Ik heb het,' zei Mette.

'Kun je kijken wat er voor opdracht in staat?'

Er gingen een paar seconden voorbij.

'Er staat: Voor mijn geliefde – de moeder van het universum is met je.'

'Dank je. Mooi. Kun je het boek mee naar huis nemen? Dan kom ik morgenochtend vroeg langs om het op te halen.'

'Waarom dat?'

'Omdat ik het nodig heb.'

Stilton verbrak de verbinding en keek naar Luna.

'Bedankt,' zei hij.

Luna knikte. Stilton keek naar de vloer.

'Ik vertrek morgen,' zei hij.

'Je mag blijven als je wilt.'

Stilton keek naar Luna.

'Het is weer goed,' zei ze. 'Het is afgevlakt.'

'Waar heb je het over?'

'Over wat er gebeurd is.'

'Dat we seks hebben gehad?'

'Dat ook.'

Stilton keek in Luna's ogen.

'Slaapt Justus?'

'Als een blok,' zei ze. 'Een borrel en varkensschenkel met puree van aardappelen en koolrabi. Hij snurkte al voordat hij in zijn kooi lag. Ik heb een salade gegeten.'

Stilton deed de wandlamp uit. Het licht van de kade scheen door de ronde patrijspoort op het voeteneind.

Hij streelde met zijn hand over Luna's haar.

'Slaap lekker,' zei ze, waarna ze opstond.

*

De man zat op een bolder in de buurt van Rosenbad en keek naar het donkere, stromende water onder hem. Het was na middernacht en hij dacht aan de pop. Hij had de vorige dag een mooie bruine pop gekocht en had die mee naar huis genomen. Hij had haar op de vensterbank uitgekleed, naast de lege plantenpot. Hij had nog nooit een naakte pop gezien. Ze had geen geslachtsorgaan, zwart krullend haar en bruine ogen. Hij vond de ogen mooi, maar toch moest hij ze weghalen. Hij gebruikte een kleine beitel en was heel voorzichtig. Hij wilde de oogleden en wimpers niet beschadigen.

Dat ging goed.

Hij kreeg de bruine balletjes los en de oogleden vielen verlegen dicht.

Toen de oogleden weer opengingen, zat er een leegte achter. Hij stopte wat potaarde in de gaten en er stroomde een beetje langs de wangen. Het zag eruit als zwarte tranen. Het was een goed gevoel. De ontvanger zou het begrijpen.

Hij keek naar het parlementsgebouw en voelde dat het begon te regenen. Hij stak zijn hand uit en zag de druppels op zijn handpalm landen.

Hij deed zijn hand dicht.

Mette was buiten haar schuld laat voor de ochtendbijeenkomst: de brug bij Danvikstull wilde niet dicht en had een file tot Ormingemotet veroorzaakt.

En dat is nog maar een voorproefje van alle ellende die ons te wachten staat als de renovatie van Slussen begint, dacht ze terwijl ze op het stuur trommelde. Dat wordt een jaren durende hel. En dan de verbouwing van de Skurubrug. Misschien moeten we het huis verkopen en naar de binnenstad verhuizen? Een gedachte die aan godslastering grensde, dat wist ze.

Op dat moment ging de brug dicht.

Het eerste wat ze deed toen ze uiteindelijk in de vergaderkamer arriveerde was kopieën van de internetcommunicatie tussen de pseudoniemen in Jians thread aan alle teamleden uitdelen.

Onder de kop INTERNETCONTACTEN schreef ze de namen MÅNS BERNTSSON en AXEL SÖNNERMAN op het bord.

Iedereen in de kamer las de commentaren van Jian. Bosse was degene die het eerst begon te praten.

'Die bedreiging tegen Olivia,' zei hij. 'Hoe gaan we daarmee om?'

'Ik heb vanochtend met haar gepraat. Ze is naar Skåne vertrokken,' zei Mette. 'Ik heb het haar afgeraden, maar je weet hoe ze is.'

Mette vond het geen prettige gedachte dat Olivia naar Höganäs terugging. Ze had met Sven Svensson gepraat en had hem verteld over de bedreiging tegen Olivia en de personen in de thread.

Vooral Måns Berntsson.

*

Olivia nam een ochtendvlucht naar Ängelholm en daarna de bus naar Höganäs. Ze wilde niet opgehaald worden door collega's. Het risico

247

bestond dat dat Frans zou zijn en ze wilde hem zo lang mogelijk ontlopen.

Ze was de avond in de pub niet vergeten.

Ze zat bij het raam en keek uit over het landschap. Donkere akkers,
heuvels, grazende koeien. In de zon en de zomerwarmte zou het idyl-
lisch zijn, nu was het grijs en winderig en deed het haar denken aan
dingen waaraan ze niet herinnerd wilde worden.

Ze stapte bij Tivolihuset uit de bus en nam daar een taxi. Ze wilde zo
snel mogelijk bij het gastenverblijf zijn.

De taxi reed weg en Olivia liep met haar koffer de tuin in. De brievenbus was leeg. Op de ochtend dat ze naar Stockholm was vertrokken
had ze het postkantoor gebeld om te vragen of ze haar post wilden
vasthouden tot ze terug was. Dat was een van de voordelen van kleine
plaatsen, dacht ze, dat soort hulp is nooit een probleem. Ze duwde het
ijzeren hek dicht en draaide zich om naar het gastenverblijf. Het zag
eruit zoals ze het had achtergelaten, met één belangrijk verschil: de
houtvezelplaat die ze had opgehangen was weg. Er zat nieuw glas in het
raam. Ze liep naar het huis. Wie had dat gedaan? De eigenaars waren
nog niet thuis, dus het moest iemand anders zijn geweest. Sven Svensson? Waarschijnlijk. Ze had hem gebeld voordat ze naar Ängelholm
ging en had verteld over de steen die door haar raam was gegooid.

Hij steeg nog meer in haar achting.

Ze opende de voordeur en liep de woning binnen. Er hing een vochtige, bedompte lucht. Ze keek de zitkamer in. De stoffer lag nog op
de vloer, op het blik lagen glasscherven. Ze bracht haar koffer naar
de slaapkamer, keek naar de naar beneden getrokken rolgordijnen en
voelde de weerstand in haar hele lichaam. Ze wilde hier niet zijn, niet
slapen, niet wakker worden, niet naar een computerscherm staren of
proberen te lezen.

In haar eentje.

Je moet hier nog bijna vier maanden blijven, ging het door haar
hoofd. Ze liep de slaapkamer uit, liep naar buiten en stapte op haar
fiets.

Ik vraag overplaatsing aan, dacht ze.

Toen ze bij het politiebureau was zag ze dat Svensson aan het uitparke-
ren was. Hij stopte en draaide het zijraam naar beneden.

'Hallo!'

Hij hief zijn hand bij wijze van begroeting en reed weg. Had hij niet even kunnen blijven? dacht ze. Ik wilde hem bedanken voor het raam. Maar misschien was er iets dringends. Ze liep het bureau binnen en ging meteen naar haar kantoor. Als ze geluk had, was dat leeg.

Ze had geen geluk.

'Hallo!'

Frans zat in zijn uniform achter zijn bureau. Olivia knikte naar hem, liep naar binnen en deed de deur dicht. Frans keek naar haar.

'Heb je je haar laten knippen?'

'Nee, het is een pruik.'

'Een pruik?'

Ze wilde nu al weg.

Ze ging achter haar bureau zitten en pakte een map met aantekeningen over het gezin Andersson. Frans boog zich een stukje naar voren en liet zijn stem dalen.

'Ik wil je mijn verontschuldigingen aanbieden voor wat er in de pub gebeurd is,' zei hij. 'We waren dronken en gedroegen ons als idioten.'

'Dat klopt.'

'Ik snap je reactie heel goed, toen je zag dat ik daar met Måns zat.'

'Een nazi.'

'Ik weet het.'

'Hoe kun je met hem omgaan?'

'We gaan niet met elkaar om. Hij zat daar toen ik binnenkwam en we zijn... Het is niet zo gemakkelijk. Dit is een dorp, we zijn hier samen opgegroeid, onze ouders kennen elkaar, we hebben jarenlang samen op school gezeten, gevoetbald, hij heeft altijd bij onze vriendengroep gehoord.'

'Ondanks zijn ideeën?'

'Daar praten we bijna nooit over.'

'Misschien zouden jullie dat wel moeten doen.'

'Ik weet het.'

Frans zag er heel gekweld uit. Olivia vond het niet moeilijk om te begrijpen dat je met vrienden opgroeit en een band met ze krijgt die moeilijk te verbreken is, vooral in een kleine gemeenschap. Maar ze trok de grens bij nazi's.

'Heb je gehoord wat er later die avond is gebeurd?' vroeg ze.

'Dat met die steen?'

'Ja.'

'Dat heb ik de dag erna gehoord. Ik was woedend en heb uitgezocht wie hem had gegooid.'

'Wie was het?'

'Een van de mannen aan de tafel. Degene die die klap van je heeft gekregen. Ik ben naar hem toe gegaan om hem op te pakken voor vernieling, maar dat heb ik uiteindelijk niet gedaan.'

'Waarom niet?'

'Hij zei dat hij aangifte van mishandeling zou doen als ik hem oppakte.'

Olivia begreep het dilemma. Ze zou enorm veel problemen hebben gekregen door zo'n aanklacht; er waren voldoende getuigen in de pub geweest toen ze hem sloeg. Geprovoceerd of niet.

'Het eindigde ermee dat ik ervan af zou zien als hij een nieuw raam voor je huis regelde,' zei Frans.

'Is dat zo?'

'Ja.'

Olivia keek naar Frans.

'Bedankt.'

Ze voelde dat ze haar defensieve houding een beetje kon laten varen.

'Zullen we vanavond een biertje gaan drinken?' vroeg Frans.

'Nee.'

Zo ver wilde ze haar defensieve houding niet laten varen.

*

Ola Mellberg worstelde op zijn manier met zijn verdriet: door zijn bezorgdheid om Jian had hij zijn eigen gevoelens onderdrukt. Als ze in haar kantoor was, kon hij de pijn naar buiten laten stromen, hij wilde sterk voor haar zijn. De afgelopen nacht had hij alleen in de slaapkamer gelegen en had hij eraan toegegeven. Hij had gehuild, had even geslapen en had weer gehuild.

Nu voelde hij zich beter.

Hij had Jians favoriete ontbijt gemaakt, gebakken bacon en roerei. Inmiddels was het geen ontbijt meer, maar een lunch. Jian was een halfuur geleden uitgeput thuisgekomen. Ze zat bij de keukentafel en trok de kleine, piepende auto heen en weer.

'Je moet proberen wat te slapen,' zei Ola.

'Dat zal ik doen.'

Ola zette het bord voor haar neer en Jian at. Ze had zo'n honger dat hij nog een portie moest maken.

'Ging het vannacht goed?'

Jian had niet meteen willen praten toen ze thuiskwam, ze moest eerst ontspannen. Nu was ze dat.

'Het ging uitstekend,' zei ze. 'Hoewel het steeds onaangenamer werd.'

'Op wat voor manier?'

'De namen. Ik had de naam van die SD-man al achterhaald...'

'Sönnerman?'

'Ja. Vannacht heb ik de identiteit achter een ander pseudoniem ontdekt. Van degene die zich Wolfsangel/BW noemt.'

'En wie is dat?'

'Hij heet Jonas Eriksson. Ik heb hem nagetrokken. Het was verschrikkelijk onaangenaam.'

Jian zweeg en nam nog een paar happen. Ola keek naar zijn vrouw. Hij bewonderde haar op veel manieren, maar hij was zich er ook van bewust waaraan ze haar gezin door haar werk had blootgesteld. Ze hadden meerdere keren heel felle discussies gehad of het verstandig was om de internethaters te confronteren op de manier zoals zij deed. Het was niet zo dat hij had geprobeerd haar tegen te houden, hij was net zo betrokken als zij, maar hij was van mening dat Jian af en toe iets voorzichtiger kon zijn. Dat ze met het oog op de consequenties niet zo ver moest gaan in wat ze openbaar maakte.

Nu was de consequentie misschien een dode zoon en hij wist niet hoe hij daarmee moest omgaan. Hij had haar zelf aangespoord om te proberen Arams moordenaar te vinden, maar dat was voornamelijk een manier geweest om ervoor te zorgen dat ze weer functioneerde. Om te voorkomen dat ze opgenomen werd.

Dat was hem gelukt, maar nu vroeg hij zich af wat de consequenties zouden zijn.

'Waarom was het zo onaangenaam?' vroeg hij.

'Jonas Eriksson is lid van het Zweeds Arisch Verzet. Net als Måns Berntsson. Hij heeft een angstaanjagende hoeveelheid geweldsdelicten op zijn naam staan.'

'Waar woont hij?'

'In Stockholm.'

'Dus die thread bestaat uit twee leden van het Zweeds Arisch Verzet en één Zweden-democraat?'

'Ja.'

'En de vierde?'

'Die heb ik nog niet achterhaald.'

'Weten die mensen dat je hun namen achterhaald hebt?'

'Nee.'

'Kunnen ze daarachter komen?'

'Nee.'

'Weet je dat zeker?'

'Ja.'

Ola knikte. Hij moest Jian vertrouwen, hij wist niet precies hoe ze te werk ging. Jian keek naar haar man. Ze wist heel goed wat hij voelde en dacht.

'Ik doe dit voor Aram,' zei ze.

'Dat weet ik.'

'Als ik de politie kan helpen om Arams moordenaar te vinden, dan is het elke nacht die ik eraan besteed waard. Ongeacht hoe onaangenaam het is.'

Ola boog zich over de tafel en legde zijn hand op Jians wang.

'Ik hou van je.'

Jian gaf een kus op zijn hand en stond op. Ze pakte haar mobiel en belde Olivia, maar die nam niet op. Ze pakte haar handtas en haalde er een geel Post-it-briefje uit. Het telefoonnummer op het briefje was het rechtstreekse nummer van Mette Olsäter van de Rijksrecherche.

Mette kreeg Jians telefoontje in haar kantoor. Het was kort en vrij formeel. Ze kenden elkaar niet en Jian wist niet dat Mette vlak na de moord op haar zoon bij haar thuis was geweest. Toen had ze in de slaapkamer op bed gelegen.

'Jonas Eriksson?' zei Mette.

'Ja. Hij is lid van het Zweeds Arisch Verzet.'

'Heb je een adres?'

Jian gaf Mette het adres.

'Bedankt.'

Mette verbrak de verbinding, belde een collega en vroeg hem om te controleren of ze iets hadden over Jonas Eriksson, wonend in de Flemminggatan in Stockholm.

Dat hadden ze.

Eriksson was in 1996, toen hij achttien was, veroordeeld voor dood-slag, een doodslag met een racistische inslag, ook al stond dat niet in het verslag. Hij had ruzie gekregen met twee immigranten en had een van hen met een mes in zijn hals gestoken. Nadat hij zijn straf had uitgezeten, was hij voor drie gevallen van mishandeling veroordeeld, allemaal haatmisdrijven. Sinds een aantal jaar was hij een actief lid van het Zweeds Arisch Verzet.

Mette belde Svensson en vertelde over de nieuwe nazi in de inter-netthread, Jonas Eriksson, de man die had gevraagd of Måns Bernts-son hulp nodig had met het kankerwijf. Hij stelde voor dat Svensson Berntsson opnieuw zou verhoren, zowel over de mannen in de ano-nieme thread als de bedreiging van Olivia Rönning.

Toen ze ophing gaf ze aan zichzelf toe dat Jians werk lonend zou kunnen zijn. Dat deze internethaters een verband met haar onderzoek konden hebben. Twee van hen waren lid van het Zweeds Arisch Verzet, individuen die primitief en naïef waren en zich bezighielden met ras-sen gemotiveerde geweldsverheerlijking.

Een van hen woonde in Skåne.

*

Svensson sloeg af naar het politiegebouw in Höganäs. Hij had net met Mette Olsäter gepraat en had haar opdracht gekregen. Måns Berntsson moest opgehaald worden voor een verhoor. Toen hij uit de auto stapte kwamen Frans en Olivia net naar buiten.

'Frans!'

Svensson gebaarde dat Frans naar hem toe moest komen.

'Ik wil dat je Måns Berntsson ophaalt. We gaan hem verhoren.'

'Oké.'

'Dan wil ik mee.'

Olivia was bij hen gaan staan. Svensson keek naar haar.

'Dat hoeft niet,' zei hij.

'Maar ik wil mee.'

'Het is voldoende dat Frans gaat.'

Ze keken elkaar een paar seconden aan, daarna maakte Olivia een gebaar en Svensson liep een paar meter met haar mee.

'Waarom wil je niet dat ik meega?' vroeg ze zachtjes.

'Om wat er tussen Berntsson en jou gebeurd is.'

'Heb je gehoord wat hij over me geschreven heeft?'

'Ja. Dat is ook een reden.'

Olivia begreep Svensson. Hij was bezorgd om haar. Een bezorgdheid waar ze op dit moment geen behoefte aan had.

'Ik begrijp je bezorgdheid,' zei ze. 'Bedankt daarvoor. Maar hij heeft mij een kankerwijf genoemd. Niet Frans. Ik wil erbij zijn als hij opgehaald wordt. Is dat te veel gevraagd?'

Svensson keek naar Olivia. Berntsson zou alleen opgehaald en naar het bureau gebracht worden. Als het zoveel voor Olivia betekende om erbij te zijn, dan moest het maar.

'Oké,' zei hij. 'Maar laat Frans de kwestie regelen.'

'Natuurlijk.'

Frans reed en Olivia zat naast hem.

Ze zwegen allebei.

De afgelopen minuten had Olivia gespleten gevoelens over de opdracht gekregen. Ze wist dat ze zichzelf in toom moest houden. Wat in de pub was gebeurd mocht geen invloed op de situatie hebben. Het was niet onmogelijk dat Berntsson daar een toespeling op zou maken en misschien zou proberen haar te provoceren. Ze hoopte dat Frans deze keer een beetje meer tegen hem in zou gaan.

'Hoe voel je je hierover?' vroeg ze.

'Wat bedoel je? Dat we naar Måns gaan?'

'Ja. Hij is tenslotte een vriend.'

Olivia had er spijt van op het moment dat ze het zei. Absoluut onnodig, dacht ze. Beheers je.

Frans hield zijn ogen op de weg gericht.

'Ik denk dat het goed zal gaan.'

De schuur was groot, met een hoog plafond en witgekalkte muren. Aan de muur hing oogstgereedschap. Er was geen verwarming. Dat was te zien aan de ademhaling van de deelnemers en aan hun kleding. Ze droegen allemaal een jas. In totaal waren er zeventien personen verzameld rond de lange bruine tafel, vijftien mannen en twee vrouwen. Ze hadden allemaal een stapel papieren voor zich liggen. Langs de muren van de schuur stonden mannen met kortgeknipt haar, allemaal van een lager niveau. Spierbonken. Een van hen was Jonas Eriksson. Zijn wapen stak onder zijn colbert uit. Het licht van de wandlampen viel op de tafel in het midden. Het zou een scène uit *The Sopranos* kunnen zijn, maar dit waren geen maffiosi, het waren personen met heel andere ambities.

Måns Berntsson stond aan het hoofd van de tafel, hij was de gastheer van de bijeenkomst. De vorige nacht was zijn moeder overleden en hij was urenlang bezig geweest met het steunen van zijn vader Arvid. Hij hoopte dat het geen invloed op zijn uitstraling zou hebben.

De anderen rond de tafel waren leden van een aantal nationaalsocialistische bewegingen uit verschillende delen van Scandinavië. Ze hadden niet allemaal dezelfde agenda, maar hadden één gemeenschappelijk punt: de strijd voor een etnisch zuiver Scandinavië. Iedereen keek naar Berntsson.

Hij was midden in zijn openingstoespraak. Die was ingeleid met een citaat uit Anders Behring Breiviks internationale manifest, waarin hij pleitte voor het wegvagen van Eurabië met behulp van excessief geweld.

Nu was hij overgegaan op de reden van de bijeenkomst.

'De strijd voor een rassenzuiver Scandinavië komt in een beslissende fase,' zei hij met een kalme en beheerste stem. 'Als we daarin willen slagen moeten we over de grenzen heen samenwerken. We moeten de verschillen tussen ons negeren en ons concentreren op datgene wat ons verenigt: het wegvagen van de multiculturele samenleving.'

Iedereen rond de tafel knikte.

'Het is tijd om over te gaan van propaganda naar actie,' ging Berntsson verder. 'Overal in Europa winnen de ideeën van het nationaalsocialisme terrein. Nu moeten we in Scandinavië tonen dat dat ook voor ons geldt. Voor jullie op de tafel ligt een voorstel voor een actieplan dat onze organisatie opgesteld heeft. Het is gebaseerd op onze eerdere bijeenkomsten en jullie kennen het grootste deel van de inhoud. Die beschrijft de celactiviteit die opgebouwd moet worden en die in bepaalde richtingen al op gang gekomen is.'

Sommigen rond de tafel bladerden in de stapel papieren voor hen, de meesten deden dat niet. Ze wisten in grote lijnen wat de inhoud was. Een van de Denen stak een hand op en zei: 'Hoe gaat de communicatie tussen de cellen verlopen?' vroeg hij.

'Helemaal niet,' antwoordde Berntsson. 'Alle terugkoppeling zal verticaal plaatsvinden, nooit horizontaal.'

'Wat is jullie voorstel over de omvang van de cellen?'

'Maximaal vier personen. Allemaal met een andere competentie.'

'Hoe worden de acties van de cellen gecoördineerd?'

'Elke cel werkt binnen zijn eigen land. De overkoepelende coördinatie is een van de kwesties die we nu moeten bespreken.'

Frans stopte op de grote weg bij Berntssons boerderij. De boerderij lag vrij ver naar achteren en was omringd door hoge bomen. Voor de boerderij stonden auto's geparkeerd.

'Hij heeft bezoek,' zei Olivia.

Frans reed het grindpad op dat naar het huis leidde. Aan beide kanten stonden knoestige wilgen.

'We stoppen hier,' zei Olivia.

Frans remde voor een paar grote hekpalen van grijze steen. Nu zagen ze ook motoren op het erf.

'Is dat een motorclub?' vroeg Olivia.

'Waarschijnlijk. Bij wijze van bescherming misschien.'

'Bescherming waartegen?'

'Onwelkome bezoekers.'

'Zoals wij.'

'Ja.'

Olivia aarzelde even.

'Misschien moeten we versterking vragen?' zei ze.

'We doen eerst een poging.'

'Oké.'

Ze stapten uit de auto en begonnen naar het huis te lopen. Halverwege zagen ze een paar in leer geklede mannen voor de deur van de grote rode schuur staan.

'Ze zijn blijkbaar in de schuur,' zei Frans. Hij begon naar het gebouw te lopen.

Olivia liep achter hem aan. Toen ze de schuurdeur naderden, gingen vijf forse motorclubleden in een rij voor de ingang staan. Frans haalde zijn legitimatie tevoorschijn en liet die zien.

'Wat is hier aan de hand?' vroeg hij.

'Een bijeenkomst,' antwoordde de man in het midden.

'Wat voor bijeenkomst?'

De man gaf geen antwoord.

'We willen Måns Berntsson spreken,' zei Frans.

'Hij is bezig.'

'Kunnen jullie hem halen?'

'Hij is bezig. Ben je doof?'

'Dan willen we naar binnen.'

'Hebben jullie een huiszoekingsbevel?'

Frans keek naar het motorclublid. Ze hadden geen huiszoekingsbevel, wat betekende dat ze niet zomaar de schuur in konden gaan. Frans liep naar de deur en riep: 'Måns! Frans hier. Kun je even naar buiten komen?'

Twee van de motorclubleden liepen naar Frans toe en duwden hem bij de deur vandaan. Frans sloeg hun handen weg. Op dat moment opende Måns Berntsson de deur en kwam naar buiten, op de voet gevolgd door Jonas Eriksson. Ze gingen achter de motorclubleden staan. Olivia zag dat Eriksson naar haar staarde. Ze keek weg.

'Hallo, Frans,' zei Berntsson. 'Wat is er?'

'We willen met je praten.'

'Ga je gang.'

'Op het politiebureau.'

'Dat gaat niet. Ik ben bezig.'

'En wij zijn politieagenten en willen met je praten.'

'Sorry.'

Berntsson glimlachte breed.

'Waarom lach je?' zei Frans.

'Omdat je omgaat met een kankerwijf.'

Frans deed een snelle stap naar voren en zijn rechtervuist schoot naar de glimlachende Berntsson. Een van de motorclubleden ging voor Berntsson staan en kreeg de stoot van Frans op zijn wang. De andere motorrijders renden naar Frans toe.

'Stoppen! Nu!' riep Berntsson.

Iedereen bleef staan.

'Ik heb hier geen tijd voor,' zei Berntsson. 'Verdwijn!'

'Vergeet het maar!' schreeuwde Frans. 'Je gaat mee!'

'Frans!' riep Olivia terwijl ze aan zijn uniformjas trok. Ze besefte dat ze versterking nodig hadden voordat de situatie helemaal uit de hand zou lopen.

'Ga mee!'

Frans liet zich met tegenzin meetrekken. Halverwege de boerderij draaide hij zich om. Hij keek naar het motorclublid dat de stoot op zijn wang had gehad en stak zijn middelvinger naar hem op.

Toen Olivia zich omdraaide zag ze dat Eriksson nog steeds naar haar staarde. Wat ze niet zag was zijn enorme erectie.

Op de terugweg zwegen ze een hele tijd.

Frans voelde zich verward. Hij was zijn zelfbeheersing verloren, en het was nog erger dat Olivia daarbij was geweest. Zijn hart klopte nog steeds gevaarlijk snel en hij transpireerde over zijn hele lichaam.

Olivia had Svensson gebeld zodra ze in de auto zaten en had om versterking gevraagd. Svensson had gezegd dat ze terug moesten komen. Nu zat ze met haar handen verstrengeld op haar schoot. Ze had bij de schuur geprobeerd zich in te houden, ze had van tevoren besloten om het Frans te laten regelen. Toen hij zijn zelfbeheersing verloor moest ze wel optreden. Zowel om escalatie te voorkomen als om Frans te kalmeren.

Ze verdacht hem ervan dat hij zo overtrokken had gereageerd om iets aan haar te bewijzen.

Het was geen prettig gevoel.

Stilton naderde Långvik op Möja. Hij was 's ochtends eerst met de boot naar Kummelnäs gevaren om *De monnik* bij Mette op te halen en was meteen daarna verder gevaren.

Hij stuurde naar de steiger in de beschutte baai, legde de boot vast en liep door Långvik. Hij had haast. Hij legde de afstand aanzienlijk sneller af dan de vorige keer en liep naar het hek van het grote huis. Er was niemand te zien. Hij liep met het boek in zijn hand naar de voordeur. Er was geen bel of deurklopper, dus klopte hij hard op de deur. Er gebeurde niets. Hij klopte nog een keer en voelde daarna aan de deur. Die zat op slot. Hij keek door een raam naar binnen, maar zag niemand. Waar is ze? In haar werkkamer? Hij liep om het huis heen. Aan de achterkant was een keukendeur die op de achtertuin uitkwam. Hij liep ernaartoe en voelde eraan. De deur zat niet op slot. Hij keek snel om zich heen voordat hij naar binnen ging.

Hij kwam nu van een andere richting en het duurde even voordat hij in een kamer kwam die hij herkende. Hij liep door de bibliotheek naar Barbro's werkkamer. Er waren binnen geen geluiden te horen. Hij opende de deur en keek naar binnen. De kamer was leeg. Op het moment dat hij zich wilde omdraaien, zag hij de zandloper op de tafel staan. De as liep door het smalle middengedeelte.

Iemand had hem omgedraaid.

'Wat doe je hier?'

Stilton schrok en draaide zich om. Clark stond in zijn werkoverall in de bibliotheek. Hij zag er ontdaan uit.

'Ik zoek Barbro,' zei Stilton terwijl hij naar Clark toe liep.

'Ze is er niet.'

'Wanneer komt ze terug?'

'Geen idee.'

Ze keken elkaar aan. Stilton hield het boek omhoog.

'Herken je dit boek?'

'Nee,' zei Clark zonder ernaar te kijken.

Stilton keek naar zijn handen, op zoek naar schrammen van de slee-doornstruik, maar zag niets.

'Ben je eergisteren op Rödlöga geweest?' vroeg hij.

'Waar ligt dat?'

Stilton voelde een reflex in zijn arm. Hij stond op het punt om Clark te slaan, maar beheerste zich.

'Vertel Barbro maar dat ik langs geweest ben,' zei hij.

Clark bleef op dezelfde plek staan terwijl Stilton de bibliotheek uit liep.

Hij was bijna in Långvik toen hij Barbro zag. Ze kwam uit het huis van de Drankbaron, stapte op een brommer met laadbak en reed naar de grindweg. Stilton ging midden op de weg staan. Barbro remde een stukje voor hem zonder de motor uit te zetten.

'Ben je er alweer?' zei ze.

'Ja.'

'Ik lees iemands hand nooit twee keer.'

'Heel verstandig. Ik was bij het huis en Clark zei dat je er niet was.'

'Waarom was je bij het huis?' vroeg Barbro.

'Ik wil je een vraag over dit boek stellen.'

Stilton hield haar *De monnik* voor.

'Dat is mijn boek,' zei Barbro meteen. 'Heb je het meegenomen uit de bibliotheek?!'

'Nee.'

'Hoe ben je er dan aan gekomen?'

'Ik heb het in een antiquariaat op Söder gekocht.'

'Ja?'

'Hoe is het daar terechtgekomen?'

Barbro zag er heel verward uit.

'Dat moet... dat moet zijn geweest toen we de bibliotheek opruim-den. We hebben wat boeken die we weg wilden doen in dozen gestopt en Clark is naar het dichtstbijzijnde antiquariaat gereden om ze te ver-kopen. Dit moet daar per ongeluk tussengekomen zijn.'

'Blijkbaar,' zei Stilton. 'Er staat een opdracht in het boek. Hier.'

Stilton opende het boek en wees naar de opdracht: 'Voor mijn ge-liefde – de moeder van het universum is met je. Was dat voor jou?'

'Ja, ik heb het boek van mijn geliefde Stellan gekregen toen we in het huis gingen wonen. Hoewel ik het niet uitgelezen heb, alleen een stukje. Ik vond het een heel vreemd verhaal.'

'Hebben jullie het boek in het huis gehad vanaf het moment dat je het kreeg?'

'Ja.'

'Wie woonde rond 2005 in het huis?'

'Waarom vraag je dat?'

'Nieuwsgierigheid.'

'Tja, in 2005 woonden alleen Clark en ik daar.'

'Weet je dat zeker?'

'Ja. En Tessan en Johan hebben rond die periode bij ons gelogeerd. Ze waren een bakkerij begonnen, maar verdienden niet genoeg, dus hebben ze een tijdje bij ons gewoond.'

'Wat is hun achternaam?'

'Dat herinner ik me niet.'

'Weet je waar ze nu wonen?'

'Nee.'

'Wat is de achternaam van Clark?'

'Ståhl. Waarom stel je zoveel vragen?'

Barbro schakelde en gaf een beetje gas. Stilton bleef staan.

'Ik moet gaan,' zei ze. 'Mag ik het boek hebben? Of terugkopen?'

'Nog niet, ik ben er nog in bezig. Je krijgt het van me zodra ik het uit heb.'

'Dat is lief van je.'

Stilton deed een stap opzij en Barbro verdween op haar brommer. Hij keek haar na tot ze achter een bocht verdween. Hij had op het punt gestaan om haar naar de knipsels in het boek te vragen, maar had zich ingehouden. Hij wilde niet dat die informatie bekend zou worden.

Het was voldoende dat hij nu wist waar het boek vandaan kwam.

Frans en Olivia hadden verslag uitgebracht aan Svensson over het voorval bij Berntssons boerderij. Hij had onmiddellijk voldoende versterking gevraagd om de opdracht die hij had gekregen uit te voeren: Måns Berntsson ophalen voor een verhoor op het politiebureau in Höganäs. Dat was deze keer probleemloos verlopen, Berntsson was alleen op de boerderij toen ze arriveerden. Hij had begrepen wat hem te wachten stond en had de bijeenkomst in de schuur afgebroken.

De nazi's zouden het contact op een andere plek voortzetten.

Nu zaten de twee mannen in een kleine kamer, allebei aan een kant van een grijze tafel. Svensson had de bandrecorder aangezet en de formaliteiten ingesproken, voor hem lag een stapeltje papieren.

'Dit is de tweede keer dat we met elkaar praten,' begon hij.

'Dat klopt. Ik snap alleen niet waarom. Ik heb dat negerjong niet vermoord.'

Svensson gaf geen commentaar.

'Wat voor bijeenkomst hadden jullie in de schuur?' vroeg hij. 'Toen onze agenten daar de eerste keer arriveerden?'

'Een interne strategiediscussie. Is dat verboden?'

'Dat hangt ervan af wat er besproken wordt. Het voorbereiden van een misdaad is strafbaar. Ken je de namen Axel Sönnerman en Jonas Eriksson?'

Er volgde geen duidelijke reactie. Svensson zag alleen dat Berntssons ogen even opzij schoten.

'Nee,' antwoordde Berntsson.

'Weet je dat zeker?'

Berntsson gaf geen antwoord.

'Dit zijn gesprekslijsten,' ging Svensson verder terwijl hij met een vinger op de papieren voor hem tikte. 'Ze tonen je mobielverkeer van de afgelopen tijd. Ze tonen ook dat je op bepaalde tijdstippen heel veel contact hebt gehad met drie nummers. Twee van die nummers zijn van Axel Sönnerman en Jonas Eriksson, allebei woonachtig in Stockholm.'

'Eriksson is een lid van onze beweging.'

'Dat weten we. Daarnet kende je zijn naam nog niet.'

'Ik herinner het me nu weer.'

'En Sönnerman? Herinner je je die naam ook weer?'

'Ik heb voortdurend contact met heel veel mensen in het hele land, ik ken niet alle namen uit mijn hoofd. Waar wil je naartoe?'

Svensson trok een vel papier tevoorschijn en legde dat boven op de andere.

'Ken je het pseudoniem Tyrrune/BW?'

'Waarom vraag je dat?'

'Tyrrune/BW is heel actief op diverse sociale media, vooral op sites zoals Avpixlat en Fria Tider. En op Flashback. Ik kan een van de commentaren van het pseudoniem citeren: "Elk onkruid dat verwijderd is, biedt plaats aan nieuw, vers gras. Dat weten we. We hebben onkruid verwijderd in Arild, ik hoop dat dit een inspiratiebron voor jullie is." Weet je wat er bedoeld wordt met dat commentaar?'

'Waarom zou ik dat weten?'

'Omdat het jouw pseudoniem is. Dat hebben we onder meer via je gebruikersaccount ontdekt. Klopt dat niet?'

'Geen commentaar.'

'Geen commentaar? Gaan we zo doen?'

'Blijkbaar.'

'Jammer. Ik heb hier twee andere pseudoniemen, Hagalrune/BW en Wolfsangel/BW. Weet jij wie zich daarachter verbergen?'

'Nee. Maar dat weet jij waarschijnlijk wel.'

'Sönnerman en Eriksson. De vrienden met wie je zoveel contact hebt gehad. Samen met het pseudoniem Triskele/BW hebben jullie een thread op Flashback. Het citaat van daarnet was afkomstig van die thread. Wij denken dat jullie communicatie betrekking heeft op de moorden op Emelie Andersson en Aram Mellberg. Heb je daar iets op te zeggen?'

'Nee.'

'Wie verbergt zich achter Triskele/BW?'

'Weten jullie dat niet?'

'Daar komen we nog wel achter. Maar jij weet het nu al.'

Berntsson zweeg. Hij krabde aan zijn arm.

'Ik kom daar nog op terug,' zei Svensson met een glimlach. 'Wat betekenen de letters BW achter de schuine streep?'

'Daar mag je zelf achter zien te komen,' zei Berntsson, waarna hij terugglimlachte. 'Zijn we klaar?'

'Bijna. Ik heb nog één kort citaat van jouw pseudoniem.'

Svensson las voor van het vel papier dat voor hem lag.

'Er is hier een kankerwijf dat we op de lijst kunnen zetten.'

Svensson keek naar Berntsson en maakte een vragend gebaar.

'Er zijn veel kankerwijven in deze omgeving,' zei Berntsson.

'Dus je had geen speciaal iemand op het oog?'

'Nee.'

'Bedoelde je Olivia Rönning?'

'Wie is dat?'

'Dat is de vrouw die een van je vrienden een klap heeft gegeven in Glöd. Dat herinner je je misschien?'

Berntsson gaf geen antwoord.

'Je kreeg antwoord van pseudoniem Wolfsangel/BW,' ging Svensson verder. 'Jonas Eriksson dus. "Zeg het maar als je hulp nodig hebt." Hulp waarmee?'

'Geen commentaar.'

'Wat is het voor lijst waar dat kankerwijf op gezet moest worden?'

'Dat herinner ik me niet.'

'Het kan gemakkelijk als een bedreiging opgevat worden.'

'Of een belofte.'

Svensson keek naar Berntsson, zette de bandrecorder uit en boog zich een stukje naar voren.

'Je bent een weerzinwekkend mens. Onontwikkeld, met een totaal verwrongen brein,' zei hij met een ijskoude klank in zijn stem. 'Het milieu waarin je verkeert is walgelijk en ziek, maar dat is jouw keus. Ik wil alleen dat je één ding begrijpt. Bedreig nooit een van mijn collega's.'

Ze keken elkaar aan.

Toen Berntsson uit het politiebureau kwam stak hij de straat over naar een donkere auto. In de auto zat Jonas Eriksson. Berntsson ging op de passagiersstoel zitten, pakte zijn mobiel en schreef een sms. Hij besloot met: VASSA EGGEN MORGEN 20.00 UUR.

Hij stuurde de sms naar twee mobiele nummers. Daarna draaide hij zich naar Eriksson.

'We hebben het een en ander te doen,' zei hij. 'Rijden.'

Eriksson reed bij de stoep weg terwijl hij tegelijkertijd vroeg: 'Waar woont dat kankerwijf?'

*

Ze gingen vlak voordat het begon te schemeren naar het Mellansjön.

Barbro liep voorop met een staaflamp in haar hand, Clark liep achter haar. Ze wisten precies waar de skeletdelen in augustus waren gevonden. Een paar zwemmende jongeren met duikbrillen hadden ze gevonden, onder water vastgeklemd tussen een paar stenen bij het riet. Het gerucht over de vondst verspreidde zich snel en Barbro en Clark waren bij het meer geweest voordat de politie arriveerde. Barbro was ervan overtuigd dat de skeletdelen van haar verdwenen echtgenoot waren.

De politie dook een paar keer plichtmatig, waarna ze het opgaven met het excuus dat het veel te modderig was. Barbro gaf ze een blonde pluk haar van Stellan die ze in een doosje had bewaard, forensisch experts namen DNA van de pluk haar en vergeleken dat met het skelet, waarna de identiteit van Stellan Eklind vastgesteld kon worden.

'Het kan in het gat liggen,' zei Barbro.

Ze doelde op Stellans schedel, wat Clark met tegenzin begreep. Het hele plan om ernaar te zoeken stond hem tegen. Gisteren had hij al geprobeerd om de onderneming tegen te houden zonder dat het iets had opgeleverd. Een paar uur geleden had hij een nieuwe poging gedaan.

'Wat heeft het voor nut? Je weet dat hij verdronken is.'

'Dat is hij helemaal niet! Begin jij nu ook? Als we de schedel van Stellan vinden kunnen we de politie misschien bewijzen dat ik gelijk heb! Dat hij vermoord is!'

Nu stonden ze bij de rietkraag waar de skeletdelen waren gevonden. Barbro wees naar het donkere water.

'Daar is het toch?'

'Ja.'

Het gat bevond zich vlak naast de rietkraag. Het was een diepe kuil die in de jaren zeventig was gevuld met ronde stenen om jonge kreeften bescherming te geven, zodat ze niet werden opgegeten door vissen of vogels of nertsen. Clark was aanwezig geweest bij het vullen. Hij hield van kreeften. Nu waren de kreeften verdwenen en moest hij in het gat naar een schedel zoeken.

'Ga je?' zei Barbro.

Clark zuchtte en trok een oud groen waadpak aan dat tot zijn schouders kwam. Ze hadden een kleine ijzeren emmer bij zich waarvan de bodem was vervangen door plexiglas. Barbro gaf de emmer aan Clark.

'Heb je de lamp nodig?'

'Ja.'

Clark pakte de lamp in zijn andere hand en waadde naar de rietkraag. Het water kwam tot zijn borst. Hij duwde de emmer onder het oppervlak en liet het licht van de staaflamp op de bodem schijnen, in de richting van de kuil.

'Zie je het gat?' riep Barbro.

'Ja.'

'Hoe ziet het eruit?'

'Het ligt vol stenen.'

Clark liet de lichtkegel over de ronde stenen in het gat glijden, hij had goed zicht door de emmer. De stenen waren bruin en waren nauwelijks te onderscheiden van de ronding die plotseling in het lichtschijnsel verscheen.

Bijna in het midden van het gat.

*

Svensson vroeg Frans en Olivia om mee te gaan naar Glöd. Hij wilde trakteren op een biertje of een glas wijn. Deels omdat hij zich verantwoordelijk voelde voor wat er op Berntssons boerderij was gebeurd en daarover wilde praten. Achteraf gezien had hij Frans en Olivia niet alleen moeten sturen.

Frans sloeg het aanbod af. Hij vond het nog steeds moeilijk om in zijn vrije tijd met zijn superieuren om te gaan, bovendien schaamde hij zich voor zijn uitbarsting bij de schuur en wilde hij er niet over praten. Hij had zich bijzonder onprofessioneel gedragen.

Olivia wilde wel.

Ze greep alles aan om uit de buurt van het donkere gastenverblijf met de glasscherven op de vloer te blijven.

Olivia was er als eerste. De pub was bijna leeg en ze ging bij de bar staan. Viggo verscheen vanuit het niets en draaide aan zijn rode snor. Hij hoopte dat er vanavond geen problemen zouden ontstaan.

'Hoe is het met je?' vroeg hij.

'Goed. Bedankt voor de namen die ik van je gekregen heb.'

Viggo keek rond in de pub of er iemand was die hen kon afluisteren, maar dat was niet zo.

'Geen dank,' antwoordde hij. 'Een biertje?'

'Graag.'

'Je haar zit heel leuk.'

'Dank je.'

Viggo begon een glas bier te tappen.

'Mag ik iets aan je vragen?' zei hij. 'Jij bent tenslotte een vrouw.'

'Natuurlijk.'

'Het gaat om mijn snor. Hoe voelt het als je een snor hebt?'

'Vraag je dat aan mij?'

'Luister, ik heb een mooie vrouw ontmoet toen ik laatst in het dorp was. We hebben contact gehouden en nu vraag ik me af hoe dat is met een snor. Ik bedoel om te kussen.'

'Wat wil je weten? Of het vreemd voelt?'

'Mijn moeder heeft altijd gezegd dat geen enkele vrouw het fijn vindt om een man met een gezicht vol stekelig haar te kussen. Is dat zo?'

Viggo zette het glas bier neer en Olivia zag dat hij het meende.

'Daar kan ik geen antwoord op geven,' zei ze. 'Ik heb nog nooit gezoend met een man met zo'n snor.'

'Dan weet je dus niet hoe het voelt.'

'Nee. Wil je dat ik het probeer?'

Ze glimlachte terwijl ze het zei en nam een slok bier. Viggo glimlachte niet.

'Wil je dat doen?' vroeg hij.

'Nee.'

'Dan is het klaar. Morgen gaat hij eraf. Laat het je smaken.'

Viggo maakte een lichte buiging en verdween achter de bar.

Nu heb ik ervoor gezorgd dat hij zijn snor afscheert, dacht Olivia. Ik had het best kunnen proberen. Misschien prikt het helemaal niet zo erg.

'Waar sta jij over te piekeren?'

Svensson kwam achter haar staan met een bruine aktetas in zijn hand.

'Snorren,' zei Olivia.

'Ben je verliefd op Viggo?'

'Absoluut niet. Heb je met Frans gepraat?'

'Even, op het bureau. Hij is een beetje neerslachtig. Ik heb gepro-

267

beerd hem op te peppen, het is tenslotte deels mijn schuld dat het verkeerd ging bij de schuur.'

'Ik denk dat het ook mijn fout is,' zei Olivia.

'Waarom denk je dat?'

Olivia vond het te lastig en te persoonlijk om daar antwoord op te geven.

'Zullen we bij een tafeltje gaan zitten?' vroeg ze.

Ze gingen bij een tafel zitten en Svensson bestelde een glas wijn.

'Hoe ging het verhoor van Berntsson?' vroeg Olivia.

'Ik kreeg bevestigd wat ik al wist. Helaas zweeg hij over het vierde pseudoniem.'

'Dat krijgt Jian beslist boven water. Ze is net een terriër.'

Svensson glimlachte.

'Weet je wat voor bijeenkomst ze in die schuur hadden?' vroeg Olivia.

'Niet precies, maar ik denk dat het hierover ging.'

Svensson pakte zijn aktetas, haalde een stapel papieren tevoorschijn en liet ze aan Olivia zien.

'Wat is dat?'

'Je zou het een actieplan kunnen noemen. We hebben het meegenomen toen we Berntsson ophaalden.'

Olivia keek naar de stapel papier. Op de voorkant stond: ACTIEPLAN VOOR EEN ARISCH SCANDINAVIË.

'Onaangenaam leesvoer,' zei Svensson. 'Het had door Hitler geschreven kunnen zijn.'

'Waar gaat het over?'

'Het eerste deel is voornamelijk nationaalsocialistische retoriek, hoe en waarom ze de leiding over de samenleving moeten nemen en wat ze daarna moeten doen. Maar het interessante komt daarna.'

Svensson bladerde door de stapel papieren tot hij had gevonden wat hij zocht.

'Wat staat daar?' vroeg Olivia.

'Dat ze in heel Scandinavië een netwerk van racistische cellen willen opbouwen.'

'Racistische cellen?'

'Ja. Volgens dit actieplan moet het een soort tegenhanger worden van terroristische cellen, kleine autonome eenheden met speciale opdrachten dus.'

'Wat voor speciale opdrachten?' vroeg Olivia.

'Waarschijnlijk opdrachten die ze niet op hun officiële agenda willen hebben, zoals geweldsdelicten. Explosies, moord.'

'Hoe groot is zo'n cel?'

'Volgens deze tekst bestaat die uit drie of vier personen.'

'Zoals in Jians thread,' zei Olivia onmiddellijk.

'Ja.'

'Ze kunnen dus een racistische cel vormen?'

'Dat is mogelijk. Op weg hiernaartoe bedacht ik iets. Ik heb het materiaal van Jian met alle pseudoniemen van Mette gekregen. Alle pseudoniemen eindigen met een schuine streep en de letters BW.'

'Dat klopt. Jian weet niet wat het betekent.'

'Ik heb het Berntsson gevraagd, maar hij wilde het niet vertellen. Ik denk dat het blanke wraak betekent.'

'Blanke wraak?'

'Ja.'

'Waarom denk je dat?'

'Omdat Måns Berntsson die woorden pasgeleden op zijn borstkas heeft laten tatoeëren. Het zou kunnen zijn dat ze die naam voor hun racistische cel hebben gekozen, als ze tenminste zo'n cel hebben gevormd.'

Olivia dacht na over wat Svensson had gezegd. Een anonieme racistische cel die Blanke Wraak heette. Het klonk heel ziek, maar het ging ook om heel zieke mensen, met een net zo zieke agenda. Actieplan voor een Arisch Scandinavië.

Ze keken elkaar aan.

'Plotseling hebben we dus openlijke conflicten met echte nazi's?' vroeg Olivia. 'Met personen die broodjes in de vorm van hakenkruizen bakken en die aan hun kinderen geven?'

'Broodjes in de vorm van hakenkruizen?'

'Dat heb ik gelezen. Het is weerzinwekkend.'

'Ja. Dat is het. Helaas lijkt het te escaleren door de komende verkiezingen en alle emotionele escalaties die daaruit voortkomen. Er staat ons nog heel wat te wachten.'

'Waarschijnlijk wel.'

Ze dronken hun glas leeg en wilden allebei niet meer. Olivia wilde Jian en misschien Mette bellen om over racistische cellen te praten. Het werd tijd om naar het gastenverblijf te gaan. Ze stond op en keek naar Svensson. Ze vond hem echt heel aardig.

'Waarom word je augurk genoemd?' vroeg ze.

'Dat is een lang verhaal. Ben je van plan om naar Nyhamnsläge te gaan?'

'Ja.'

'Dat wil ik niet.'

'Wat wil je niet?'

'Dat je vannacht in dat huis slaapt. Niet in deze situatie, nu je bedreigd wordt. Het bezoek aan Berntsson was al verkeerd.'

'Maar ik...'

'Doe voor één keer wat ik zeg.'

Svensson ging staan en keek naar Olivia. Ze besefte dat hij het meende.

'Waar moet ik dan slapen?'

'In hotel Köpmansgården. Daar zijn vrije kamers. Wij betalen de rekening.'

'Goed, maar dan moet ik naar het gastenverblijf om mijn koffer op te halen.'

'We nemen een taxi.'

Svensson pakte zijn aktetas en ze liepen naar de uitgang. Toen ze de bar passeerden, bleef Olivia staan.

'Ik moet Viggo even proefkussen,' zei ze met een glimlach tegen Svensson.

Viggo kwam naar haar toe en Olivia boog zich naar voren.

'Geef me een kus.'

Viggo keek in de pub rond en gaf Olivia een lichte kus op haar mond. Ze ging rechtop staan.

'Hou je snor maar,' zei ze.

De taxi stopte voor het hek van het gastenverblijf. Olivia opende het achterportier.

'Eén minuut, ik hoef alleen mijn koffer te halen,' zei ze.

Svensson knikte en Olivia stapte uit. Er viel een lichte, kille regen. Ze haastte zich door het hek naar het gastenverblijf. In de huidige situatie was ze heel blij om ergens anders te slapen. Liever een schone hotelkamer dan een muf, bedompt gastenverblijf. Ze deed de deur van het slot en liep naar binnen. Zodra de deur dicht was voelde ze de kou. Het tochtte. Heb ik een raam open laten staan?

De taxichauffeur had de motor uitgezet en de koplampen uitgedaan. Hij draaide zich naar Svensson, die op de achterbank zat.

'Je komt uit Malmö, nietwaar?'

'Dat klopt.'

'Jullie doen het goed op dit moment.'

'Voetbal?'

'Ja.'

De twee mannen hadden een gezamenlijk gespreksonderwerp gevonden. Svensson kwam uit Malmö en de taxichauffeur uit Helsingborg. Ze hielden allebei van voetbal en waren vertrouwd met de rivaliteit tussen de voetbalelftallen van de twee steden. Op dit moment speelde MFF goed en had een uitstekende kans om kampioen te worden, maar de chauffeur was van mening dat het een gekocht succes was.

'Jullie hebben meer geld dan wij,' zei hij. 'Jullie kopen dure spelers. Wij zorgen ervoor dat het sportief blijft en leiden ons eigen talent op.'

'Zlatan was eigen kweek.'

'Hij is begonnen bij BK Flagg en FBK Balkan, niet bij MFF.'

Svensson glimlachte. De man achter het stuur had er verstand van. Hij keek naar het gastenverblijf. Eén minuut, had ze gezegd. Het was een lange minuut. Was ze misschien naar het toilet?

'Hoe gaat het trouwens met de moord op dat meisje?' vroeg de chauffeur.

'Daar werken we aan.'

De chauffeur knikte en keek naar het hek.

'Ze neemt er de tijd voor,' zei hij.

'Inderdaad.'

De chauffeur stopte wat pruimtabak onder zijn bovenlip.

'Ga je weleens op jacht?' vroeg hij.

'Niet meer, ik heb er geen tijd voor.'

'Morgen wordt het jachtseizoen voor rietganzen geopend.'

'O ja? Jaag jij?'

Plotseling klonk er een hard motorgeluid achter de taxi. Svensson keek uit het achterraam en zag een motor met daarop een in leer geklede berijder met een zwarte helm de weg op rijden. Het duurde een paar seconden voordat Svensson reageerde. Hij duwde het portier open en rende door het hek naar het gastenverblijf. De voordeur stond op een kier. Hij trok hem open en zag Olivia's koffer op de vloer in de hal.

'Olivia!' riep hij.

'Ja?'

Olivia kwam uit het toilet en deed de deur dicht. Er klonk een ruisend spoelgeluid.

'Wat is er?' vroeg ze.

Svensson had even tijd nodig om op adem te komen. Terwijl hij naar het huis was gerend, had hij een heleboel onaangename beelden in zijn hoofd gekregen. Hij zocht steun tegen de deuropening.

'Ik zag een motor wegrijden en je bleef zo lang weg en... jezus...'

Svensson schudde zijn hoofd en pakte Olivia's koffer van de vloer.

'Dat was vast de buurjongen,' zei Olivia. 'Er loopt een weg tussen de tuinen. Daar scheurt hij als een idioot overheen. Is de taxi er nog?'

Olivia deed de deur op slot en liep achter Svensson aan over het gazon. Hij droeg haar koffer. Net voordat Olivia de tuin uit liep keek ze achterom naar het gastenverblijf, alsof ze afscheid nam. Alles was dicht en op slot. Mooi.

Ze zag de man niet.

Als ze iets meer naar rechts had gekeken, langs de schuur naar de heg, dan had ze waarschijnlijk gezien dat hij naar haar staarde.

*

Justus maakte een wandeling. Luna had het niet prettig gevonden dat hij 's avonds laat nog naar buiten ging, maar als hij eenmaal een besluit had genomen, dan was daar weinig aan te veranderen. Bovendien had hij tegen haar gezegd dat ze de deur van zijn hut moest schuren. De zwarte verf begon af te bladderen en dat kon natuurlijk niet. Als je slordig bent met het uiterlijk, dan ben je al snel slordig met het innerlijk en dan word je in een mum van tijd een waardeloos mens, had hij gezegd voordat hij vertrok.

Luna was dus chagrijnig de deur van zijn hut aan het schuren toen Stilton de salon in kwam.

'Heeft Justus dat bedacht?' vroeg hij.

'Ja.'

'Hoe lang blijft hij hier wonen?'

'Dat weet je.'

Dat wist hij niet precies. De renovatie van een bejaardentehuis had waarschijnlijk een nogal flexibele einddatum. In het ergste geval maanden. Hij besloot er echter niets over te zeggen.

'Wil je horen hoe het op Möja ging?' vroeg hij.

'Ben je daar weer naartoe geweest?'

'Ja. Ik heb het boek bij Mette opgehaald en heb het op Möja aan Barbro Eklind laten zien,' zei Stilton. 'De opdracht was voor haar bedoeld en ze heeft het boek in huis gehad tot het bij Ronny terechtkwam.'

Luna stopte met schuren.

'Dus degene die de krantenknipsels verzameld heeft, woonde daar toen de moord gepleegd werd?' vroeg ze.

'Ja. Dat is aannemelijk.'

'Ik kan me niet voorstellen dat Barbro het gedaan heeft.'

'Dat kan wel, maar het is niet waarschijnlijk.'

'Wie woonden daar nog meer?'

'Alleen een stel dat in 2005 een eigen bakkerij was begonnen, en Clark.'

'Wie is dat?'

'Barbro's waakhond.'

'Kan hij het gedaan hebben?'

'Geen idee, maar als Jill Engbergs moordenaar de knipsels verzameld heeft, dan is het dezelfde man die die twee kinderen vermoord heeft. Dat weten we.'

'En dat kan Clark niet zijn?'

'Jawel, maar dan moet hij de zoon van Stellan Eklind zijn.'

'Misschien is hij dat wel.'

Stilton liet de opmerking tot zich doordringen. Luna begon weer te schuren. Stilton keek naar haar lichaam, ze voelde zijn blik en draaide zich om.

'Wat is er?'

'Je bent mooi.'

'Dank je.'

Luna draaide zich weer om.

'Zal ik je helpen?' vroeg Stilton.

'Dat is niet nodig.'

Stilton haalde zijn schouders op en ging bij de tafel zitten.

'In elk geval weet je nu hoe het boek bij Ronny terechtgekomen is,' zei Luna vanuit de gang.

'Ja.'

Het boek was verkocht door Clark Ståhl, die in 2005 bij Barbro had gewoond. Het jaar waarin Jill Engberg was vermoord. Stilton liet zijn gedachten de vrije loop. Jill had bij het escortbureau van Jackie Berglund gewerkt. Degene die Jill in de hotelkamer had vermoord, kon heel goed een van Jackies klanten zijn. Zover was hij destijds al gekomen. Hij had echter geen toegang tot Jackies klantenregister gehad voordat hij van de zaak was gehaald. Volgens hem was de reden daarvoor dat hij Jackies register in beslag wilde nemen. Sommige hooggeplaatste personen wilden dat voorkomen.

Het register was twee jaar geleden echter toch bij de politie terechtgekomen, in verband met de moord op Nordkoster. Het was bij Mette Olsäter beland en nu kon hij het via haar inzien.

Als de zwijgzame man op Möja om de een of andere ondoorgrondelijke reden achter de moord op Jill Engberg zat, dan kon hij inderdaad voorkomen in het register waarover Mette beschikte.

Als hij tenminste een van Jackies klanten was.

Stilton pakte zijn mobiel, belde Mette en vertelde over het merkwaardige verband tussen het boek en Möja.

'Ik vind dat we het punt naderen waarop je deel gaat uitmaken van het onderzoeksteam,' zei ze.

'Nooit.'

'Maar alles houdt verband met elkaar. Jij weet dingen die belangrijk voor ons zijn. Waarom kunnen we niet samenwerken? Ik kan je aannemen als adviseur.'

'In een moordonderzoek van de Rijksrecherche?'

Mette voelde dat het niet helemaal klopte, maar ze wist dat Tom een aanwinst zou zijn. In meerdere opzichten. Ze wist ook dat haar team respect voor hem had. Verschillende onderzoekers hadden vroeger met Tom gewerkt en kenden zijn capaciteiten.

'Wil je erover nadenken?'

'Nee.'

'Oké. Ik wil het boek terug hebben.'

'Als ik Jackie Berglunds klantenregister mag bekijken.'

'Waarom dat?'

'Omdat alles verband met elkaar houdt.'

Het werd stil. Stilton vermoedde dat Mette zich afvroeg hoe lang ze bereid was om ermee in te stemmen dat hij onderzoek deed.

'Je kunt het morgen halen,' zei ze.

'Bij de Rijksrecherche?'

'Daar werk ik, in tegenstelling tot...'

'Sorry, maar Justus komt eraan. Moet ik iets doorgeven?'
'Tot ziens.'
Mette verbrak de verbinding en Luna keek naar Stilton.
'Justus komt eraan?'
'Vroeg of laat wel.'

*

Olivia zakte weg in het opgemaakte bed in hotel Köpmansgården. De kamer was net zo schoon, licht en lekker ruikend als ze zich had voorgesteld. Het gebogen bedlampje met de stoffen kap verspreidde een warm licht.

Ze had een beetje medelijden met Svensson. Ze begreep dat ze hem had laten schrikken bij het gastenverblijf. Hoewel de buurjongen dat eigenlijk had gedaan, maar ze had zich iets meer kunnen haasten. Ze pakte haar mobiel en keek op de klok. Het is een beetje laat om Jian te bellen, dacht ze, waarna ze Mettes nummer intoetste. Er werd niet opgenomen. Tom dan? Ze had geen zin om met hem te praten. Bovendien hadden telefoongesprekken met hem de neiging om na vier korte zinnen voorbij te zijn. Ze legde haar mobiel op de tafel en dacht aan hun tocht naar Möja, aan Barbro, aan het handlezen en aan Viola, die vreemde vrouw.

Plotseling herinnerde ze zich de foto van het collectief.

Ze trok haar koffer naar zich toe, pakte de foto en ging naast de lamp zitten.

De meisjes zagen er jong en onschuldig uit. Ze waren allemaal in het wit gekleed en hadden allemaal lang, loshangend haar. Zelfs Stellan had loshangend blond haar. Hij zag er goed uit. Scherpe gelaatstrekken, rechte schouders, ze begreep dat hij meisjes naar het collectief kon lokken. Haar eerdere gedachte dook weer op: stel dat een van de meisjes op de foto een zoon van hem had gekregen? Ze hield de foto onder de lamp en bekeek hem nauwkeurig. Haar blik bleef hangen op een meisje naast Stellan. Er was iets bekends aan haar gezicht en ogen. Op wie leek ze? Op Judith? Deed het meisje haar aan Judith Boelsdotter denken? Plotseling had ze het gevoel dat het meisje op de foto inderdaad Judith kon zijn. Hoe langer ze naar de foto keek en bedacht hoe Judith er als jong meisje uit had kunnen zien, hoe zekerder ze zich voelde.

275

Het kon Judith heel goed zijn.

Ze keek weer op de klok en besefte dat het ook te laat was om Judith te bellen. Bovendien was het beter om bij haar langs te gaan om de foto te laten zien.

Ook als het een vergissing was.

Ze deed de lamp uit, ging in het zachte bed liggen en liet de duisternis op zich neerdalen. Haar gedachten gingen naar haar moeder, die een nieuwe man had ontmoet, Thomas. Een agent. Wat was zijn achternaam? Dat was ze vergeten te vragen. Slordig. Ik moet mama morgen bellen. Op het moment dat ze in slaap viel verscheen Frans' gezicht op haar netvlies.

De dageraad had zich aan de greep van de nacht ontworsteld en verspreidde een vaag licht over de omgeving, nevelslierten zweefden boven de akkergrond, in de naburige boerderijen was nog niemand wakker. De twee mannen droegen groene jachtkleding en hadden allebei een geweer onder hun arm. Ze waren op weg naar een stoppelveld vlak boven Ingelsträde, het jachtseizoen voor rietganzen was geopend en ze wilden er vroeg zijn. Toen ze over de akker liepen, wees een van de mannen met zijn geweer.

'Wat is dat in vredesnaam?' zei hij zachtjes.

In de verte zagen ze iets wat midden op de akker rechtop in de grond stond. Een zwerm roeken cirkelde erboven. Een van de mannen hield een verrekijker voor zijn ogen.

'Dat is een vogelverschrikker,' zei hij. 'Waarom zet iemand daar een vogelverschrikker neer?'

De man liep langzaam naar de vogelverschrikker toe. Toen hij tot op een meter of tien was genaderd zag hij dat hij was gemaakt van donkerbruine stof en een grote bos krullend haar had. Ze deden nog een paar stappen voordat ze ontdekten wat er onder de vogelverschrikker op de modderige grond lag.

Het was een naakt, bebloed mannenlichaam.

'Jezus!'

Een van de mannen bleef staan, de andere liep verder naar het lichaam en bukte zich.

'Hij leeft! Bel de politie! Of een ambulance!'

De eerste man pakte zijn mobiel en probeerde met trillende vingers 112 in te toetsen. De tweede ging staan en keek naar het gezicht van de man. Dat was volkomen in elkaar geslagen. Hij draaide zich om en keek naar de nevelslierten, de akker was zover hij kon zien verlaten.

Daarna keek hij naar de roeken die boven hen cirkelden.

*

Iedereen in de vergaderkamer keek naar het bord. Mette tekende een groot vierkant. De vorige avond had ze met Sven Svensson gepraat en geluisterd naar zijn theorie over een racistische cel: dat de deelnemers in Jians internetthread een cel met de naam Blanke Wraak konden hebben. Svensson had Berntssons actieplan met de tekst over racistische cellen gescand om zijn verhaal kracht bij te zetten. Mette had het gelezen en had de Veiligheidspolitie geïnformeerd. Ze hadden naar de informatie geluisterd, waarna ze haar erop wezen dat rechts-extremisten geen bedreiging voor de democratie vormden en dat dit niet bij hun takenpakket hoorde. Mette vroeg zich af hoe je 'een bedreiging van de democratie' moest definiëren. Als iemand om antidemocratische redenen blootstond aan een geweldsdaad, dan was dat toch een bedreiging van de democratie? Ieder democratisch mens is tenslotte een onderdeel van die democratie.

Daarna deelde ze de onderzoeksgroep Svenssons informatie mee. Bedreiging van de democratie of niet.

Toen ze klaar was met het vierkant schreef ze in het midden BLANKE WRAAK. In drie hoeken schreef ze MÅNS BERNTSSON, AXEL SÖNNERMAN en JONAS ERIKSSON. In de vierde schreef ze TRISKELE/BW met een vraagteken.

'We denken dat dit een anonieme racistische cel zou kunnen zijn,' begon ze. 'En dat hun doel het plegen van gekwalificeerde haatmisdrijven is.'

Ze zweeg even. Diep vanbinnen dacht ze, net als de meesten in de kamer, dat een racistische cel nogal vergezocht was. Toch wilde ze het onder de aandacht van het team brengen. Al was het alleen maar voor Olivia en Jian.

'Als we kijken naar de moorden die voor ons actueel zijn,' ging ze verder. 'En we met de gedachte spelen dat die kunnen zijn gepleegd door deze cel, dan weten we dat Måns Berntsson de moord op Aram Mellberg niet op zijn geweten kan hebben. Hij heeft een alibi. Waarmee er drie overblijven. Omdat de dader de zoon van Stellan Eklind is, die in 1975 overleden is, moet de zoon nu minstens achtendertig zijn. Dat betekent dat we Jonas Eriksson weg kunnen strepen. Hij is vijfendertig. Daardoor blijven er twee over, waarvan we van één alleen een pseudoniem hebben. De ander is Zweden-democraat Axel Sönnerman uit Täby.'

'Maar als het zo'n racistische cel is en ze dus een gemeenschappelijke agenda voor wat betreft de moorden hebben, dan betekent dat toch dat het niet dezelfde dader hoeft te zijn?' merkte Bosse op. 'Daar zijn we in eerste instantie van uitgegaan. Misschien hebben ze besloten om dezelfde modus operandi te gebruiken om ons op een dwaalspoor te brengen.'

'Dat klopt,' zei Mette. 'Wat ook betekent dat Berntsson Emelie vermoord kan hebben, een moord waarvoor hij geen alibi heeft.'

Er werd op de deur geklopt. Het was Stilton. Hij bleef in de deuropening staan zonder zich helemaal te laten zien. Mette pakte een plastic tas van de tafel en liep naar de deur. Stilton pakte de tas aan en verdween. Mette deed de deur achter hem dicht.

'Was dat Stilton?' vroeg een van de oudere onderzoekers.

'Ja.'

'Wat doet hij hier?'

'Ik heb hem een oud klantenregister gegeven dat hij wil bekijken.'

'Werkt hij weer?'

'Nee.'

*

Moeder en dochter zaten in de grote plantenkas. Liv droeg een gewatteerde jas, ze vond het koud, maar Judith wilde hier zitten, dus deden ze dat. Judith droeg een donkergroene jas en warmde haar handen aan een grote aardewerken beker met thee.

'Wanneer komt ze?' vroeg Liv.

'Als ze geen vertraging heeft landt ze overmorgen om zeven uur op Kastrup.'

''s Ochtends?'

'Nee, 's avonds.'

'Dan haal ik haar met de auto op.'

'Dat is lief van je.'

Judith nam een slok van de warme thee. Liv keek naar haar moeder. Haar huid was grauw en ze vond dat ze de afgelopen dagen veel ouder was geworden. Vroeger droeg ze altijd make-up, een beetje kleur op haar wangen, haar wenkbrauwen aanzetten, dat deed ze nu niet meer. Alsof er geen leven meer in haar zat. Liv wist dat haar moeder zichzelf kwelde, 's nachts wakker lag en lange, eenzame wandelingen maakte.

Ik hoop echt dat Aditi's bezoek haar opvrolijkt, dacht Liv. Ze was een paar dagen geleden met het voorstel gekomen om contact met Aditi op te nemen. Ze wist hoe goed Aditi was in het geven van levensmoed en kracht aan mensen, op haar eigen speciale manier. Ze was een uitstekende mental coach, zoals dat tegenwoordig heette.

Dat wist Judith ook. Aditi was een jeugdvriendin van haar en ze hadden nog steeds veel contact, ook al woonde Aditi in Thailand. Toen ze over Livs voorstel had nagedacht en alle gedachten over hoe lastig het voor Aditi zou zijn om helemaal hiernaartoe te komen had laten varen, had ze besloten om het inderdaad aan haar te vragen. Als Aditi geen tijd had, dan zou ze dat zeggen.

Aditi had tijd en wilde graag komen. De vreselijke moord op Livs dochter had haar geschokt. Als ze Livs moeder kon helpen om uit de donkere put te komen waar ze zich op dit moment bevond, dan deed ze dat graag, had ze aan de telefoon gezegd.

En nu was ze onderweg.

'Ik denk dat het heel goed voor je zal zijn,' zei Liv.

'Dat denk ik ook.'

Judith glimlachte even. Het was de eerste keer sinds Emelies dood dat Liv een glimp van een glimlach bij haar moeder zag. Het komt allemaal goed, dacht ze.

'Daar komt Olivia Rönning.'

Judith wees door het mooie raam van de plantenkas naar het hek. Olivia zette haar fiets tegen een van de hekpalen. Liv en Judith gingen staan en zwaaiden achter het raam om te laten zien waar ze waren. Olivia zwaaide terug en liep naar de plantenkas. Ze werd in de deuropening opgewacht door Liv en ze gaven elkaar een lichte omhelzing.

'Zullen we naar het huis gaan?' vroeg Liv aan haar moeder.

'Dat hoeven jullie voor mij niet te doen,' zei Olivia terwijl ze de plantenkas in liep. 'Hoe gaat het?'

Ze stelde de vraag aan beide vrouwen, maar ze gaven allebei geen antwoord. Judith keek naar de tegels en Liv haalde haar schouders op.

Het ging matigjes.

'Ik wil Judith iets vragen,' zei Olivia.

'Wil je dat ik wegga?' vroeg Liv.

'Nee, je kunt gerust blijven.'

'Ga zitten.'

Judith wees naar een van de windsorstoelen en Olivia ging zitten.

'Wil je thee?' vroeg Liv.

'Nee, dank je.'

Olivia haalde de foto tevoorschijn die ze van Viola Wistam in Furusund had gekregen.

'Ik heb in de scherenkust van Stockholm een vrouw ontmoet die me deze foto gegeven heeft. Het is een oude foto van een collectief dat zich in de jaren zeventig op Möja bevond.'

Olivia hield Judith de foto voor. Ze pakte hem niet meteen aan, maar nam eerst een slok thee, zette haar beker op een steen en pakte de foto daarna aan.

'Ik heb gisteren naar de mensen op de foto gekeken en kreeg het gevoel dat jij misschien een van de meisjes op de foto bent,' zei Olivia. 'Degene die naast Stellan staat.'

Judith keek naar de foto.

'Dat ben ik,' zei ze.

Olivia probeerde niet te reageren. Ze had gelijk gehad. Judith had in het collectief van Stellan Eklind gezeten.

'Hoe heet de vrouw van wie je de foto gekregen hebt?' vroeg Judith.

'Viola Wistam. Zij zat ook in het collectief.'

'O ja? Ik herinner me inderdaad dat er een tijdlang een Viola was, maar die heette toch niet Wistam?'

'Misschien heeft ze de naam van haar man aangenomen.'

'Dat zou kunnen.'

Judith wilde de foto aan Olivia teruggeven.

'Mag ik?'

Liv stak haar hand uit en pakte de foto. Het oude collectief van haar moeder?

'Waarom heb je belangstelling voor deze foto?' vroeg Judith.

'Ik heb belangstelling voor het collectief,' zei Olivia. 'Of liever gezegd voor Stellan Eklind, degene die het collectief leidde.'

'Waarom dat?'

'Ik probeer erachter te komen of hij meer kinderen dan alleen zijn dochter Linnea had.'

'Linnea heeft zelfmoord gepleegd.'

'Dat weet ik, maar had hij naast Linnea nog meer kinderen?'

'Dat geloof ik niet, er waren daar in elk geval niet meer kinderen.'

'We weten namelijk dat Stellan Eklind nog een kind had, maar we kunnen...'

'Hoe weten jullie dat?' onderbrak Judith haar.

'Via DNA-onderzoek.'

'O ja? Tja, het zou me niet verbazen als dat zo was.'

'Waarom niet?'

'Hij was niet bepaald trouw.'

'Aan Barbro? Zijn vrouw?'

'Nee. Hij ging om de haverklap op zogenaamde missiereizen.'

'Wat waren dat?'

'Hij ging naar Stockholm en bleef een paar dagen weg. Hij zei dat hij contact zocht met nieuwe jongeren voor het collectief, maar we begrepen dat hij ook andere dingen deed.'

'Was hij ontrouw?'

'Ja. Hij kan dus met iedereen een kind gekregen hebben.'

Olivia besefte dat die mogelijkheid bestond en dat dat hun pogingen om de moeder van de vermoedelijke zoon van Stellan te vinden aanzienlijk moeilijker zou maken.

'Hoe was het collectief?' vroeg ze.

'Hoe het was?'

'Ja.'

Judith pakte haar beker weer en keek erin alsof de herinneringen aan het collectief op de bodem zweefden. Liv keek naar haar moeder, zij was ook nieuwsgierig.

'Ik herinner me er niet zoveel van,' zei ze uiteindelijk.

Olivia bedacht dat Viola Wistam hetzelfde ontwijkende antwoord had gegeven, en dat haar stem bijna net zo monotoon was geweest als Judith nu klonk.

Ze wilde Judith echter niet onder druk zetten.

'Ik heb een van Stellans schriften gelezen,' zei ze. 'Daarin schrijft hij over zijn gedachten en openbaringen. Het komt heel religieus over. Bijna sekteachtig.'

'O ja?'

'Was dat zo?'

'Stellan was een vreemde man,' zei Judith. 'Ik weet niet wat er in zijn hoofd omging.'

'Hij verdween toch toen jij in het collectief woonde?'

'Ja.'

'Een deel van zijn botten is afgelopen zomer in het Mellansjön gevonden.'

'O ja?' Olivia zag dat de beker in Judiths hand een beetje trilde. 'Weten ze wat er met hem gebeurd is?' vroeg Judith.

'Waarschijnlijk is hij verdronken, hoewel zijn vrouw Barbro dat niet gelooft. Zij denkt dat hij vermoord is.'

'Is dat zo?'

'Ja.'

Het werd stil. Olivia besefte dat ze klaar was. Ze ging staan, nam afscheid en liep naar het hek. Onderweg dacht ze aan Liv. Ze had bijna de hele tijd gezwegen. Wist ze dat haar moeder in een collectief had gezeten? Had ze anders niet nieuwsgieriger moeten zijn? Meer willen weten? Hoewel ze misschien wacht tot ik weg ben. Olivia passeerde het hek, ging op haar fiets zitten en pakte haar mobiel.

Mette nam meteen op.

Olivia vertelde wat ze had ontdekt: 'Judith Boelsdotter heeft in Stellan Eklinds collectief gezeten.'

Op het moment dat Mette een vervolgvraag stelde, zag Olivia een auto met hoge snelheid naderen. Svensson zat achter het stuur. Hij stopte naast haar met een naar beneden gedraaid raam. Olivia liep met haar fiets naar de auto.

'Is er iets gebeurd?'

*

Mette vertelde haar team meteen wat Olivia had verteld.

'Judith Boelsdotter, Emelie Anderssons oma, heeft in de jaren zeventig in het collectief van Stellan en Barbro Eklind gezeten.'

Het werd stil in de kamer.

Analyserend, ieder op zijn eigen manier en in een verschillend tempo, belandden alle moordonderzoekers bij hetzelfde merkwaardige feit: de zoon van Stellan Eklind, de leider van het collectief op Möja, was via zijn DNA gelinkt aan de moord op Aram Mellberg, en via de modus operandi aan de moord op Emelie Andersson. Nu bleek dat Emelies oma in Stellans collectief had gezeten.

De theorie over de racistische cel leek niet meer zo actueel.

'Een heel merkwaardige overeenkomst,' was het eerste wat werd gezegd.

'Inderdaad.'

'Kan er ook een link met Aram Mellberg zijn?' vroeg Lisa, waarmee ze uitsprak wat iedereen in de kamer dacht. Was het zo dat de connectie tussen de families Andersson en Mellberg eigenlijk een generatie eerder was ontstaan?

'Zoek uit wie de oma's en opa's van Aram Mellberg zijn en neem contact met ze op,' zei Mette.

Het duurde niet lang voordat de onderzoekers dat hadden uitgezocht. De vader en moeder van Jian woonden in de jaren zeventig in Koerdistan en waren nauwelijks actueel. Lisa praatte met Ola Mellberg en kreeg de naam van zijn vader en moeder. Ze heetten Yvonne en Nils. Ze kreeg ook een telefoonnummer.

*

Nils Mellberg was filmproducent. Ooit was hij een van de meest succesvolle producenten van het land geweest. Hij was bekend vanwege zijn buitengewone vermogen om een drilboor door de schedel van jong talent te drijven en dat talent met behulp van een rolletje bankbiljetten naar buiten te zuigen. Tegenwoordig had hij zich teruggetrokken en hield hij zich voornamelijk bezig met 'het trekken aan verschillende draden', zoals hij het zelf uitdrukte. Het betekende dat hij zijn tijd besteedde aan het plaatsen van de juiste mensen op de juiste plekken in de kleine Zweedse filmwereld. Mensen die tegemoetkwamen aan zijn interesses. Vanbuiten gezien ging het om het stimuleren van artistiek belangrijke films, vanbinnen gezien ging het om geld.

Voor hem.

Dat wisten de meesten, zowel in de branche als onder de filmrecensenten, maar Nils Mellberg had een uitgebreid contactennetwerk, waardoor niemand hem graag blootstelde aan al te kritische vragen.

Dat kon heel gemakkelijk een boemerangeffect veroorzaken.

Daarom was de opkomst groot en de sfeer feestelijk in het glazen restaurant van het Filmhuis. Iedereen was er, zoals dat heette, iedereen van betekenis in de filmbranche. Ze waren daar voor een releasefeest. Nils Mellberg had zijn memoires uitgegeven, een boek met een indrukwekkende omvang en de aansprekende titel *Based on a True Fiction!* Nils was heel tevreden over de spitsvondige titel, die hij keer op keer herhaalde tegen ijverig luisterende journalisten.

'Het kwam ineens bij me op,' zei hij, omdat hij wist dat het pr-bureau dat de titel had bedacht hier nooit tegen in zou gaan. Dat was in deze branche namelijk dodelijk.

De kruiperige toespraken van diverse potentaten en cineasten waren inmiddels achter de rug en het serieuze drinken kon bijna beginnen. De vrouwelijke manager van het Filmhuis probeerde een laatste bombastische toespraak te houden, maar niemand had nog energie om naar haar te luisteren. De menigte viel uiteen in kleine aangeschoten groepjes die elkaar vleiden of op het punt stonden met elkaar op de vuist te gaan.

Nils probeerde te genieten. Hij was het tenslotte waard. Hij had met zijn slechte geweten geworsteld omdat hij zo vlak na de moord op zijn kleinzoon een feest gaf. Nu probeerde hij dat geweten met alcohol het zwijgen op te leggen. Het leven ging tenslotte door.

Toen een radioverslaggeefster om een kort interview vroeg stond hij op het punt om te weigeren, maar hij besefte dat iedere luisteraar een potentiële boekkoper was, dus stemde hij toe.

'Je bent min of meer een legende,' begon de verslaggeefster, die wist hoe ze hem moest benaderen.

'Dat wordt gezegd,' glimlachte Nils, waarna hij een slok van zijn gin-tonic nam.

'Je hebt in principe met alle grote regisseurs gewerkt, nietwaar?'

'Behalve Bergman.'

'Hoe komt dat?'

'Ik heb nooit veel met hem opgehad. Ik geef de voorkeur aan regisseurs die extrovert zijn.'

'Die eenvoudiger te exploiteren zijn, bedoel je?'

Nils zweeg en keek naar de verslaggeefster, een jonge, tengere vrouw met een koptelefoon op het korte, blonde haar.

'Voor welke radiozender werk je ook al weer?'

'Ik werk freelance, ik verkoop mijn materiaal aan...'

Nils boerde in de microfoon en liep weg. Hij spoelde de brutale verslaggeefster weg met een flinke slok gin-tonic. Toen hij het glas liet zakken voelde hij zijn mobiel in zijn broekzak vibreren; hij had het geluid met het oog op alle toespraken uitgezet. Hij pakte hem en nam op.

'Mellberg.'

'Hallo, ik ben Lisa Hedqvist en ik werk bij de Rijksrecherche. Heb je heel even tijd?'

'Nee. Ik zit midden in een releasefeest. Kun je morgen terugbellen?'

'Het gaat om je vermoorde kleinzoon.'

Nils bleef staan. Zijn dronken brein trok samen. De moord op Aram? Het was hem eindelijk gelukt om het een paar uur te verdringen en nu werd het weer opgerakeld? Tijdens een feest?

'Waar gaat het over?' vroeg hij.

'Ik heb alleen een korte vraag. Zat jij in het midden van de jaren zeventig bij een collectief op Möja dat werd geleid door Stellan en Barbro Eklind?'

Nils vond het een volslagen absurde vraag. Volslagen. Hij keek om zich heen naar de drommen aangeschoten mensen en probeerde een vast punt te vinden. Het enige wat hij vond was de woordvoerder van de producentenvereniging, die met een half opgegeten stuk selderij in zijn mond op een bank in slaap was gevallen.

'Ja,' zei hij uiteindelijk.

'Bedankt. We komen erop terug.'

*

Lisa haastte zich de vergaderkamer in. Daar waren nu minder mensen, alleen Bosse en twee andere onderzoekers. Mette stond bij het bord en trok lijnen tussen de verschillende namen.

'Nils Mellberg zat bij hetzelfde collectief,' zei Lisa zodra ze de deur dicht had gedaan. 'Arams opa!'

De anderen in de kamer lieten Lisa's informatie tot zich doordringen en constateerden dat er dus twee leden van het oude Möja-collectief met een vermoord kleinkind waren.

'Dat kan toch nauwelijks toeval zijn,' zei Bosse.

'Dat denk ik ook niet,' zei Mette. 'Het is alleen volkomen onbegrijpelijk waarom.'

Haar mobiel ging. Het was de technische afdeling. Mette luisterde zonder te onderbreken, maar haar lichaamstaal onthulde des te meer. Toen ze de verbinding verbrak, waren de blikken van het kleine team op haar gericht.

*

Svensson en Olivia waren meteen naar het ziekenhuis in Helsingborg gereden. In de auto vertelde hij over de vogelverschrikker en het mishandelde lichaam op de akker.

'Het is Frans Jönsson.'

'Frans?!'

Nu stonden ze achter een glazen deur in een ziekenhuisgang en keken een grote zaal in. Meerdere mensen in groene en witte jassen stonden om Frans heen. Hij lag op een ijzeren bed en er liepen slangen van en naar zijn lichaam. Svensson tikte zachtjes op het raam en een vrouwelijke arts draaide zich om. Svensson gebaarde naar haar. De arts kwam naar buiten en Svensson stelde zich voor.

'Hoe is het met hem?' vroeg hij.

De arts gaf een algemene beschrijving: ernstige breuken in het gezicht, botbeschadigingen en interne bloedingen.

'Als hij niet gevonden was, dan had hij het niet overleefd.'

'Wanneer kunnen we met hem praten?' vroeg Svensson.

'Dat kan nog even duren. Waar kunnen we je bereiken?'

Svensson gaf zijn visitekaartje aan haar.

Ze waren geschokt en zeiden niets voordat ze bij de auto waren, maar ze dachten allebei in dezelfde richting. De motorclubleden bij de schuur. Olivia voelde de schuldgevoelens opkomen.

'Denk je dat zij het waren?' vroeg Olivia.

'Waarschijnlijk. We werken op volle kracht bij Ingelsträde. Misschien vinden de technisch rechercheurs iets wat ons kan helpen.'

'Denk je dat Måns Berntsson erbij betrokken was?'

'Dat moeten we uitzoeken.'

Svensson wist wat een hel dat zou worden. Hij had met motorclubs te maken gehad sinds de Hell's Angels zich vijfentwintig jaar geleden in Malmö hadden gevestigd, waarna de Bandidos en de Outlaws zich als een criminele olievlek over het land hadden verspreid. Hij wist hoe hardnekkig de clubleden zwegen. Als er geen getuigen waren, zou het ontzettend ingewikkeld worden als Frans niet kon helpen. En dat kon een tijd duren.

Olivia stapte in de auto toen Mette belde. Ze was kort en precies.

'Ik wil dat je zo snel mogelijk met Judith Boelsdotter hiernaartoe vliegt. We gaan haar morgen verhoren.'

'Wat is er gebeurd?'

'Ik kan dat nu niet vertellen. Ik bel later. Doe de groeten aan de augurk.'

Mette verbrak de verbinding voordat Olivia had kunnen vertellen wat er met Frans Jönsson was gebeurd.

'Dat was Mette,' zei ze tegen Svensson. 'Ik moet met Judith Boelsdotter naar Stockholm.'

'Nu?'

'Zo snel mogelijk. Ze willen met haar praten.'

Svensson knikte. De Rijksrecherche leidde het onderzoek.

'Je moet met Liv Andersson gaan praten,' zei Olivia. 'Ze heeft een foto van net zo'n vogelverschrikker, die een tijd geleden bij het asielzoekerscentrum stond waar Sebastian werkt. Misschien kunnen we daar iets mee.'

'Oké.'

'En als je met Frans mag praten, doe hem dan de groeten van mij.'

'Dat doe ik.'

Olivia had een brok in haar keel.

*

De forensisch expert had 's ochtends een schedel binnengekregen van de politie op Värmdö, die in het Mellansjön op Möja was gevonden door Barbro Eklind. Omdat ze de skeletdelen die in augustus in hetzelfde meer waren gevonden niet meer hadden, moesten ze de schedel naar Linköping sturen voor een DNA-test, maar hun voorlopige conclusie was duidelijk.

'De schedel is met de grootst mogelijke waarschijnlijkheid van Stellan Eklind.'

Dat vertelde Mette aan haar gespannen kleine onderzoeksteam, meteen na het telefoongesprek met de technische afdeling.

'Waarom is dat interessant?' vroeg Bosse Thyrén enigszins teleurgesteld.

'Omdat het achterdeel van de schedel ingeslagen was. Als hij van Stellan Eklind is, waar we van uitgaan, dan is hij doodgeslagen. Waarschijnlijk in de periode waarin hij verdween, in 1975.'

'Maar dat is toch verjaard?'

'De misdaad is verjaard, maar de omstandigheden rond die moord kunnen te maken hebben met de kindermoorden. Zijn zoon komt tenslotte in ons onderzoek voor. Ik laat Nils Mellberg en Judith Boelsdotter hiernaartoe komen om ze morgen te verhoren. Beiden zaten in Stellan Eklinds collectief toen hij vermoord werd en van beiden is het kleinkind vermoord. Zitten we op dezelfde golflengte?'

Bosse knikte en zag dat Lisa glimlachte. Ze vond het heerlijk als Mette op dreef was.

*

Stilton zat in boxer en T-shirt op zijn kooi. Hij had er niet onderuit gekund om samen met Luna en Justus te eten. Het was beter gegaan dan hij had gevreesd. Dat was deels omdat Justus voor het avondeten geen alcohol had gedronken, en deels verdacht hij Luna ervan dat ze een paar dingen over hem aan Justus had verteld.

Misschien over zijn achtergrond, dat wist hij niet, maar Justus' houding was veranderd. Hij was een beetje minder gezagvoerder en een beetje meer Luna's vader. De vader die Luna in zijn eentje had opgevoed toen haar moeder was verdwenen en had besloten dat Abluna, de naam die haar moeder had bedacht, verkort zou worden tot Luna. De eeuwige nachtelijke metgezel op de zeven zeeën.

Stilton had na de maaltijd zelfs een borrel met Justus gedronken.

Nu zat hij met Jackie Berglunds oude klantenregister op schoot. Dat bevatte veel namen. Ze stonden niet in alfabetische, maar in chronologische volgorde, dus moest hij bij het begin beginnen. De meeste namen waren onbekend voor hem, een paar namen herkende hij als prominenten. Die interesseerden hem niet. Hij zocht naar een specifieke naam: Clark Ståhl. Op de allerlaatste pagina vond hij hem.

Niet Clark Ståhl, maar een heel andere naam.

*

Het restaurant heette Vassa Eggen en lag in het centrum van Stockholm. Het stond bekend om het uitstekende vlees dat er werd geserveerd. Dat was een van de redenen dat de vier mannen in zwarte kostuums ervoor hadden gekozen om hier bijeen te komen. Een belangrijkere reden was het verhoor van Måns Berntsson in Höganäs en het feit dat de internetpseudoniemen van drie van hen gedecodeerd waren.

'Gaan we nieuwe gebruiken?'

'Nee. We gaan buiten internet om communiceren.'

'Weten ze wat BW betekent?'

'Nee. Daar mogen ze naar raden.'

De mannen glimlachten.

Voor een buitenstaander kon hun gebruik van pseudoniemen en tekens kinderlijk lijken, maar voor hen was dat niet zo. Veel van hun realiteit was erop gebouwd dat ze geheimen hadden, dat ze ingewijden waren, uitverkorenen, dat ze via die uitverkorenheid een grote zaak dienden.

Ze hadden genoten van hun vleesgerechten en hadden geconstateerd dat de reputatie van het restaurant klopte. Nu hadden ze allemaal een glas Glenfiddich besteld. Ze namen een slok van hun whisky en keken naar elkaar.

'Hoe dichtbij zijn de smerissen? Denk je dat ze iets over de cel weten?' vroeg Jonas Eriksson.

'Nee, ze hebben geen idee waar we mee bezig zijn,' antwoordde Berntsson. 'Ze weten dat we elkaar kennen, *that's it.*'

'Kunnen ze ons laten afluisteren?' vroeg Axel Sönnerman. Hij was de meest kwetsbare en had het meest te verbergen door zijn officiële rol als actieve Zweden-democraat. Die rol wilde hij niet riskeren.

'Dat is mogelijk, daar moeten we ons tegen wapenen.'

De mannen namen nog een slok whisky. Na een paar minuten stilte begon Eriksson over de reden waarom ze bij elkaar waren gekomen.

'*Expo*,' zei hij.

Het antiracistische tijdschrift was het eerste en grootste doelwit van de cel. Het blad had zich jarenlang beziggehouden met het in kaart brengen en publiceren van materiaal met betrekking tot rechts-extremistische en fascistische bewegingen in Zweden. De laatste tijd had dat materiaal steeds meer aandacht gekregen, ook in de andere media.

'Hoe gaan we te werk?'

'Ik stel voor dat we de redactie 's nachts opblazen.'

De mannen knikten en namen opnieuw een slok.

'En de Researchgroep?' vroeg Sönnerman.

De Researchgroep was de verzamelnaam van meerdere schrijvers en journalisten die verantwoordelijk waren voor veel vernietigende publicaties over rechts-extremistische internethaters, vooral Zweden-democraten. Meerdere collega's van Sönnerman waren daar hard door getroffen, vandaar zijn belangstelling.

'Ik denk dat we moeten doorgaan met het bedreigen van de individuele leden van die groep,' zei Berntsson. 'Bij voorkeur met inbegrip van fysieke contacten.'

'Oké.'

'En wat staat er voor de nabije toekomst op de agenda?'

Berntssons blik zwierf door het restaurant, het geluidsniveau was hoog, ze liepen nauwelijks risico dat iemand hen afluisterde. Toch liet hij zijn stem dalen.

'Kärrtorp,' zei hij.

Ruim een uur later stond een van de mannen op, zette zijn bril recht en verontschuldigde zich.

'Ik moet nog het een en ander doen.'

'Heb je hulp nodig?'

'Nee. Tot ziens.'

De man liep bij de tafel weg. De anderen keken hem na. Toen hij naar buiten verdwenen was, ontmoetten hun blikken elkaar weer.

'Hij doet geheimzinnig.'

'Ja. Maar hij is goed in waar we hem voor nodig hebben.'

*

Olivia poetste haar tanden in de kleine badkamer van de hotelkamer toen Mette belde. Het was bijna middernacht. Mette verontschuldigde zich dat ze eerder zo kortaf was geweest, maar dat had een reden gehad.

'Stellan Eklind is vermoord,' zei ze.

'Is dat waar?'

Mette vertelde over de vondst van Stellan Eklinds ingeslagen schedel.

'Hij is dus vermoord?' zei Olivia. 'Net zoals Barbro dacht?'

'Ja. Daarom wil ik Judith Boelsdotter spreken.'

'We nemen morgenochtend het eerste vliegtuig. Ze kon vanavond niet.'

'Mooi. Verder nog iets?'

'Frans Jönsson is gisteren ernstig mishandeld.'

'Dat heb ik gehoord,' zei Mette. 'Svensson heeft extra middelen gekregen. Denk je dat Måns Berntsson erbij betrokken is?'

'Ja, volgens mij wel.'

'Maar waarom Jönsson?'

Olivia vertelde niet dat ze diep vanbinnen het gevoel had dat zij een van de redenen was.

'Ik weet het niet,' zei ze.

Het kon tenslotte ook andere redenen hebben.

Hoopte ze.

Ze veranderde van onderwerp. 'Dat Stellan Eklind vermoord is, betekent misschien dat de zelfmoord van de dochter in een ander daglicht komt te staan, denk je niet?'

'Wat bedoel je?'

'Ik heb het de hele tijd vreemd gevonden.'

'De zelfmoord?'

'Nee, de reden daarvoor,' zei Olivia. 'Dat Linnea zelfmoord heeft gepleegd omdat haar vader verdwenen was. Doet iemand dat?'

'Als je labiel bent misschien wel. Waar wil je naartoe?'

'Ik denk alleen na. Eerst verdrinkt de vader en daarna verdrinkt de dochter zich en nu blijkt dat de vader niet verdronken is, maar vermoord. Misschien was dat de reden voor de zelfmoord.'

'Maar dan moet ze geweten hebben dat hij vermoord was.'

'Ja. Misschien was dat ook zo. Dat weten we niet.'

'Ligt zij misschien ook in het Mellansjön?'

'Dat zou kunnen.'

Olivia zag het donkere binnenmeer met het stille water plotseling voor zich. Lagen er meer geheimen op de bodem?

*

De man zat in de garage van een appartementencomplex. Hij zat daar nu een paar uur te wachten tot het ochtend zou worden. Hij had een taak uit te voeren en voelde tijdsdruk. Binnenkort ontdekken ze het verband, dacht hij. Ik moet ze voor zijn.

De auto stond geparkeerd tussen twee grijze betonnen palen. Iemand had het getal 1488 met een zwarte ring eromheen op de betonnen vloer gespoten. Hij wist wat de betekenis daarvan was. 14 stond voor de veertien woorden: '*We must secure the existence of our people and a future for white children.*' 8 stond voor de achtste letter van het alfabet, de H. Twee achten stonden voor Heil Hitler. Hij voelde zich warm worden toen hij die cijfers zag. Ze toonden aan dat de nationaalsocialistische denkbeelden overal wortel schoten, en hij dacht met dankbaarheid aan Anders Behring Breivik.

Anders heeft zich opgeofferd zodat de ogen van de wereld open zouden gaan, dacht hij. Anders moest doen wat hij heeft gedaan om zijn visie onder de aandacht te brengen. Nu weet iedereen wie hij is, zijn gedachten en manifest worden gelezen en de mensen raken geïnspireerd door zijn overtuiging. Zelfs in een verlaten garage. Anders heeft daar een hoge prijs voor moeten betalen, maar dat is een prijs die je in een oorlog bereid moet zijn te betalen.

Hij zou zonder aarzeling dezelfde prijs betalen als dat nodig was.

Hij keek naar de zwarte bivakmuts op de stoel naast hem. Dat was alleen een voorzorgsmaatregel.

Jenny Unger was met moeite uit de badkuip gestapt nadat ze had gedoucht. Ze was hoogzwanger en wilde absoluut niet uitglijden over het water dat op de tegelvloer lag. Dat was haar een paar keer gebeurd voordat ze zwanger werd, dus was ze voorzichtig. Ze wilde net een badhanddoek naar zich toe trekken toen er aangebeld werd. Ze pakte haar rode badjas en liep naar de hal. Automatisch keek ze door het kijkgat naar het trapportaal. Ze zag niemand. Ze opende de deur en keek naar buiten. Niemand. Ze wilde de deur net dichtdoen toen ze het pakketje zag dat voor de deur lag. Het was ingepakt in met sterren bezaaid blauw cadeaupapier. Ze pakte het op en nam het mee de hal in terwijl ze de deur tegelijkertijd dicht duwde. Wie had het daar neergelegd? Een van de buren? Was het een vroegtijdig verjaardagscadeau? Ze zou zaterdag dertig worden. Ze trok het pakpapier weg en zag een witte doos, die ze opende. Er zat een bruine pop in de doos, gewikkeld in papier, met mooie kleren aan. Is het een cadeau voor de baby? dacht ze. Nu al? Ze was over twee weken pas uitgerekend. Ze pakte de pop en draaide hem om. Op dat moment zag ze de ogen. Of liever gezegd de oogkassen. Er zaten geen ogen in het gezicht. Ze vond het er griezelig uitzien en legde de pop in de doos terug. Wat was hier de bedoeling van?

Ze legde de doos op een krukje en ging weer naar de badkamer, waar ze zich snel afdroogde en aankleedde. Langzamerhand kwam er een gevoel van onbehagen in haar op. Waar kwam de pop vandaan? Van wie? Waarom had iemand hem voor de deur achtergelaten? Waarom had hij geen ogen?

Toen ze aangekleed was, belde ze Desmond, de man met wie ze samenwoonde. Ze wist dat hij een vroege opname had en waarschijnlijk niet zou opnemen. Dat klopte. Ze sprak een kort bericht in dat ze een vreemde pop voor de deur had gevonden en vroeg of hij haar over een uur bij het consultatiebureau voor aanstaande moeders kon ontmoeten. Waarschijnlijk zou dat niet lukken, hij was studiomusicus en kon niet gemakkelijk wegkomen, maar ze vroeg of hij het wilde proberen.

'Ik vind het griezelig,' besloot ze.

Een halfuur later verliet ze het appartement. De pop lag nog in de hal. Ze woonde op de vierde verdieping en drukte op de liftknop. Toen die er was, stapte ze in en drukte op de parterreknop. Ze keek door het smalle raam in de liftdeur naar de verdiepingen die ze passeerde. Ze zag niemand. Toen de lift beneden stopte, drukte ze op de knop. De deur ging niet open. Ze probeerde het opnieuw. Er gebeurde niets. Ze keek door het smalle raam naar buiten.

Op dat moment kwam de lift weer in beweging. Naar de garage in de kelder.

*

Het was net na tien uur 's ochtends en Nils Mellberg en Judith Boels-dotter hadden allebei koffie ingeschonken bij de tafel die bij de muur stond. Mette en Olivia hadden om acht uur al koffie gedronken en Bosse dronk zelden koffie. In elk geval niet de koffie die op het bureau werd gezet. Hij ging naast Olivia en Mette zitten. Aan de andere kant van de tafel stonden twee stoelen. Nils zat op de ene en Judith op de andere stoel. Judith droeg een jurk van Marimekko met grote bloemen, Nils droeg hetzelfde grijze kostuum als de vorige dag. Hij had op weg naar Stockholm meerdere keren mondspray gebruikt en had rijkelijk aftershave opgespoten.

Hij had een verschrikkelijke kater.

Zijn releasefeest was overgegaan in een zuipfeest en hij was niet van plan geweest om zijn moment in de schijnwerpers te laten ruïneren, ook al was hij de volgende ochtend opgeroepen voor een informatief verhoor.

Nils dronk zijn koffie zwart, Judith had melk in haar koffie gedaan. Ze was enorm geschokt geweest toen Olivia de vorige avond had ge-beld om te vertellen dat de vermoorde Aram Mellberg de kleinzoon van Nils Mellberg was. Ze had dat verband zelf nooit gelegd. Nils en zij waren bijna veertig jaar geleden ieder hun eigen weg gegaan nadat ze het collectief op Möja hadden verlaten en hadden sindsdien nooit meer contact met elkaar gehad. Toen ze hem in de hal van de Rijksre-cherche terugzag, hadden ze heel kort en onhandig met elkaar gepraat.

Ze hadden gedurende een paar jaar een gemeenschappelijk verleden gehad en nu hadden ze allebei een vermoord kleinkind.

Het was een heel onwerkelijke situatie.

'Als eerste wil ik jullie condoleren. Het is verschrikkelijk wat er met jullie kleinkinderen gebeurd is,' begon Mette. 'Het heeft iedereen die betrokken is bij het onderzoek aangegrepen. We werken dag en nacht om de dader op te pakken.'

'Weten jullie of het dezelfde dader is?' vroeg Nils.

'Dat weten we niet voordat we de dader te pakken hebben, maar daar gaan we inderdaad van uit.'

Mette wachtte even. Ze was er zelf van overtuigd dat het dezelfde dader was, ondanks de informatie over een eventuele racistische cel.

'Ik heb jullie gevraagd om hiernaartoe te komen omdat jullie in het midden van de jaren zeventig allebei in het collectief op Möja zaten,' ging ze verder. 'Het collectief werd geleid door Stellan en Barbro Eklind. In 1975 raakte Stellan vermist. Delen van zijn skelet zijn afgelopen zomer teruggevonden in het Mellansjön op Möja. Onlangs is zijn schedel in hetzelfde meer teruggevonden.'

Nils en Judith wierpen elkaar een snelle blik toe.

'Er werd aangenomen dat Eklind verdronken was,' zei Mette. 'De schedel die gisteren gevonden is, bewijst dat dat niet zo is. Het achterhoofd was verbrijzeld op een manier die alleen veroorzaakt kan zijn door grof geweld van buitenaf. Hij is vermoord in de periode waarin jullie in het collectief woonden.'

Nils stond op om meer koffie te halen. Judith keek naar de tafel, alsof ze de blikken van de drie personen aan de andere kant wilde ontwijken.

Misschien het meest die van Olivia.

Nog maar een etmaal geleden hadden ze tegenover elkaar in de plantenkas gezeten en over het collectief op Möja gepraat. Wat Judith toen had gezegd, zou ze vandaag moeten veranderen omdat ze had gelogen, wat voor allebei pijnlijk zou zijn, maar natuurlijk het meest voor haar.

'De moord op Stellan Eklind is allang verjaard,' zei Mette. 'Maar we willen onderzoeken of die gebeurtenis verband kan houden met wat er nu plaatsgevonden heeft, de moord op jullie kleinkinderen.'

'Waarom zou er zo'n verband bestaan?' vroeg Judith.

'Dat weten we niet. We hopen dat jullie ons kunnen helpen om het te begrijpen als dat zo is. Wat weten jullie over de verdwijning van Stellan Eklind?'

Het bleef stil. Judith keek naar Nils, die met een plastic lepeltje in zijn koffie roerde; hij had deze keer een beetje melk genomen.

'Zoals ik daarnet al zei, is de moord op Eklind verjaard. Als misdrijf hebben we er geen belangstelling voor,' ging Mette verder. 'Wat jullie over die tijd vertellen kan jullie juridisch gezien op geen enkele manier belasten.'

Er viel een stilte, die Mette niet opvulde. Ze wist dat een van de personen aan de andere kant van de tafel vroeg of laat zou gaan praten.

Dat was Judith.

'We hebben Stellan Eklind niet vermoord,' zei ze zachtjes. 'Maar...'

Ze zweeg en keek naar Nils alsof ze steun zocht. Hij schudde zijn hoofd berustend. Nils was niet van plan haar te helpen.

'Maar?' zei Mette. Ze had het gevoel dat ze Judith op weg moest helpen. Nils zou dat beslist niet doen.

'Weten jullie wat er met hem gebeurd is?'

Judith verzamelde moed. Ze wreef haar handen zenuwachtig tegen elkaar en richtte haar blik op een barst in de tafel om Mettes ogen te ontwijken.

'Ja. We hebben geholpen om zijn lichaam in het Mellansjön te laten zinken.'

Nils schudde zijn hoofd weer en zuchtte diep. Judith zag er gekweld uit.

'Je zegt "we". Bedoel je daar Nils en jezelf mee?'

'Ja, wij en Klas.'

'Klas?'

'Ik kan me zijn achternaam niet herinneren.'

'Unger,' zei Nils op een geïrriteerde toon, alsof hij het verhoor plotseling wilde bespoedigen.

'Hij heet Klas Unger. Maar waarom moet die oude geschiedenis weer opgerakeld worden?'

'Dat bepalen wij,' zei Mette. 'Misschien is er een verband met wat er met jullie kleinkinderen gebeurd is.'

'Heeft iemand onze kleinkinderen vermoord omdat we duizend jaar geleden hebben geholpen om Stellans lijk te laten verdwijnen? Is dat niet verdomd onwaarschijnlijk?'

Mette was het deels met hem eens, het was heel onwaarschijnlijk. Als Nils en Judith Stellan zelf hadden vermoord, dan had het misschien meer draagkracht gehad, maar dat geloofde Mette niet. Ze had niet het gevoel dat ze logen. Wie de moordenaar was zou snel bekend worden, dacht ze.

'Het kan zo lijken, daar ben ik het mee eens,' zei Mette. 'Maar er is een verband tussen de moorden en Stellan Eklind dat jullie niet kennen. Na de moord op Aram hebben we DNA op hem aangetroffen dat van een zoon van Stellan is.'

Mette voelde dat ze hun die informatie moest geven om verder te komen. Het effect bleef niet uit. Judith en Nils waren allebei zichtbaar verward.

'Voor zover ik weet had hij geen zoon,' zei Nils.

'Blijkbaar had hij die wel.'

'En die zoon heeft onze kleinkinderen vermoord?'

'Daar gaan we van uit.'

Judith boog zich naar voren en steunde met haar hoofd in haar handen. Ze had moeite om rechtop te blijven zitten

'Lieve hemel...'

Nils keek naar Mette.

'Maar niemand wist ervan,' zei hij. 'Niemand wist wat we gedaan hebben.'

'Wist de moordenaar het wel?'

'Ja.'

'Heeft hij het misschien aan iemand verteld?'

'Dat heeft ze niet gedaan!' zei Judith. Ze had ineens weer kracht in haar lichaam. Mette schrok van de plotselinge intensiteit.

'Ze? Was het een vrouw?'

Judith gaf geen antwoord, dus nam Nils het woord. Mette zag dat hij overvloedig begon te transpireren.

'Ja, het was Linnea,' zei hij. 'De dochter van Stellan en Barbro. Zij heeft hem vermoord.'

De dochter? Mette merkte dat ze verbaasd was. Die gedachte was niet bij haar opgekomen. Waarom niet? Takelde ze af?

'Waarom heeft ze haar vader vermoord?' vroeg Bosse. Hij maakte van de gelegenheid gebruik om iets te zeggen nu Mette in gedachten was.

'Het was zelfverdediging,' zei Judith. 'Ze was nog maar veertien jaar en hij probeerde haar te verkrachten. Zijn eigen dochter! Hij was een monster!'

Nils legde een hand op Judiths schouder om haar te kalmeren toen hij de verontwaardiging in haar stem hoorde. Het had een tegenovergesteld effect. Judith schrok van de aanraking. Nils haalde zijn hand weer weg. Mette zag dat Judiths hals rood was geworden en dat de blos zich langzaam over haar gezicht verspreidde.

'Dat was hij!' ging ze verder. 'Of niet soms?'

Ze keek naar Nils, die instemmend knikte.

'Hij was een monster,' zei hij. 'Of liever gezegd, dat werd hij.'

Olivia dacht aan de teksten die ze had gelezen van Stellan, de liefdesprofeet. Was hij een monster?

'Ik wil graag horen wat zich in het collectief afspeelde,' zei ze. 'Kunnen jullie daar iets over vertellen?'

Judith en Nils keken elkaar aan. Het collectief? Dat was een periode die ze allebei uit alle macht probeerden te vergeten, en nu moesten ze daar naar terugkeren.

Judith en Nils begonnen afwisselend te vertellen.

Ze waren bij het collectief gekomen toen ze twintigers waren, vastbesloten om de kapitalistische samenleving de rug toe te keren, aangetrokken door het wonen en leven dicht bij de natuur. Een vrij en eenvoudig leven. Stellan was de vanzelfsprekende leider geweest. Charismatisch. Beschermend. Hij had in het begin wat spirituele ideeën gehad, maar dat ging voornamelijk om licht en liefde, enigszins warrige hippiegedachten. Vrij onschuldig. Daarna begon de religie het steeds meer over te nemen, hij begon te prediken dat hij was uitverkoren door de moeder van het universum en dat hij haar goddelijkheid in zich had.

'De moeder van het universum?' vroeg Bosse.

'Ja,' zei Judith. 'Hij was van mening dat we allemaal afstammelingen van de moeder van het universum waren. God kon geen man zijn, om de eenvoudige reden dat een man niet kan baren en dus geen leven kan scheppen. De vrouw had een uitzonderingspositie in zijn zelfbedachte religie. Wat heel slim was, omdat de vrouwen zich daardoor speciaal en uitverkoren voelden. Maar...'

Judith wreef haar handen weer tegen elkaar. Ze naderden het punt waarover ze niet wilde vertellen en waar ze niet aan herinnerd wilde worden. Nils merkte dat ze aarzelde en nam het over.

'Stellan was een schoolvoorbeeld van een egotripper. Hij voerde de hele tijd nieuwe regels in om zijn zin door te drijven. Als we niet gehoorzaamden, kregen we straf. Ik snap niet dat we dat zo lang accepteerden. Achteraf is het verdomd pijnlijk om daaraan terug te denken.'

Hij wreef over zijn voorhoofd en merkte hoe nat zijn hand werd.

'Het duivelse eraan was dat alles zo geleidelijk gebeurde,' zei Judith.

'Je merkte de veranderingen pas als het te laat was. Dat is waarschijnlijk de verklaring dat we bleven. We waren in zekere zin afgesneden van de buitenwereld en gehersenspoeld door Stellan. Zijn woord was wet. Het collectief veranderde in een sekte. Een sekssekte.'

'Een sekssekte?' vroeg Bosse.

'Ja. Stellan beweerde dat geslachtsgemeenschap de ultieme manier was om de goddelijkheid die hij van de moeder van het universum had gekregen te delen. Alle vrouwen van het collectief moesten daarom seks met hem hebben en daarna moesten ze die goddelijkheid op de mannen overbrengen.'

Judith keek even naar Nils. Ze had het gezegd. Dit was aanzienlijk lastiger om te vertellen dan dat ze hadden geholpen om een lijk te verstoppen. Waarom er een verschil was tussen die twee dingen wist ze niet goed. Misschien omdat het ene een zelfstandige beslissing was geweest, de beslissing om een wanhopig meisje te helpen, terwijl het andere alleen een bewijs van haar zwakte was. Hoe eenvoudig ze te manipuleren was geweest.

Ze voelde dat haar jurk aan haar oksels kleefde.

'En wat vond Barbro daarvan?' vroeg Mette.

'Ik denk dat ze er eigenlijk een hekel aan had,' zei Judith. 'Maar ze schikte zich in de situatie omdat het de enige manier was om Stellan te houden. Ze was volkomen blind voor zijn zwakheden, ze was ervan overtuigd dat hij een grote profeet was en dat zij zijn uitverkoren gemalin was. Van de vrouwen had zij de hoogste rang.'

'En Linnea? Welke rang had zij?'

'Toen hij haar verkrachtte ontwaakte ik waarschijnlijk uit mijn hersenspoeling,' zei Judith. 'Ze was als een zusje voor me.'

'Heeft hij haar vaker verkracht?'

Judith knikte.

'Ik vond Linnea op een avond huilend bij een grot in het bos. Eerst wilde ze niet zeggen wat er gebeurd was, Stellan had haar dat verboden. Niemand had iets te maken met wat er tussen hen had plaatsgevonden, had hij beweerd. Het was de ultieme vereniging. Linnea zou de meest uitverkoren vrouw in het collectief worden door seks met hem te hebben, ze zou zelfs een hogere rang dan haar moeder krijgen. Maar ze moest erover zwijgen, want haar moeder was er nog niet aan toe om voorbijgestreefd te worden door haar dochter.'

Iedereen rond de tafel zag hoe de herinnering aan de ontmoeting in het bos Judith kwelde, hoe ze vocht om erover te vertellen.

'Ik probeerde haar uit te leggen dat Stellan dat nooit had mogen doen, hoe goddelijk hij ook was. Dat een vader dat niet bij zijn dochter mag doen. Ik wilde dat ze het aan Barbro vertelde, maar dat weigerde ze. En diep vanbinnen weet ik niet of dat geholpen zou hebben. Dus toen vertelde ik Nils en Klas wat er gebeurd was.'

'Wij begonnen ook te beseffen dat de situatie uit de hand gelopen was,' voegde Nils eraan toe.

'Wat gebeurde er daarna?'

'We besloten om van het eiland te vluchten en Linnea mee te nemen,' zei Judith. 'Helaas betrapte Stellan haar toen ze haar tas inpakte en hij dwong haar mee te gaan naar de grot om haar daar voor straf te verkrachten.'

'Daar heeft ze hem met een grote steen op zijn hoofd geslagen,' zei Nils. 'Toen we haar ophaalden om te vluchten, was ze weg. We vonden haar helemaal in de war in het bos. Ze zat onder het bloed en daarna, tja, de rest hebben we al verteld.'

'Jullie hebben geholpen om zijn lichaam in het Mellansjön te laten zinken.'

'Ja.'

'En heeft Linnea zelfmoord gepleegd omdat ze niet kon leven met wat er was gebeurd?' vroeg Olivia.

'Waarschijnlijk wel,' zei Judith. 'Maar dat was pas veel later. Wij waren niet meer op Möja toen dat gebeurde.'

Judith keek weer naar beneden. Waarom? vroeg Mette zich af. Voelde ze zich schuldig over Linnea's zelfmoord? Omdat ze haar niet had kunnen redden?

'Hebben jullie geen contact met haar gehad nadat jullie het collectief verlaten hadden?'

Mette keek naar Judith.

'Nee,' antwoordde ze zachtjes. 'Ik wilde dat ze met me meeging toen ik Möja verliet, maar ze durfde niet. Ze had het in haar hoofd gehaald dat het haar straf was om bij Barbro te blijven. En dat bleef ze tot... tot ze het niet meer kon verdragen.'

Bosse ging staan, haalde twee flesjes water en twee glazen en opende de flesjes. Nils en Judith namen er allebei een. Mette keek naar hen terwijl ze dronken. Het was heel duidelijk wat zich op Möja had afgespeeld, en dat was niet bepaald verheffend. Eigenlijk had Stellan Eklind zijn verdiende loon gekregen, ook al mocht een politieagent nooit zo denken. Maar de zaak was verjaard en de dader was dood, dus konden ze niets meer doen. Ze vroeg zich af of ze Barbro Eklind op de hoogte moesten brengen van wat zich op het eiland had afgespeeld.

Plotseling bedacht ze iets heel anders.

'Klas Unger,' zei ze.

'Ja?'

'Weten jullie waar we hem kunnen vinden?'

Judith schudde haar hoofd.

'Hij woont in Londen, geloof ik,' zei Nils. 'Ik heb hem daar een paar jaar geleden gesproken toen hij in films wilde investeren. Dat ging echter niet door.'

Mette bedankte Judith en Nils voor hun waardevolle bijdrage aan het onderzoek. Ze beloofde om hen op de hoogte te houden van de ontwikkelingen.

Zodra ze waren vertrokken, pakte Mette haar mobiel.

'Klas Unger?' vroeg Bosse.

'Ja.'

'Wil je weten of hij kinderen heeft?'

'Ze hebben het lijk van Stellan met z'n drieën weggewerkt. Van twee van hen is het kleinkind vermoord. Ik wil weten of Klas Unger kleinkinderen heeft.'

Het duurde even voordat ze Ungers telefoonnummer in Londen had. Toen ze belde, werd de telefoon opgenomen door een secretaresse. Unger zat in een vergadering en mocht niet worden gestoord.

'Weet jij of Klas Unger kinderen heeft?' vroeg Mette.

'Ja. Hij heeft een dochter.'

'Hoe heet ze?'

'Jenny Unger.'

'Hoe oud is ze?'

'Ze wordt zaterdag dertig.'

'Woont ze in Londen?'

'Nee, ze woont in Stockholm.'

'Bedankt.'

*

De voormalige leden van het collectief liepen samen naar de entree van het politiegebouw. Voor de deuren bleven ze staan. Ze waren allebei behoorlijk aangeslagen. Nils stak een sigaret op en besefte dat hij behoefte had aan een borrel.

'Zullen we iets gaan drinken?' vroeg hij.

'Nee,' antwoordde Judith. 'Ik moet mijn vliegtuig halen.'

'Waar woon je?'

'In Skåne.'

'In de buurt van...'

'Ja. Vlakbij.'

Nils inhaleerde diep. Hij was doodsbang. Hij besefte dat Ola het geheim dat ze al die jaren hadden verborgen, nu zou horen. En Jian. Dat was onvermijdelijk. Hoe zouden ze reageren? Hij had al een heel verstoorde relatie met zijn zoon, op de meeste gebieden stonden ze mijlenver bij elkaar vandaan en hij had zijn kleinkind Aram niet vaak gezien. Zijn schoondochter stond nog verder bij hem vandaan. Als ze elkaar zagen botsten ze bijna altijd met elkaar. Hoe zou dat worden als bleek dat de moord op Aram verband hield met zijn verleden in dat verdomde collectief op Möja?

Judith dacht over hetzelfde na. Tot Emelies dood had ze een goede relatie met haar dochter en haar schoonzoon gehad, maar zou dat zo blijven? Na alle beschuldigingen van Sebastian? Na dit? Ze durfde er niet over na te denken.

Nog niet.

'We moeten het aan de kinderen vertellen,' zei Nils uiteindelijk. 'Denk ik.'

'Ja. Maar nu moet ik een taxi nemen.'

Ze gaven elkaar een hand, op een vreemde en onnatuurlijke manier. Judith liep naar de Hantverkargatan, Nils bleef staan. Komt deze ellende in de media terecht? dacht hij terwijl hij zijn sigaret doofde. En wat gebeurt er dan met het boek?

Waarschijnlijk verkoopt het nog beter.

*

Hij stond in de hal met de pop zonder ogen in zijn hand. Mensen die hem goed kenden zouden zien hoe ongerust hij was: één ooglid trilde een beetje, zijn anders zo vaste handen trilden eveneens. Hij was musicus, bassist, bekend om zijn niet aanwezige lichaamstaal, wat er in zijn binnenste gebeurde kwam via zijn handen bij de snaren terecht. Nu was de bezorgdheid hem duidelijk aan te zien. Hij legde de pop op de kruk en pakte zijn mobiel. Hij wilde de politie bellen, maar de politie was hem voor.

Het was Mette. Ze stelde zich voor en vroeg naar Jenny Unger.

'Is er iets gebeurd?' kreeg ze als antwoord.

Mette hoorde dat de man die ze aan de lijn had gejaagd klonk.

'Met wie spreek ik?' vroeg ze.

'Desmond Dixon.'

De man had een licht accent.

'Jenny is mijn vriendin. Is er iets met haar gebeurd?'

'Dat weet ik niet. Denk je dat er iets met haar gebeurd is? Je klinkt gejaagd.'

'Jenny is verdwenen!'

'Wat bedoel je?'

'We hadden bij het consultatiebureau voor aanstaande moeders met elkaar afgesproken. Jenny is zwanger en is over twee weken uitgerekend, maar ze kwam niet opdagen en ze heeft op mijn voicemail een bericht ingesproken over een vreemde pop en die lag in de hal toen ik thuiskwam en ze is hier ook niet! Waarvoor bel je?'

'Ik wil weten of jullie kinderen hebben. Kunnen we naar je huis komen? Nu?'

'Ja, natuurlijk.'

Mette verbrak de verbinding en kwam overeind. Olivia en Bosse hadden het gesprek gehoord.

'Is Jenny Unger zwanger?' vroeg Olivia.

'Ja.'

'Heeft ze kinderen?'

Daar had Mette nog geen antwoord op.

'Wat is dat met die pop?'

'Ik weet het niet. We rijden erheen. Hij beweert dat Jenny verdwenen is.'

Op dat moment kwam Stilton binnenlopen.

'Ik heb je de hele ochtend gezocht,' zei hij tegen Mette.

'We zaten in een verhoor en nu moeten we weg. Wat wil je?'

'Ik heb gisteren een naam in Jackies klantenregister gevonden die volgens mij interessant voor jullie is.'

'Ja?'

'Axel Sönnerman.'

Iedereen in de kamer reageerde. Axel Sönnerman? Een van de mannen in Jians thread?

'Olivia vertelde over de internetthread waar jullie aan werken,' zei Stilton. 'En dat een van de pseudoniemen van Sönnerman is.'

'En stond hij op Jackies oude klantenlijst?'

'Ja. Wat betekent dat hij degene kan zijn die Jill Engberg in 2005 naar hotel Continental heeft laten komen.'

'En haar vermoord heeft?' zei Bosse.

'Misschien wel.'

Mette besefte hoe belangrijk de informatie was. Degene die Jill Engberg had vermoord, had Aram Mellberg ook gedood. Plotseling had de internetthread een heel concreet verband.

'Haal Sönnerman op,' zei ze tegen Bosse. 'Olivia, jij rijdt met mij mee naar de woning van Jenny Unger. Bedankt, Tom.'

Mette en Olivia verlieten de kamer. Bosse en Stilton keken elkaar aan.

'Je bent dus weer terug,' zei Bosse.

'Nee.'

*

Desmond was niet gekalmeerd. In afwachting van de komst van de politie had hij naar Jenny's vriendinnen, haar collega's en het consultatiebureau voor aanstaande moeders gebeld om te vragen of iemand haar had gezien. Van iedereen kreeg hij hetzelfde antwoord. Ze hadden Jenny niet gezien. Toen er werd aangebeld, rende hij naar de deur. Het kon Jenny zijn, ook al zou ze niet aanbellen, ze had tenslotte een sleutel. Het waren Mette en Olivia. De deur ging open en tegenover hen stond een man van bijna twee meter lang, met dikke dreadlocks die over zijn brede schouders hingen, en een donker gezicht dat glom van het zweet.

'Desmond Dixon?'

'Ja. Zijn jullie van de politie?'

'Ja. Ik ben Mette Olsäter en dit is Olivia Rönning.'

'Kom binnen.'

Desmond liet ze binnen en wees meteen naar de donkere pop op het krukje.

'Dat is de pop.'

'Heeft Jenny iets van zich laten horen?' vroeg Mette.

'Nee.'

Olivia trok een paar dunne rubberen handschoenen aan en pakte de pop op. Ze keken alle drie naar het gezicht zonder ogen.

'En ze zei dat de pop voor de deur lag?'

'Ja. Is dit een of andere stomme grap?'

'We nemen 'm mee,' zei Olivia, waarna ze de pop weer in de doos legde.

'Kunnen we ergens zitten?' vroeg Mette.

Desmond nam hen mee naar de zitkamer. Die was niet groot, maar smaakvol ingericht, een zwarte glazen tafel vormde het middelpunt. Aan de muren hingen muziekposters waarvan Mette aannam dat ze met Desmonds werk te maken hadden. Ze hadden Jenny en hem onderweg nagetrokken. Desmond Dixon was Jamaicaan en voorzag in zijn levensonderhoud als studiomusicus, Jenny werkte op een IT-kantoor en was met zwangerschapsverlof.

'Waarom wilden jullie weten of we kinderen hebben?' vroeg Desmond zodra ze rond de glazen tafel zaten. Mette had van tevoren bedacht wat ze daarop zou antwoorden, de situatie vereiste een zekere diplomatie. Tot nu toe hadden ze geen idee of Jenny tegen haar wil was verdwenen en of dat met de moordzaken te maken had.

Mette had er een onaangenaam voorgevoel over, maar ze was niet van plan om dat aan Jenny's vriend te vertellen als ze dat kon voorkomen.

'We doen op dit moment onderzoek naar een voormalig collectief in de scherenkust in het midden van de jaren zeventig,' begon ze. 'Jenny's vader Klas woonde in dat collectief.'

'O ja?'

'Een paar andere leden van het collectief hebben kleinkinderen met wie het slecht afgelopen is. We willen ons ervan verzekeren dat...'

'Heb je het over die vermoorde kinderen?'

Ze kon het niet langer voorkomen, dus vertelde Mette het hele verhaal, zonder in te gaan op de forensische details. Toen ze klaar was, zag ze dat Desmonds ogen vochtig waren.

'Maar Jenny heeft geen kind,' zei hij bijna smekend. 'Klas heeft geen kleinkinderen.'

Mette en Olivia gaven geen antwoord. Vroeg of laat zou Desmond het beseffen.

Datgene wat ze allebei niet wilden uitspreken.

Mette belde op weg naar de auto. Ze wilde dat er onmiddellijk een opsporingsbericht voor Jenny Unger zou uitgaan. Ze had Desmond om een foto gevraagd die bij het opsporingsbericht gevoegd zou worden. Ze had het nummer van Jenny's mobiel ook gekregen. Toen ze het nummer op de trap probeerde, kreeg ze haar voicemail.

Ze stapten in de auto. Olivia ging op de passagiersstoel zitten en legde de doos met de pop op haar schoot. Die zou ze naar de technische afdeling brengen. Ze reden zwijgend naar het politiegebouw. Ze waren allebei in beslag genomen door dezelfde gedachte.

'Onaangenaam,' zei Mette na een tijd.

'Ja.'

Olivia tilde het deksel van de doos en keek naar de donkere pop.

'Een pop zonder ogen. Waarom? Om angst aan te jagen?'

'Misschien. Als de dader hem tenminste voor de deur gelegd heeft.'

'In elk geval is het iemand die weet dat Jenny een getint kindje verwacht.'

'Waarschijnlijk wel.'

Olivia dacht aan Rödlöga, hoe ze in het donker op haar hurken zat te plassen, aan de stem die plotseling uit de sleedoornstruik had geklonken en haar doodsbang had gemaakt. Was het dezelfde persoon?

*

Judith werd in Ängelholm opgehaald door Liv en Sebastian. Ze hadden op initiatief van Liv kalkoenvlees bij een boerderij in de buurt gekocht. Het was belangrijk voor haar dat het gewone leven doorging. Ze weigerde zich te laten verlammen.

Judith was het liefst alleen met Liv naar huis gereden, maar het was niet anders. Ze ging op de achterbank zitten en Liv reed het parkeerterrein af.

'Waarover wilde de politie praten?' vroeg Liv.

Judith had in het vliegtuig een oneindig aantal variaties geprobeerd. Ze kon het verleden flatteren, ze kon de schuld aan anderen geven, ze kon een leugentje om bestwil opdissen. Maar dat moest ze tegenover haar dochter doen en dat was bepalend.

'Ze wilden weten wat er op Möja gebeurd is toen ik daar in het collectief woonde.'

'Waarom dat?'

'Omdat ze denken dat het te maken heeft met de moord op Emelie en Aram Mellberg.'

Sebastian draaide zich om en keek naar Judith. Ze keek naar beneden omdat ze wist wat er zou komen.

'Op welke manier hebben die moorden en het collectief met elkaar te maken?' vroeg hij.

Het kostte Judith bijna een halfuur om alles te vertellen. Over de sekte. Over de verkrachting van Linnea. Over de moord op Stellan Eklind. Toen ze bijna bij Kullabygden waren, was ze bij de avond waarop ze Stellans lijk in het Mellansjön hadden laten zinken.

Liv en Sebastian hadden niets gezegd terwijl Judith vertelde. Liv had een paar keer in haar achteruitkijkspiegel gekeken, Sebastian had recht voor zich uit gestaard.

Toen Judith klaar was haalde ze een zakdoek uit haar handtas en droogde haar wangen. Op dat moment draaide Sebastian zich om.

'Wat jij gedaan hebt, kan dus de reden zijn dat Emelie dood is?'

Judith gaf geen antwoord, ze knikte alleen met neergeslagen ogen en de zakdoek voor haar mond. Sebastian keek naar Liv, die haar handen stevig rond het stuur had geklemd. Hij draaide zich weer naar Judith. Langzaam stak hij zijn arm uit en legde zijn hand op haar been.

'Dat moet verschrikkelijk voor je zijn,' zei hij zachtjes.

Judith ging verzitten.

'Het is misschien niet veel troost,' ging hij verder. 'Maar Liv heeft me bepaalde dingen laten inzien. Ik heb spijt van alle dingen die ik tegen je gezegd heb. Ik ben heel onrechtvaardig geweest.'

Judith hief haar hoofd en keek naar Sebastian.

Mette had Lisa meegenomen naar de verhoorkamer. Ze had haar gevraagd om het verhoor van Axel Sönnerman op zich te nemen. Lisa zat tegenover hem aan de tafel. Hij droeg een donker kostuum met een blauw overhemd, geen stropdas, zijn blonde haar was kortgeschoren. Hij rook licht naar aftershave.

'Waar was je vanochtend?' begon Lisa.

'Dat is een vreemde vraag.'

'Probeer gewoon antwoord te geven.'

'Ik was thuis.'

'Alleen?'

'Ja.'

'Kun je dat op de een of andere manier laten bevestigen?'

'Nee. Hoe moet ik dat laten bevestigen? Ik was alleen thuis.'

Lisa maakte een aantekening en keek op.

'Je bent lid van de Zweden-democraten, nietwaar?'

'Dat klopt.'

'Ben je ook lid van het Zweeds Arisch Verzet?'

'Dat is een heel kwetsende vraag.'

'Waarom?'

'Zoals jullie weten hebben we binnen de Zweden-democraten geen enkele tolerantie voor racisme. Ik beschouw het als een belediging als jullie me met het Zweeds Arisch Verzet in verband brengen.'

'Is dat zo?'

'Ja. De Zweden-democraten hebben geen banden met die beweging.'

'Maar jij wel.'

'Sorry?'

Lisa pakte een plastic map en haalde er dezelfde gegevens uit die Sven Svensson had gebruikt voor het verhoor van Måns Berntsson. Methodisch nam ze de pseudoniemen door in de racistische thread waarvan Axel Sönnerman een van de deelnemers was, terwijl twee anderen leden van het Zweeds Arisch Verzet waren. Toen ze klaar was, zag Mette dat er kleine druppels op Sönnermans voorhoofd stonden.

'We hebben geconstateerd dat je het pseudoniem Hagalrune gebruikt,' zei Lisa. 'Ik heb hier een paar citaten die van dat pseudoniem afkomstig zijn. Het eerste luidt: "Wat scheidt de mensen van de apen? De Middellandse Zee."'

Lisa keek naar Sönnerman.

'Dat was een grapje,' zei hij.

'Was dat zo?'

'Ja.'

'Een andere keer schreef je dit: "Ophitsing tegen bevolkingsgroepen is het mooiste wat op je cv kan staan." Is dat een mening die je met je partij deelt?'

'Nee. Ik heb overdreven, dat kan gebeuren als je aan het chatten bent en meegesleurd wordt.'

'Waarin meegesleurd? Ophitsing tegen bevolkingsgroepen?'

Sönnerman gaf geen antwoord.

'Ik lees nog één citaat van je pseudoniem voor, dat niet zo lang geleden geschreven is: "De enige manier waarop we Zweden terug kunnen krijgen is met behulp van geweld. Een revolutie, heel gewoon. Met een gewapende macht. Gooi alle grotbewoners het land uit en maak een eind aan het multiculturele verderf."'

'Dat heb ik niet geschreven. Iemand anders moet mijn computer gebruikt hebben.'

'En je pseudoniem?'

Sönnerman streek met een hand over zijn voorhoofd en keek naar Mette.

'Zijn we klaar?'

'Nee,' antwoordde Lisa. 'Nu wil ik een paar jaar terug in de tijd gaan, naar 2005. Ken je een vrouw met de naam Jackie Berglund?'

'Nee.'

'In die tijd had ze een escortservice in Stockholm. Jij staat in haar klantenregister.'

'Dat is mogelijk.'

'Ik heb het register hier. Gebruikte je vaak escortmeisjes?'

'Dat gebeurde soms. Ik woonde in die tijd alleen, ik had bepaalde behoeften.'

'Die je bevredigde met prostituees?'

310

'Waar wil je naartoe?'

'Heb je seksueel contact gehad met een escortmeisje met de naam Jill Engberg?'

'Ik weet niet hoe ze heetten.'

'Ze was gekleurd,' zei Lisa.

'Dan heb ik beslist geen seksueel contact met haar gehad.'

'Dat herinner je je?'

'Nee. Dat weet ik om andere redenen.'

'Je hebt geen seks met getinte vrouwen?'

'Nee.'

'Waar sprak je af met die escortmeisjes?'

'Op verschillende plekken.'

'Hotels?'

'Soms.'

'Is dat ook in hotel Continental gebeurd?'

'Dat geloof ik niet. Waarom vraag je dat?'

'Op 19 november 2005 is Jill Engberg in een kamer van hotel Continental vermoord. Ze was een van Jackie Berglunds escortmeisjes. Ben jij degene die haar daarnaartoe heeft laten komen?'

'Nee.'

'We nemen DNA van je af als we hier klaar zijn.'

'Waarom dat?'

'Omdat je verdacht wordt van de moord op Jill Engberg.'

Mette gaf Lisa op weg naar de vergaderkamer een pluim. Het verhoor was uitstekend verlopen. Lisa glimlachte breed. Sönnerman had zijn deelname aan de racistische internetthread moeten toegeven. Hij had ook zijn contacten met Jackie Berglunds escortmeisjes in 2005 toegegeven en dat die contacten soms in hotelkamers plaatsvonden. Dat hij zou ontkennen dat hij Jill Engberg kende hadden ze verwacht. Tegelijkertijd wist Lisa dat het verhoor eigenlijk maar één doel had gehad: het DNA van Sönnerman afnemen om het te kunnen vergelijken.

*

De man droeg handschoenen en had beide handen aan het stuur. De auto veranderde van rijstrook toen ze in zuidelijke richting over de Centralbrug reden. Het verkeer begon drukker te worden, het was namiddag. Hij keek naar de lichtreclame van Katarinahissen om te zien wat voor temperatuur het was. Dat deed hij altijd als hij hier langsreed. Hij zag dat het elf graden was. Herfst, dacht hij terwijl hij hoorde dat zijn mobiel in het portiervak vibreerde. Hij haalde een hand van het stuur, nam op en herkende de stem meteen. Het was Axel Sönnerman en hij klonk bang.

'De politie heeft me verhoord,' zei Sönnerman. 'Ze hebben vragen over hotel Continental in 2005 gesteld. Heel onaangenaam. Hoe kunnen ze mij verdomme koppelen aan wat daar gebeurd is? Hebben ze met jou gepraat?'

'Nee. Ze weten niet wie ik ben. Waarom gebruik je je mobiel? Je weet toch wat Måns gezegd heeft?'

'Sorry. Ik was gewoon heel...'

'Dat hoef je niet te zijn. Tot ziens.'

De man verbrak de verbinding, legde zijn mobiel weer in het portiervak en keek in de achteruitkijkspiegel naar de vastgebonden vrouw op de achterbank.

*

Jian was ontzettend verontwaardigd.

Nils Mellberg had gebeld en Ola merkte meteen dat hij niet nuchter was. Eerst wilde Ola meteen ophangen. Hij was het verschrikkelijk zat om zijn vader over zichzelf en de buitenwereld te horen raaskallen, vooral als hij aangeschoten was.

'Het gaat over Aram,' zei Nils met een dikke tong.

Daardoor hing Ola niet op. Hij zette de luidspreker aan zodat Jian het ook kon horen.

Toen Nils klaar was met zijn onsamenhangende, maar verbazingwekkende verhaal over wat er op Möja was gebeurd, verbrak Ola de verbinding zonder gedag te zeggen. Hij was verontwaardigd, maar niet zo verontwaardigd als Jian was.

'Hij vertelt het ons niet eens in ons gezicht,' zei ze. 'Wat een klootzak!'

Ola trok Jian naar zich toe en hield haar vast, net zolang tot hij voelde dat haar lichaam ontspande. Wat Nils had verteld, was absurd, ziek, moeilijk te begrijpen. Had de moord op Aram te maken met iets wat in de jaren zeventig was gebeurd?

'Het lijkt volkomen onzinnig,' zei Ola.

'Ja.'

Jian maakte zich los uit Ola's omhelzing. Zij probeerde het ook te begrijpen. Als het klopte wat Nils had verteld, als de politie ook geloofde in een verband met het verleden en Möja, hoe zat het dan met haar racistische thread? Had die niets met de moord te maken? Zat ze op het verkeerde spoor?

Daar wilde ze antwoord op hebben.

*

Mette en Olivia aten een snelle avondmaaltijd in het restaurant van het politiegebouw. Ze hadden hetzelfde gezonde gerecht besteld, garnalensalade. Toen Mette de eerste hongerstillende happen had gegeten, zei ze: 'Mårten en Jolene komen morgen thuis. Midden in deze chaos. Het zal ook eens niet.'

Olivia begreep wat ze bedoelde. Ze wist hoe Mette naar hun thuiskomst had verlangd en tegelijkertijd zou ze dag en nacht vastzitten door de moorden. Niet zo eenvoudig om mee om te gaan, vooral niet omdat Mårten de neiging had om vraagtekens te zetten bij een deel van Mettes beroepsmatige prioriteiten. Met het oog op haar gezondheid. Maar ook hij zou de situatie beslist inzien.

'Geen nieuws over Jenny Unger?' vroeg ze.

'Nog niet,' zei Mette. 'Een getuige heeft een auto met een man en een vrouw uit de garage van het appartementencomplex zien rijden, maar weet niet of het Jenny was of welk automerk het was. Op dit moment proberen we signalen van haar mobiel te detecteren.'

'Denk je dat haar verdwijning met de moorden te maken heeft?'

'Ik hoop dat het niet zo is, maar ik vrees het ergste. Wat denk jij?'

'Als dat zo is, dan is het heel ziek.'

Ze wilde zich niet verdiepen in waar Olivia op doelde, maar ze wisten allebei dat het veel gruwelijker was dan de ontvoering alleen. Iets wat ze voor zich uitschoven of verdrongen. Olivia wilde haar glas water net pakken toen haar mobiel ging. Het was Jian Mellberg.

'Stoor ik?'

'Jij stoort nooit.'

Olivia hield haar hand voor haar mobiel en mimede 'Jian' tegen Mette.

'Hoe is het met je?' vroeg Olivia.

'Ik ben een beetje in de war. Ola's vader heeft daarnet gebeld om over de gebeurtenissen op Möja te vertellen.'

'Ja, wij hebben het verhaal vanochtend gehoord. Het was heel verrassend.'

'Wil dat zeggen dat jullie denken dat de moorden te maken hebben met wat er in de jaren zeventig gebeurd is?'

'Dat kan zo zijn, maar we weten nog niet op welke manier.'

'Maar de zoon van Stellan Eklind is toch betrokken bij de moord op Aram?'

Olivia keek even naar Mette.

'Ja,' antwoordde ze. 'Min of meer.'

'Dus dan is mijn internetthread niet relevant meer?'

'Dat weten we niet. Het kan nog steeds zo zijn dat Eklinds zoon een van de pseudoniemen in de thread is. Of niet soms?'

'Ja, natuurlijk.'

'Hoe gaat het met het vierde pseudoniem?'

'Denk je dat het zin heeft om daarmee door te gaan?'

'Natuurlijk.'

'Oké. Ola doet de groeten. Tot ziens!'

Olivia verbrak de verbinding en keek naar Mette.

'Wat moest ik zeggen?'

'Precies wat je zei. We krijgen morgen bericht van het SKL over het DNA van Sönnerman.'

'Maar als dat zou matchen, dan betekent dat toch dat hij de zoon van Stellan Eklind is?'

'Ja. Van sekssekte naar Zweden-democraat. Dat is waarschijnlijk geen onlogische lijn.'

Mette wilde net opstaan toen een collega naar haar toe kwam rennen.

'We hebben Jenny Ungers mobiel gedetecteerd! Bij Kvarnholmen!'

'Hoe specifiek?!'

'Binnen een straal van honderd meter.'

'Wat is daar te vinden?'

'Onder meer een parkeerterrein.'

Mette ging meteen staan.

*

De man was naar een beschut parkeerterrein gereden. Daar stonden ze nu al een tijdje. Hij had een kruiswoordpuzzel opgelost en nu draaide hij zich om naar de vrouw op de achterbank. Ze had duct tape op haar ogen en mond, haar handen en voeten waren vastgebonden met kabelbinders.

'We hoeven nog maar een uur te wachten tot het donker genoeg is,' zei hij. 'Daarna rijden we verder.'

Hij draaide zich naar de stoel naast hem en pakte de bivakmuts. Die had zijn functie in de garage vervuld. Ze had zijn gezicht niet gezien en dat zou ze ook niet te zien krijgen. Hij legde de bivakmuts op het pistool in het dashboardkastje en draaide zich weer naar de achterbank. Toen hij de knie van de vrouw aanraakte, schrok ze.

'Was je blij met de pop?' vroeg hij.

De man verwachtte geen antwoord. Hij opende het portier, stapte uit en deed de auto op slot. Een paar meter verderop stond een groepje bomen. Hij liep ernaartoe, ging bij een boom staan, opende zijn gulp en stak een sigaret op.

Jenny begreep dat ze alleen in de auto was. Waar de man was wist ze niet. Hij kon buiten de auto staan en naar binnen kijken, of misschien was hij weggegaan. Ze wist dat ze haar mobiel in haar rechterzak had, met het geluid uit. Ze draaide haar armen achter haar rug en probeerde de zak te bereiken met haar vastgebonden handen. Het draaien deed pijn aan haar schouders, maar ze kreeg een paar vingers in de zak en probeerde haar mobiel te pakken.

Mette en Olivia reden in een van de politiewagens, Lisa en Bosse in een andere. Er waren meerdere eenheden naar dezelfde plek onderweg. Met behulp van zwaailicht en sirenes kregen ze vrij baan op de wegen. De omvang van het uitrukken stond misschien niet helemaal in verhouding tot wat er gebeurd was. Niemand wist precies waarom Jenny Unger verdwenen was, behalve dat het waarschijnlijk niet vrijwillig was.

En als het was waar Mette bang voor was, dan waren alle middelen geoorloofd.

Jenny moest een stukje opschuiven om haar vingers verder naar beneden te krijgen en een betere grip op de mobiel te krijgen. Uiteindelijk lukte het haar om hem goed vast te pakken. Voorzichtig trok ze hem uit haar zak en zette het geluid aan. Op dat moment ging het portier open. Jenny schrok door het geluid en liet de mobiel op de vloer vallen.

'Wat is dat!'

De stem van de man kwam als een zweepslag van de voorstoel.

Mettes auto kwam bijna gelijktijdig met de twee andere politiewagens het parkeerterrein op scheuren. Ze constateerden allemaal hetzelfde in het licht van de koplampen: het parkeerterrein was leeg. Mette gaf opdracht om het gebied uit te kammen en de auto's verspreidden zich met hoge snelheid. Bosse en Lisa liepen naar Mette en Olivia toe.

'Zijn we haar misgelopen?' vroeg Bosse.

'Als ze hier is geweest, dan is dat inderdaad zo.'

Mette pakte haar mobiel en een briefje met het nummer van Jenny erop. Ze toetste het nummer in. Na een paar seconden hoorden ze de tonen van een reggaenummer bij een paar bomen. Lisa was degene die de mobiel in het schijnsel van haar zaklamp vond. Hij lag in het hoge gras naast een boom.

'Stuur hem naar de technici!' zei Mette. 'En zorg ervoor dat het hele gebied afgezet wordt!'

*

Hij had de grootste kamer in hotel Köpmansgården gekregen, een kamer met zowel een bank als een salontafel. Toch had hij er vrij snel genoeg van. Niet van de kamer op zich, maar van zijn verblijf hier. Hij verlangde naar huis, naar Malmö, naar Julie, zijn Deense vrouw. Het was maar een rit van een uur, maar het onderzoek hield hem in Höganäs. Hij wist dat hij hier wilde zijn als er iets zou gebeuren.

Svensson pakte de mondharmonica van de salontafel en liet hem langs zijn lippen glijden. Hij was geen virtuoos, maar kon een paar eenvoudige melodieën spelen. Hij ging met het puntje van zijn tong over de gaten en perste de lucht naar buiten. De ijle tonen verspreidden zich door de kamer.

Op dat moment ging zijn mobiel.

Het was het ziekenhuis in Helsingborg.

Svensson deed de plafondlamp uit, deed een metalen wandlamp aan en richtte het licht op de vloer. Bij de muur stond een stoel, die hij naar het bed trok. Een arts had een halfuur geleden gebeld om mee te delen dat Frans Jönsson bij bewustzijn was en hem wilde zien.

Hij keek naar de man in het ziekenhuisbed. Frans had een ijzeren constructie rond zijn hoofd en vanaf zijn armen liepen slangen naar een infuus en een hartslagapparaat. Svensson wilde er niet aan denken hoe hij er onder de deken uitzag. Hij keek naar zijn mishandelde collega en probeerde zich niet te laten kennen. Frans' ene oog ging een stukje open, het was bloeddoorlopen. Svensson beet op zijn tanden.

'Ze waren met z'n drieën,' zei Frans.

Er hing een bedrukte sfeer in de vergaderkamer. Geen geklets, geen geblader in papieren. Iedereen was om zeven uur 's ochtends opgeroepen, ook degenen die nachtdienst hadden gehad. Jenny Ungers verdwijning was het belangrijkste onderwerp van de ochtendbijeenkomst.

'Jenny Unger is tegen haar wil meegenomen,' begon Mette. 'We zijn haar met een paar minuten verschil misgelopen. Met het oog op haar connectie met het collectief op Möja, via haar vader Klas Unger, en het feit dat ze hoogzwanger is, moeten we er helaas van uitgaan dat de ontvoering te maken heeft met de andere moorden waarnaar we onderzoek doen.'

'Maar hoe dan?'

Lisa was degene die de onaangename vraag stelde, de vraag waarmee alle onderzoekers in de kamer sinds de vorige dag hadden geworsteld. Twee kleinkinderen van de personen die Stellan Eklinds lijk hadden weggewerkt, waren vermoord. De derde persoon had geen kleinkinderen. Nog niet in elk geval.

Mette was degene die de weerzinwekkende hypothese uitsprak.

'In het ergste geval wacht de ontvoerder tot Jenny bevallen is.'

'Om de baby daarna te vermoorden?'

'Ja.'

Het was een volslagen krankzinnige gedachte, maar na de twee meedogenloos vermoorde kinderen heel aannemelijk. De persoon op wie ze jacht maakten, had geen remmingen. Als hij degene was die Jenny Unger had ontvoerd, dan kon hij van plan zijn wat Mette net had uitgesproken.

Ze probeerden Mettes hypothese allemaal tot zich door te laten dringen. Ondanks de aannemelijkheid ervan was het moeilijk te verteren. Wachten tot een vrouw haar baby heeft gebaard om hem daarna de nek om te draaien? Een van de oudere onderzoekers liep naar het raam en zette het open. Hij had frisse lucht nodig.

'Wanneer is ze uitgerekend?'

De vraag was concreet, maar ze moesten concreet zijn. Het enige wat op dit moment belangrijk was, was proberen te voorkomen dat Mettes hypothese realiteit werd.

'Ongeveer over twee weken,' zei Mette.

'Wat betekent dat ze elk moment kan bevallen,' zei Bosse. 'Als ze ontvoerd is, kan ze in shock zijn en dan kan er van alles gebeuren.'

Hij was geen expert in bevallingen, maar zijn veronderstelling klopte.

'Dat klopt,' zei Mette. 'Ze kan elk moment bevallen.'

'Dus wat doen we nu?'

'Haar vinden.'

Mette wilde de bespreking net afsluiten toen haar mobiel ging. Het was Marianne Boglund van het SKL. Ze hadden keihard aan het DNA-monster van Sönnerman gewerkt. Mette luisterde en verbrak de verbinding.

'We hebben geen match met Axel Sönnerman,' zei ze, waarna ze de kamer uit liep.

Ze wilde Stilton niet bellen waar de anderen bij waren.

Dat deed ze op de gang.

'Dan weten we dat,' zei ze toen ze Stilton de informatie had gegeven.

'Wat weten we?'

'Dat Sönnerman Jill Engberg niet heeft vermoord.'

'Maar hij kan haar nog steeds naar het hotel hebben laten komen.'

'Wat bedoel je?'

'Ik bedoel dat Sönnerman Jill via Jackie naar de hotelkamer heeft laten komen.'

'En daarna is Jill door iemand anders vermoord?'

'Ja.'

'Waar brengt ons dat?'

'Bij Sönnermans kennissenkring. Weten we daar iets van?'

'We weten het een en ander over hoe die er nu uitziet.'

'Die kan er destijds net zo uitgezien hebben. Heb je namen?'

De thread, dacht Mette. Nu zijn we daar weer. Daarnet waren we op Möja.

'Hij onderhoudt nauwe contacten met drie personen,' zei ze. 'Twee van hen kennen we, dat zijn Måns Berntsson in Skåne en Jonas Eriksson in Stockholm. Beiden zijn lid van het Zweeds Arisch Verzet.'

'Heeft Eriksson een crimineel verleden?'

'Behoorlijk.'

'Wat heeft hij gedaan?'

Mette gaf de feiten die ze over Eriksson had.

'Een onaangename vent,' zei Stilton.

'Ja, en gewelddadig.'

'Heb je een adres van hem?'

'Wat wil je daarmee?'

'Misschien weet hij iets over de moord in het Continental.'

*

Stilton verliet de aak en stak de Pålsundsbrug over. Na het gesprek met Mette had hij Olivia gebeld en gevraagd of ze met elkaar af konden spreken. Olivia had Drop Coffee in de Wollmar Yxkullsgatan voorgesteld.

De kleine lunchroom was bijna leeg toen Stilton binnenkwam, de enige die bij een van de tafeltjes zat was Olivia. Ze had een caffè latte en een ciabatta voor zich staan. Hij ging tegenover haar zitten.

'Wil jij niets hebben?' vroeg Olivia. 'Ze hebben hier heerlijke koffie, de eigenaar is de Zweedse baristakampioen.'

'Ik heb al koffie gedronken.'

'Een broodje dan...? "Ik heb al gegeten."'

Olivia glimlachte en Stilton liet zijn stem dalen.

'Ik heb over Jenny Unger gehoord,' zei hij. 'Verdomd ziek.'

'Ja. Als het klopt wat Mette vermoedt, of wij, dan is het dat echt. Geestesziek.'

Stilton knikte en Olivia wachtte tot hij zou beginnen. Ze begreep dat hij hier niet naartoe was gekomen om over Jenny Unger te praten, ook al kon Jenny's verdwijning te maken hebben met wat zijn prioriteit was: de moord op Jill Engberg.

Ze had gelijk.

'Toen we in het huis op Rödlöga sliepen, vertelde je wat er in Skåne was gebeurd, en over de bedreiging op internet. Over het kankerwijf,' begon Stilton.

'Ja?'

'Je zou op een lijst staan.'

'Volgens Måns Berntsson.'

'Hoe heette degene die Berntsson wilde helpen? Was dat Jonas Eriksson?'

'Ja. Waarom vraag je dat?'

'Heb je die Eriksson weleens ontmoet?'

'Eén keer, bij Berntssons schuur. Hij was aanwezig bij de een of andere nazibijeenkomst en kwam met Berntsson de schuur uit. Ik weet nog dat hij de hele tijd naar me staarde. Hoewel ik toen niet wist dat hij Eriksson was, dat zag ik een tijd later op een foto in de vergaderkamer. Waarom ben je geïnteresseerd in hem?'

Stilton gaf niet meteen antwoord. Hij brak een stukje van Olivia's broodje af en stopte dat in zijn mond.

'Misschien weet hij iets wat ik wil weten,' zei hij daarna.

*

De blonde vrouw die door de aankomsthal van Kastrup liep, trok veel blikken naar zich toe. Haar lange haar hing laag op haar rug, de lichtgroene luchtige jurk werd gedragen door rechte, brede schouders, het diepbruine gezicht omlijstte twee groene ogen.

'Aditi!'

Judith en de blonde vrouw omhelsden elkaar innig en lang. Liv stond op een afstandje en kreeg een warm gevoel in haar borstkas toen ze hen zag. Dit zou wonderen voor haar moeder doen.

Daarna was het haar beurt om omhelsd te worden.

De oudere vrouwen gingen op de achterbank zitten, Liv reed. Voor de eerste keer in eeuwen scheen de zon. Het was alsof Aditi die uit Azië had meegenomen.

'Hoe lang blijf je?' vroeg Liv aan de vrouw op de achterbank.

'Een week.'

'Je logeert toch bij mij?' vroeg Judith.

'Als dat kan.'

'Ik heb speciaal voor jou een logeerkamer in orde gemaakt.'

Aditi pakte Judiths arm vast.

Het was een heel mooie logeerkamer, met ramen die op de tuin en de vlakte daarachter uitkeken. Licht, met groene linnen gordijnen. Judith had het bed opgemaakt met wit beddengoed en groene details; ze wist dat Aditi van die kleur hield. Op de vensterbank had ze een vaas met witte lelies neergezet. De geur vulde de hele kamer.

'Wat een prachtige kamer!'

Aditi trok haar rolkoffer naar binnen en ging op het bed zitten. Ze had een warm gevoel vanbinnen door Judiths goede zorgen.

'Kom, ga zitten,' zei ze.

Aditi klopte op de sprei en Judith ging naast haar zitten. Aditi pakte haar handen vast en keek in haar ogen.

'Je mag in je eigen tempo vertellen,' zei ze. 'Als je het niet kunt, dan blijven we gewoon zitten. Je handen zijn koud.'

'Die van jou zijn warm.'

De vrouwen glimlachten naar elkaar. Judith stond op, deed de deur dicht en ging weer op het bed zitten.

'Er zijn zoveel vreemde dingen gebeurd sinds Emelie dood is,' zei ze.

Liv zat in de keuken, recht onder de logeerkamer. Af en toe hoorde ze zachte stemmen op de bovenverdieping, maar ze hoorde niet wat er gezegd werd. Ze zat daar bijna twee uur voordat ze voetstappen op de trap hoorde. Het was Judith. Liv zag dat ze had gehuild. Dat deed ze de laatste tijd heel vaak, dus negeerde Liv het. Ze nam aan dat het gesprek met Aditi hartverscheurend was geweest. Ze had waarschijnlijk alles verteld, vanaf die vreselijke dag in de tuin.

'Hebben jullie het fijn samen?'

'Ja. Wil je thee zetten?'

'Natuurlijk. Wil Aditi ook hebben?'

'Graag,' antwoordde Aditi op de trap. Toen ze de keuken in kwam zag Liv dat zij ook had gehuild.

Die sterke Aditi, met haar mentale kracht.

Liv had het gevoel dat er iets niet klopte.

*

Stilton was op weg naar de Flemminggatan. Zijn gedachten cirkelden rond Axel Sönnerman en Jonas Eriksson. Sönnerman stond op Jackies lijst en kon Jill Engberg in 2005 naar het Continental hebben laten komen. Een paar maanden voor de moord was Jonas Eriksson na een jarenlange straf vrijgelaten uit de Kumla-gevangenis. Hij had een getinte jongen doodgestoken. Jill was ook getint en was geschonden met een mes. Sönnerman en Eriksson kenden elkaar. Was Eriksson degene die Jill had vermoord?

Daar wilde hij nu achter zien te komen.

Met het oog op Erikssons strafblad – moord, mishandeling en herhaalde haatmisdrijven – en wat Olivia over hem had verteld, had hij niet veel hoop op een vriendelijke ontvangst. Eriksson zou waarschijnlijk niet meegaand zijn.

Hij was een gewelddadige nazi.

We zien wel, dacht Stilton terwijl hij bij Eriksson aanbelde. De deur werd even later opengedaan door een sportieve man in een spijkerbroek en een wit mouwloos T-shirt. Hij had op beide armen en schouders tatoeages.

'Jonas Eriksson?'

'Ja?'

'Heb je tijd om even te praten?'

'Wie ben je verdomme?'

'Over Jill Engberg.'

Er verscheen een bijna onmerkbare reflex in Erikssons ogen, maar Stilton zag het.

'Wie is dat verdomme?'

'Een getinte vrouw die een paar jaar geleden vermoord is. In hotel Continental.'

Eriksson pakte de deurkruk en trok de deur dicht. Stilton zette zijn voet er net op tijd tussen.

'Het duurt maar één minuut,' zei hij.

'Haal je voet weg.'

'Je kent Axel Sönnerman, nietwaar?'

Eriksson trok de deur plotseling open en deed een stap in Stiltons richting.

'Wat wil je verdomme? Donder op!'

'Heb jij Jill vermoord?'

Eriksson reageerde na een halve seconde. Zijn rechterhand schoot uit. Die was halverwege toen Stiltons voorhoofd zijn neus verbrijzelde. Eriksson viel achterover terwijl het bloed over zijn gezicht stroomde. Stilton liep achter hem aan en deed de deur dicht.

*

Jolene was moe na de vliegreis en rende meteen naar haar kamer, maar Mårten was in een uitstekend humeur. Hij hing zijn jas aan de kapstok en riep zijn vrouw.

Mette had ze niet van het vliegveld kunnen halen, ze had in een bespreking over Jenny Unger gezeten. De technisch rechercheurs hadden haar mobiel gecontroleerd, er stonden geen vingerafdrukken op, niet die van haar noch die van iemand anders; hij was duidelijk schoongeveegd. Verder hadden ze geen belangrijke sporen op het parkeerterrein gevonden, behalve een sigarettenpeuk die naar het skl was gestuurd. Maar de vondst van de mobiel versterkte de theorie dat Jenny in een auto was ontvoerd. Alle grensposten waren gealarmeerd. Mette had verteld dat ze een paar uur weg zou zijn, maar dat ze bereikbaar was zodra er nieuwe informatie opdook.

Nu was ze net thuis en ontmoette haar man in de hal. Hij gaf haar een stevige omhelzing en ze rook een duidelijke cognacgeur. Ze wist dat Mårten een hekel aan vliegen had en dat altijd bestreed met een paar borrels tijdens de reis. Ze gaf hem een kus op zijn wang.

Mårten deed een stap opzij en keek naar zijn vrouw.

'Je nieuwe lichaam staat je goed,' zei hij.

Alsof het de eerste keer was dat hij het zag.

'Dank je,' zei Mette. 'Wanneer schaf jij een nieuw lichaam aan?'

'Ik heb het prima naar mijn zin in dit lichaam.'

Mårten streek even over zijn buik, iets minder joviaal dan anders. Zolang het overgewicht in het gezin gelijkmatig was verdeeld, was er geen reden voor onrust. Nu was dat niet meer zo, en het gebrek aan balans verontrustte hem een beetje. Moest ze dat benadrukken? *Wanneer schaf jij een nieuw lichaam aan?* Hij was helemaal niet van plan om een nieuw lichaam aan te schaffen, op dieet te gaan of af te vallen. Hij was in principe tegenstander van alles wat zijn idee van een goed leven kon bedreigen. Met alles wat dat inhield aan gewicht veroorzakende excessen.

Zo was het gewoon.

'Ik heb verschrikkelijke honger,' zei hij. 'Heb je boodschappen gedaan zodat ik iets in elkaar kan flansen?'

'Nee. Ik heb een kok gehuurd,' zei Mette.

'Een kok?'

'Ja. Een politiekok.'

De politiekok heette Olivia Rönning en stond in de keuken toen

Mårten binnenkwam. Zij rook de cognacadem van de gepensioneerde kinderpsycholoog ook.

'Ben jij verantwoordelijk voor het eten?' vroeg Mårten.

'Vanavond wel.'

'Krijg je daar loonsverhoging voor?'

'Nee, maar ik krijg aangenaam gezelschap.'

Mårten omhelsde haar. Olivia was in de loop der tijd min of meer een extra dochter voor hem geworden, helemaal buiten Mette om, een relatie die ze allebei op prijs stelden.

'Wat maak je?' vroeg Mårten terwijl hij nieuwsgierig een deksel optilde.

'Hertenstoofschotel met cantharellen.'

Olivia had haar moeder gebeld en had zowel het recept als instructies gekregen. Nu was het gerecht in principe klaar.

'Het ruikt heerlijk,' zei Mårten terwijl hij een beetje saus van zijn vinger likte.

'Wil Jolene niet eten?'

'Ze is moe en chagrijnig.'

'Waarom dat?'

'Ze wilde in Marrakech een vliegend tapijt kopen en op het moment dat ik haar zover had dat ze begreep dat er geen vliegende tapijten bestaan, zei die idioot van een Tom dat ze wel bestaan.'

'Abbas, bedoel je?'

'Nee, Tom. Hij belde.'

'Aha. Dus daarom is ze chagrijnig.'

'Dat gaat wel weer over. Ze komt beneden als ze honger heeft. Mette!'

'Ik kom!' antwoordde Mette, die op weg naar de keuken was.

Ze had Jolene net ingestopt.

'Ik heb een cadeau voor je,' zei Mårten terwijl hij naar de hal liep. Toen hij terugkwam had hij een langwerpig pakket bij zich.

'Alsjeblieft.'

Hij zette het pakket op de vloer voor Mette neer.

'Wat is het?' vroeg Mette. Uit ervaring stond ze sceptisch tegenover Mårtens cadeaus.

'Maak maar open.'

Mette opende het pakket en keek naar het cadeau.

'Een waterpijp?'

'Precies!'

'Wat moet ik met een waterpijp?'

'Het is een voorwerp, Mette, een buitengewoon mooi voorwerp, symbool voor de hele Arabische cultuur. Ik dacht dat we hem in de nis naast de tegelkachel in de bibliotheek kunnen zetten.'

'Daar staat hij waarschijnlijk mooi.'

Mette zette de waterpijp weg. Ze wilde Mårten niet ergeren door over het cadeau te redetwisten, ze wilde dat hij in een goede bui was. Vroeg of laat zou ze over de dood van Kerouac moeten vertellen.

Dan kon ze beter pluspunten verzameld hebben.

Ze genoten van de maaltijd die Olivia had gekookt. Mette schonk Mårtens glas regelmatig vol rode wijn, het was belangrijk om hem tevreden te houden. Als hij te veel dronk, kon het echter misgaan. Hij had tijdens de reis tenslotte al gedronken.

Toen Mårten verslag had gedaan van het grootste deel van de volgens hem absoluut fantastische reis naar Marokko, kwam het gesprek op de kindermoorden.

Mette had Mårten via de telefoon fragmenten van de gebeurtenissen verteld, nu vulden Olivia en zij dat beeld aan. Normaal gesproken besprak Mette haar zaken zelden met haar man, maar af en toe maakte ze een uitzondering. Dit was er één.

Toen het gesprek op Stellan Eklind kwam, raakte Mårten duidelijk geïnteresseerd. Door zijn werk als psycholoog had hij veel inzicht in de menselijke psyche.

'Een sekte?' zei hij.

'Zo beschreef een van de leden het.'

'Wat absoluut klopt. Voor ernstig narcistische persoonlijkheden, zoals deze Eklind lijkt te zijn geweest, is het fantastisch om een eigen religie te creëren, of een sekte, en op die manier de volledige controle over mensen te hebben. Als je dat hebt, kun je daar op alle mogelijke manieren gebruik van maken. Dat heeft David Berg ook gedaan.'

'Wie is dat?' vroeg Olivia.

'Hij is in de VS Children of God begonnen. Een weerzinwekkende beweging met een sterk seksueel vernederingselement, waar ook kinderen bij betrokken werden.'

'Kan Stellan door hem geïnspireerd zijn geraakt?'

'Children of God is in 1968 gesticht, dus het is goed mogelijk dat hij de sekte kende.'

'Hij heeft zijn dochter verkracht toen ze veertien was,' zei Mette. 'De tweede keer dat hij haar verkrachtte heeft ze hem doodgeslagen met een steen.'

'En daarna heeft ze zelfmoord gepleegd,' zei Olivia.

'Jezus.'

Mårten schudde zijn hoofd en schonk zijn glas vol. Het gesprek was op duister terrein gekomen. Wat er op Möja was gebeurd, was zowel beklemmend als tragisch. Toen Mette eindigde met het verhaal over de hoogzwangere vrouw die was ontvoerd en wat er in het ergste geval met haar kon gebeuren, werd het stil aan tafel.

Mette besefte dat het absoluut het verkeerde moment was om over de dode kelderspin te beginnen. Ze had een beetje gevoel voor verhoudingen.

'Sorry,' zei Olivia toen haar mobiel ging. Ze herkende het nummer niet, maar nam op.

Het was Judith Boelsdotter.

'Het spijt me dat ik zo laat nog bel,' zei ze. 'Maar ik vraag me af of ik je morgen kan spreken.'

'Natuurlijk, maar ik ben nog in Stockholm.'

'Daar vlieg ik morgen met een vriendin naartoe. We willen je een aantal dingen vertellen.'

'Kun je dat nu niet vertellen?'

'Nee, we willen het graag samen doen.'

'Oké. Bel me als je geland bent.'

Olivia verbrak de verbinding en deed verslag van het gesprek aan Mette.

'Wat denk je dat ze wil vertellen?' vroeg Mette.

'Geen idee, maar het moet iets met Emelies dood te maken hebben, met de moordzaak. Dat is het enige contact dat we hebben.'

'En ze wil het samen met een vriendin vertellen?'

'Ja.'

'Wie kan dat zijn?'

'Niet haar dochter Liv. Dan zou ze dat gezegd hebben.'

'Heb je weleens vriendinnen van haar ontmoet?'

'Nee. Alleen haar vriend, Curre.'

'Vreemd.'

Mårten stond op om koffie te zetten. Mette belde naar de Rijksrecherche om te informeren of er nieuws over Jenny Unger was.

Dat was er niet.

Er was echter wel nieuws over een van de personen in Jians internetthread, Jonas Eriksson. Mette luisterde en hing op. Olivia liep naar haar toe.

'Is er nieuws?'

'Niet over Jenny Unger. Maar Jonas Eriksson is mishandeld in zijn appartement.'

Ze keken elkaar aan. Olivia dacht aan het gesprek met Tom in de lunchroom, zijn vragen over Eriksson, gedachten die naar Gorre leidden, naar de mishandeling bij het Mellansjön. Is hij niet goed bij zijn hoofd? dacht ze.

Mette had er spijt van dat ze Tom het adres had gegeven en dacht ongeveer hetzelfde als Olivia: hij is niet goed bij zijn hoofd.

Maar ze dacht er nog iets bij: nu is hij te ver gegaan.

*

De stenen wand achter Jenny droop van het vocht; kleine stroompjes zochten zich een weg naar de donkere aarde onder haar. Ze had het koud en drukte haar armen tegen haar borstkas. Haar ogen waren nog steeds afgeplakt, de tape over haar mond was weggetrokken, haar handen waren vrij, haar voeten waren vastgebonden.

Het deed pijn aan haar enkels.

Toen de tape over haar mond was weggehaald, had ze vragen gesteld, wanhopig, geschokt en verward. Ze had geen antwoorden gekregen.

Dat was inmiddels uren geleden.

Ze streelde langzaam over haar dikke buik en voelde de baby schoppen. Haar snikken waren weggestorven, haar ogen waren droog, ze ademde met korte tussenpozen in en uit. Ze wist niet waar ze was, behalve dat ze niet in een kamer was. Ze wist niet of ze alleen was op de plek waar ze zich bevond.

'Jenny.'

Ze schrok door de stem, die voor haar klonk. Het was dezelfde stem als in de auto, een zachte mannenstem.

Ze gaf geen antwoord.

'Je weet toch wat je in je buik hebt?' zei de man.

'Een kind.'

'Onkruid.'

Jenny voelde hoe een koude hand onder haar trui schoof en haar buik aanraakte. Ze schreeuwde en sloeg hem weg.

'Je hebt je Zweedse genen met negerzaad verdund,' zei de man. 'Hoe heb je dat kunnen doen?'

'Mijn man is Jamaicaan.'

'Waarom is hij dan niet op Jamaica? Wat doet hij hier?'

Jenny probeerde te begrijpen waar de man het over had. Ze rook zijn ademhaling, of misschien was het zijn lichaam. Het rook naar roest.

'Waar ben ik?' vroeg ze.

'Bij mij.'

'Wie ben je?'

Ze kreeg geen antwoord.

*

Abbas el Fassi was even in zijn appartement in de Dalagatan om zijn koffer neer te zetten, daarna wilde hij naar de aak. Op eigen initiatief. Hij wilde meer weten over de moord op Jill. Toen Tom de moord onderzocht, was Abbas er korte tijd bij betrokken geweest, als officieuze rapporteur. Zijn werk als croupier in Casino Cosmopol gaf hem de mogelijkheid om tijdstippen bij te houden van een aantal gokverslaafde personen in wie Tom geïnteresseerd was.

Dat had nergens toe geleid. Destijds.

Daarom was hij nu nieuwsgierig. Alleen al het feit dat Tom zich met de zaak bezighield was verrassend. Er moest iets gebeurd zijn, en het beetje dat hij in Marrakech had gehoord was niet voldoende.

Hij had gebeld en aangekondigd dat hij zou komen. Stilton had geprobeerd eronderuit te komen. Hij was van mening dat de aak geen goede plek was om met Abbas over de moord op Jill Engberg te praten, niet met Luna's vader aan boord. Luna was oké, ze wist voldoende over het onderzoek om iets te kunnen bijdragen, maar Justus absoluut niet.

'We kunnen in je hut gaan zitten,' stelde Abbas voor.

'Kan ik naar jou toe komen?'

'Nee.'

'Waarom niet?'

'Kan ik langskomen of niet?'

Nu zat Abbas in Stiltons hut, op zijn kooi, en Stilton stond tegen de deur geleund. Abbas wees naar Stiltons gezicht.

'Wat heb je met je voorhoofd gedaan?'

'Ik heb een nazi een kopstoot gegeven.'

'Waarom dat?'

'Heb ik daar een reden voor nodig?'

'Ja.'

Stilton vond de blik in Abbas' ogen niet prettig.

'Ik verdacht hem ervan dat hij betrokken was bij de moord op Jill Engberg,' zei hij.

'Was dat zo?'

'Misschien. Zover zijn we niet gekomen.'

'Omdat?'

'Hij deed lastig. Waarom kon ik niet naar jou toe komen?' zei Stilton om van onderwerp te veranderen. Hij wilde de blik ontwijken.

'Omdat daar een meisje logeert,' zei Abbas.

'O ja? Iemand met wie je een relatie hebt?'

'Nee. Vertel over Jill Engberg.'

Stilton wist dat Abbas niets zou vertellen over het meisje in zijn appartement, dus deed hij verslag van wat er was gebeurd.

Abbas kon goed luisteren, hij onderbrak hem niet met verkeerde vragen, kon tussen de regels door horen en trok intuïtieve conclusies. Toen Stilton klaar was, vroeg hij: 'Hoe dichtbij zijn jullie om hem op te pakken, denk je?'

'Dichtbij.'

Abbas knikte even. Hij had wat Tom had verteld verwerkt en besefte dat alles op dit moment op één ding neerkwam.

'Stel dat ze die zwangere vrouw niet op tijd vinden?'

Het bleef een paar seconden stil. Stilton had zijn verslag beëindigd met informatie over de verdwenen Jenny Unger, die zwanger was van het kleinkind van Klas Unger.

'We kunnen alleen hopen dat ze haar wel op tijd vinden,' zei hij. 'Er is niet zoveel wat jij of ik daaraan kunnen doen. Mette moet haar vinden.'

'We kunnen toch helpen?'

'Absoluut. Maar hoe?'

Stilton had geen idee hoe ze dat moesten aanpakken. Bovendien moest hij de volgende dag naar Rödlöga.

'Ga je morgen mee naar het eiland?' vroeg hij. 'Ik moet een paar dingen regelen.'

'Graag. Wie was de nazi die je een kopstoot hebt gegeven?'

Het was net na acht uur 's ochtends en Ola had verse broodjes gekocht. Hij vermoedde dat Jian de hele nacht niets had gegeten, dat had hij aan haar stem gehoord. Ze stond op het punt om het vierde pseudoniem, Triskele/BW, te vinden en wist niet van ophouden.

'Ik blijf hier slapen,' had ze gezegd.

Nu lag ze op de smalle bank in het kantoor met een kussen op haar hoofd.

Ola sloop de kamer in en zette de broodjes op het aanrecht. Toen hij het koffiezetapparaat aanzette, werd Jian wakker.

'Goedemorgen. Ik heb broodjes gekocht,' zei Ola.

'Lekker.'

Jian ging zitten en streek met een hand over haar gezicht, met haar andere hand woelde ze door haar haar.

Ze heeft niet lang geslapen, dacht Ola.

'Hoe ging het vannacht?' vroeg hij.

'Goed, hoop ik.'

Jian stond op en liep naar de werkbank. Ze drukte op een toets, waardoor het computerscherm tot leven kwam.

'Ik heb de hele nacht als een gek gezocht,' zei ze. 'Uiteindelijk denk ik dat ik beet had, waarna ik een openbaar document aangevraagd heb. Ik denk dat de naam daarop te vinden is. Als ze snel werken kan het document onderweg zijn.'

Ze ging bij het scherm zitten en begon te scrollen. Ola ging achter haar staan.

'Ik hou van je.'

Ola omhelsde Jian van achteren, ze draaide haar hoofd om en gaf hem een lichte kus op zijn mond.

Dat was de eerste keer sinds Arams dood.

*

332

Stilton zag haar toen hij bij de ribboot stond. Ze stapte uit een taxi en liep de Pålsundsbrug op. Eén seconde overwoog hij om achter de reling te hurken, uit het zicht, maar seconden later verdween die mogelijkheid.

'Tom!'

Mette had hem bij de boot gezien en liep naar hem toe. Stilton stond nog op de kade en keek naar het donkerbruine water. Hoe moest hij zich hieruit kletsen?

Mette was bijna bij de boot en hij zag dat ze kleine zweetdruppels op haar voorhoofd had door het snelle lopen. Hij zag de uitdrukking op haar gezicht ook en hoorde hoe zachtjes en gecontroleerd haar stem was: 'Het zit zo, Tom. Voor jouw bestwil heb ik veel regels overtreden. Een hele tijd. Dat heb ik gedaan omdat ik je vertrouwde. Dat doe ik niet meer. Wat je gisteren met Jonas Eriksson hebt gedaan is ver voorbij alle grenzen. Ik dacht dat je belangstelling voor de moord op Jill professioneel was. Dat er nog steeds een restant van de politieagent die ik heb gekend in je zat. Dat restant blijkt niet te bestaan. Al je gegraaf naar de moord op Jill ging alleen om dat verdomde ego van je. Je revanche. Om een persoon te mishandelen die...'

'Een nazi.'

'Is dat je verweer? Heb je er helemaal geen idee van waarin je verandert als je zo'n gewelddaad begaat? Dan word je net als zij!'

Mette was voor het eerst harder gaan praten. Ze liet haar stem meteen weer dalen.

'Begrijp je niet wat je gedaan hebt? Waar je mij bij betrokken hebt? Begrijp je niet hoe verschrikkelijk treurig dit is?'

Haar stem had een andere toon gekregen, wat gepaard ging met vochtige ogen. Mette balanceerde tussen woede en wanhoop. Stilton zag het. Hij keek weer naar het water. Toen hij opkeek zag hij Mette weglopen.

'Ik ga naar Rödlöga,' zei hij tegen haar rug.

Als een klein kind dat vlucht omdat het zich schaamt.

*

Sven Svensson wilde zich de confrontatie niet laten ontglippen.

Hij reed in de surveillancewagen mee naar Måns Berntssons boerderij en hield toezicht op zijn arrestatie. Op eigen intitiatief deed hij

Berntsson ook handboeien om, achter zijn rug.

Hij genoot van elke seconde.

Nu zat hij tegenover Berntsson in de kleine verhoorkamer. Voor de derde keer. Deze keer echter met het verschil dat Berntsson was gearresteerd, wat Svensson meedeelde zodra hij de bandrecorder had aangezet.

Berntssons reactie was zoals hij had verwacht.

'Waarom?'

'Omdat ik gisteren in het ziekenhuis van Helsingborg met Frans Jönsson heb gepraat. Ondanks zijn toestand kon hij heel gedetailleerd vertellen wat er met hem was gebeurd. Drie mannen hebben hem mishandeld. Twee van hen waren leden van een bekende motorclub. Ze zijn geïdentificeerd en gearresteerd. De derde was jij.'

Svensson keek over de tafel naar Berntsson.

'Je wordt aangeklaagd voor poging tot moord, eventueel poging tot doodslag,' ging hij verder. 'Beken je?'

'Nee.'

Dat had hij ook niet verwacht.

Svensson riep twee agenten naar binnen en Berntsson werd weggeleid. Net voordat hij de kamer uit was zei Svensson: 'Alle klootzakken komen terecht waar ze thuishoren. Verder staan de letters BW van je kleine, racistische cel voor Blanke Wraak.'

*

Er waren veel mensen in het appartement, sommigen in de keuken, de meesten in de zitkamer. Ze waren er allemaal om Desmond te steunen. Het waren onder meer muziekcollega's en vriendinnen van Jenny. De oudste in de kamer was haar vader Klas Unger. Sommigen zaten op de vloer, anderen maakten iets te eten in de keuken, er waren veel verschillende huidskleuren en de gesprekken waren afwisselend in het Engels en Zweeds.

'Heb je nog contact met de politie gehad?' vroeg een meisje met een rastakapsel dat met over elkaar geslagen benen naast Desmond op de bank zat.

'Nee,' zei hij.

'Ik heb daarnet met ze gepraat,' zei Klas.

'Wat zeiden ze?'

'Ze zoeken.'

'Maar wat denken ze dat er gebeurd is?'

Klas en Desmond wisselden een blik. Zij wisten wat er gebeurd was, dat had de onderzoeksleider de vorige dag verteld, in elk geval wat de politie vreesde: dat Jenny's verdwijning te maken had met Klas' tijd in het collectief op Möja in de jaren zeventig. Ze hadden de informatie van Mette Olsäter gekregen, die had geprobeerd hun vragen zo goed mogelijk te beantwoorden.

Voor Desmond was het volslagen onbegrijpelijk, voor Klas iets begrijpelijker. Hij wist wat hij en de twee andere jongeren op Möja hadden gedaan, hoewel hij niet snapte hoe dat iets te maken kon hebben met wat er nu was gebeurd. Toen Desmond en hij alleen waren achtergebleven, hadden ze een hele tijd zwijgend naast elkaar gezeten. Uiteindelijk had Desmond een cd opgezet, een van Jenny's favorieten, de albinozanger Salif Keïta uit Mali. Zijn mooie melancholische stem had de kamer gevuld en was tot beide mannen doorgedrongen.

Het duurde niet lang voordat ze allebei huilden, een stukje bij elkaar vandaan op de bank.

'Ze weten nog niet wat er gebeurd is,' zei Klas.

Desmond keek naar de vloer. Het jonge rastameisje pakte zijn handen vast.

'We geven een feest voor Jenny als ze terug is,' zei ze. 'Een enorm feest.'

*

Het was niet mogelijk om te bepalen of het dag of nacht was op de plek waar ze zich bevonden. Het was donker als de zaklamp van de man niet brandde.

Nu deed hij hem aan.

Het licht reikte tot onder de tape voor Jenny's ogen. Ze zag het als een zwak schijnsel helemaal onder in haar gezichtsveld. Ze was net wakker geworden. Hoe lang ze had geslapen wist ze niet, alleen dat ze weggezakt was, verdwenen, en wakker was geworden in dezelfde nachtmerrie. Dezelfde vochtigheid, dezelfde stilte.

Haar hoofd was helderder nu ze had geslapen en ze probeerde te analyseren wat er was gebeurd. Een man met een bivakmuts had haar in een auto in de garage gedragen, had haar vastgebonden en tape over

335

haar ogen en mond geplakt. Ze waren weggereden. Ze had verkeer gehoord, autoverkeer, een signaal van een mobiel, de man had even gepraat met degene die hem had gebeld. Ze waren ergens gestopt. De man was uitgestapt en ze had haar mobiel tevoorschijn gehaald. Hij was teruggekomen met een rooklucht om zich heen. Ze nam aan dat hij haar mobiel had gezien. Hij was weer uit de auto gestapt en meteen daarna waren ze weggereden. In de verte had ze politiesirenes gehoord.

Daarna had ze een gat in haar geheugen, ze begreep niet waarom.

De volgende herinnering was van de plek waar ze zich nu bevonden. Hier had de man de tape van haar mond gehaald. Hier werd ze gevangengehouden. Waarom? Ze had het gevraagd, maar had geen antwoord gekregen. Waarom juist zij? Waarom praatte de man over het kind in haar buik? Wat was hij van plan?

'Wat ben je van plan?' vroeg ze. Ze wist niet of de man er nog was, maar ze vermoedde het omdat ze daarnet een lichtschijnsel had gezien.

Hij was er nog.

Hij legde de zaklamp op de aarden vloer en richtte hem naar boven, naar Jenny's dikke buik.

'Weet je hoe het klinkt als je de nek van een kind omdraait?' vroeg hij.

Jenny hijgde. Het duurde niet lang voordat ze de foto's en krantenkoppen voor zich zag, foto's van kinderen, krantenkoppen over de moorden. Ze had gelezen over de wrede moorden, over de hoofden van de kinderen die omgedraaid waren. Ze voelde het branden in haar borstkas.

'Je hoort bijna niets,' ging de man verder. 'Nauwelijks meer dan dit.'

Jenny gaf een gil toen ze een kort, knappend geluid hoorde.

De man liet de droge tak zakken.

'Dat ben ik van plan,' zei de man. 'Voel je je nu beter?'

Judith en Aditi gingen meteen naar het Rijksrecherchegebouw in Bromma. Olivia had voorgesteld dat ze elkaar daar zouden zien en Mette Olsäter zouden ontmoeten, die het onderzoek naar de kindermoorden leidde. Judith had er niets op tegen gehad.

De vrouwen werden door een agent naar Mettes kamer gebracht. Olivia wachtte voor de deur op ze en omhelsde Judith even. Ze wist niet wie de andere vrouw was. Judith en Mette begroetten elkaar, ze hadden elkaar pasgeleden nog gezien, en daarna stelde Judith haar vriendin voor.

'Dit is Aditi, een oude vriendin van me. Ze woont in Thailand.'

'Is dat waar Liv is geweest?' vroeg Olivia.

'Ja,' antwoordde Aditi.

Ze gingen zitten. Mette had ervoor gezorgd dat er fruit en drinken op de tafel stond. Aditi trok een paar blauwe druiven los en keek naar Mette.

'Ik heb begrepen dat jij het onderzoek leidt.'

'Dat klopt.'

Mette constateerde dat de vrouw heel beheerst en kalm was en een natuurlijke autoriteit had. Dat was aan haar hele lichaamstaal te merken.

'Ik ben gisteren in Zweden gearriveerd,' zei Aditi. 'Judith had me gevraagd om te komen, ze voelt zich afschuwelijk sinds de moord op haar kleinkind en heeft steun nodig. Ik werk met het versterken van het innerlijk van mensen en wil Judith graag helpen als ik dat kan.'

Aditi stopte een druif in haar mond.

'We hebben gepraat zodra ik bij haar thuis was,' ging ze verder, 'en toen kwamen er dingen naar boven die heel schokkend voor me waren.'

'Op welke manier?' vroeg Mette.

'Judith vertelde over het onderzoek. Ze is hier geweest en heeft met jullie gepraat over het oude collectief op Möja.'

'Ja. Ken je dat?'

'Ik ben de dochter van Stellan en Barbro.'

De stilte was intens en langdurig, tot Olivia vroeg: 'Ben jij Linnea?'

'Ja.'

'Maar je hebt zelfmoord gepleegd?'

'Nee, ik heb Linnea vermoord.'

'Heb je geen zelfmoord gepleegd?'

'Blijkbaar niet.'

Aditi glimlachte een beetje terwijl ze dat zei. Olivia had een aantal vragen die ze niet kon stellen omdat Mette de meest relevante vraag al stelde.

'Weet je of je vader nog andere kinderen had?'

'Ja. Hij heeft nog een kind.'

'Een zoon?'

'Ja.'

'Met wie dan?'

'Met mij.'

Olivia keek naar Judith, die een gebaar met haar hand maakte.

'Ik wist dat niet,' zei ze zachtjes.

'Nee,' zei Aditi. 'Dat wist Judith niet.'

'Hoe heet je zoon?'

'Dat weet ik niet,' zei Aditi. 'Ik heb hem bij mijn moeder achtergelaten toen hij geboren was. Daarna heb ik mijn zelfmoord in scène gezet, ben naar het buitenland gegaan en heb al het contact verbroken.'

'Hoe heb je je zelfmoord in scène gezet?' vroeg Olivia.

'Ik heb een afscheidsbrief geschreven en ben 's nachts met een kleine boot met buitenboordmotor naar Sillö gevaren, daarna heb ik de boot naar de vaargeul laten drijven.'

Mette voelde dat ze nog veel vragen over haar verklaring had. Niet in het minst omdat Aditi's vader een tijd daarvoor ook was verdronken. Hadden de verdrinkingen iets met elkaar te maken? Hoe was het onderzoek verlopen? Hoe was het jonge meisje ongemerkt naar de stad gekomen? Maar dat was bijna veertig jaar geleden gebeurd en ze had acutere vragen te stellen.

'Je weet dus niet hoe je zoon heet?' vroeg ze.

'Nee, en ik weet ook niet waar hij is.'

'Maar je moeder moet dat toch weten?'

'Ik neem aan van wel. Maar ze weet niet dat Stellan zijn vader is.'

Mette kwam haastig overeind, liep naar haar bureau, sloeg een map open, zocht een paar seconden, pakte haar mobiel en toetste een nummer in.

'Bel je Barbro?' vroeg Olivia.

'Ja.'

Olivia keek naar Aditi.

'Judith heeft waarschijnlijk verteld dat we denken dat Stellans zoon achter de moord op Emelie en nog een kind zit.'

'Ja. Het is afschuwelijk.'

Olivia zag dat Aditi's handen een beetje trilden.

'Ze neemt niet op.'

Mette verbrak de verbinding en dacht een paar seconden na. Verdomme, dacht ze, waarna ze de sneltoets van Stilton indrukte. Hij nam meteen op.

'Waar ben je?' vroeg Mette.

'Met Abbas op weg naar Rödlöga. Was je nog niet klaar met me een uitbrander te geven?'

'Dat is het niet. Ik heb vanochtend gezegd wat ik moest zeggen en je weet heel goed waar ik het over had. Nu heb ik hulp nodig. We proberen in contact te komen met Barbro Eklind, ze neemt de telefoon niet op. Kun jij naar Möja gaan om haar te zoeken?'

'Wat is er aan de hand?'

Mette legde in het kort uit wat Aditi had verteld. Het duurde een paar seconden voordat het tot Stilton was doorgedrongen.

'Bedoel je dat Stellans zoon Barbro's kleinkind is?' vroeg hij.

'Ja. Barbro moet dus weten hoe hij heet en waar hij woont. Zoek dat zo snel mogelijk uit!'

'Oké. We gaan ernaartoe.'

Mette verbrak de verbinding en liep terug naar de tafel. Ze keek naar Aditi.

'Bedankt dat je hiernaartoe bent gekomen om dit te vertellen,' zei ze. 'Ik begrijp dat het een kwelling moet zijn, maar het helpt ons bij de jacht op Emelies moordenaar.'

'Mijn zoon.'

Aditi zei het meer tegen zichzelf terwijl ze tegelijkertijd opstond.

'Gaan jullie nu terug?' vroeg Olivia.

'Nee, ik wil mijn moeder zien,' zei Aditi. 'Ik wil weten wat er gebeurd is.'

De ondertoon was duidelijk. Ze ging ervan uit dat haar moeder haar zoon had opgevoed. Een wrede moordenaar.

Ze wilde weten hoe dat had kunnen gebeuren.

Olivia liep met Judith en Aditi naar beneden en nam voor de ingang afscheid. Terwijl ze weer naar binnen liep werd ze gebeld. Toen ze klaar was met luisteren rende ze naar Mettes kantoor en liep naar binnen zonder te kloppen. Er waren niet veel collega's die dat deden.

Het had echter een reden.

'Jian heeft gebeld. Ze heeft de naam achter het vierde pseudoniem gevonden!' zei Olivia.

'Mooi. Wie is het?'

'Erik Adolfsson.'

Mette had een paar seconden nodig om het tot zich door te laten dringen, wat Olivia heel goed begreep.

'Erik Adolfsson?' vroeg ze uiteindelijk.

'Ja.'

'Maar hij heeft Aram Mellberg toch gevonden?'

'Ik weet het.'

'Kan het dezelfde persoon zijn? Heeft ze een adres?'

Olivia gaf het adres in Bagarmossen dat ze van Jian had gekregen. Mette constateerde al snel dat het adres overeenkwam.

Ze begreep het nog steeds niet helemaal.

'Erik Adolfsson?'

'Hij had toch een alibi voor de moord op Emelie?' zei Olivia.

'Jazeker.'

'Hebben we iets gemist?'

Mette pakte de vaste telefoon en gaf opdracht om Erik Adolfsson onmiddellijk op te halen.

*

Stilton voer zo hard als hij durfde met de ribboot over het open water. Hij gleed over de golven en veroorzaakte enorme boeggolven. Abbas zat een stuk bij de stuurconsole vandaan met zijn armen over elkaar. Dat is het voordeel als ik hem in de boot heb, dacht Stilton. Hij is niet bang voor snelheid, hij geniet ervan.

Fatalist.

Stilton nam pas gas terug toen ze de haven van Långvik in voeren. De boeggolven sloegen hoog tegen de steiger. Hij zette de motor uit terwijl Abbas uitstapte en meerde de boot af aan een kleine bolder. Stilton had de verandering van richting meteen na het gesprek met Mette uitgelegd. Nu gaf hij Abbas meer informatie.

'Barbro is een mysterieuze vrouw,' zei hij. 'Ik weet niet of ze liegt of argeloos is.'

'Wat denk jij?'

'Ik denk dat ze veel complexer is dan ze wil lijken. We hebben iets verkeerds tegen haar gezegd toen we daar waren, en toen vertrok haar gezicht en werden haar ogen in een mum van tijd helemaal zwart. Ik denk dat ze een duistere kant heeft die ze voor ons verborgen houdt.'

'Dat klinkt spannend.'

Ze liepen snel door het dorp en wilden net afslaan naar de smalle weg die naar Barbro's woning leidde toen ze iemand hoorden roepen.

'Stilton!'

Ze bleven staan. Het geluid was afkomstig van een woning aan de rand van het dorp, van een man die in een rolstoel op het voorportaal zat.

'Wie is dat?' vroeg Abbas.

'De Drankbaron.'

Stilton zwaaide naar de man en begon weer te lopen.

'Heb je Wistam gesproken?!'

Stilton bleef weer staan. Ze hadden de tip over Viola Wistam van de Drankbaron gekregen. Hij had het recht om ernaar te vragen en het recht om antwoord te krijgen.

'Ja!' riep Stilton. 'Bedankt!'

'Wil je een borrel?'

'Niet nu. Ik kom straks langs!'

De Drankbaron zwaaide terug en draaide zijn rolstoel. Stilton en Abbas liepen de smalle grindweg op. Even later bedacht Stilton dat hij Barbro de vorige keer dat hij haar zocht bij de Drankbaron naar buiten hadden zien komen, misschien was ze daar nu ook.

'Hallo!' riep hij naar de Drankbaron.

'Ja?'

'Heb je Barbro gezien?'

'Ze is weggegaan.'

'Met de brommer?'

'Met de boot!'

Abbas was naar Stilton teruggelopen.

'Is ze op zee?' vroeg hij.

'Blijkbaar.'

'Wat doen we nu?'

'We wachten in de haven op haar.'

Ze liepen door het dorp naar de haven en gingen op een van de banken bij de steiger zitten. Er stond een snijdende wind vanaf het water en het was geen pretje om daar te zitten. Stilton keek over zijn schouder. Hij was bang dat de Drankbaron het in zijn hoofd zou halen om naar beneden te komen om over zijn rubberen laars te vertellen, maar hij liet zich niet zien. Abbas keek uit over het open water.

'Hoe lang kan het duren?' vroeg hij.

Alsof Stilton dat kon weten.

'Misschien is ze in Berg om inkopen te doen of heeft ze visnetten geplaatst of zoiets. Ik weet het niet.'

'Hoe lang blijven we hier zitten?'

'We kunnen naar haar woning gaan om daar op haar te wachten.'

Op dat moment hoorden ze het geluid van een naderende gloeikopmotor. Het duurde een paar minuten voordat de boot in zicht kwam. Toen de boot koers naar de baai zette, zagen ze de vrouw die bij de helmstok zat.

'Is dat Barbro?' vroeg Abbas.

'Ja.'

Stilton ging staan en liep naar de steiger. Barbro droeg een lichtblauwe waterdichte overall en had een witte sjaal rond haar hoofd gewikkeld. Ze stuurde haar geteerde houten boot naar een overdekt boothuis en gleed naar binnen. Stilton liep naar het boothuis en opende de deur. Abbas volgde hem naar binnen. Barbro was net uit de boot gestapt en had een paar boodschappentassen neergezet op de houten steiger die langs de wanden van het botenhuis liep. Ze schrok toen ze Stilton zag.

'Ben je hier om het boek terug te brengen?' vroeg ze.

'Nee.'

'Nee? Waarom ben je hier dan?'

'Je kleinkind.'

Barbro bukte zich en pakte de boodschappentassen op voordat ze antwoord gaf.

'Wat is er met hem?'

'Waarom heb je niet verteld dat je een kleinkind hebt?'

'Dat heeft niemand gevraagd. Jullie hebben alleen beweerd dat Stellan andere kinderen zou hebben en die heeft hij niet. Wat ga je deze keer beweren?'

Barbro probeerde Stilton op de smalle steiger te passeren. Hij liep naar achteren, waardoor Abbas ook naar achteren moest lopen. Toen ze alle drie uit het boothuis waren ging Stilton voor Barbro staan.

'Hoe heet je kleinzoon?'

'Erik.'

'Eklind?'

'Ja. Waarom wil je dat weten?'

Stilton pakte zijn mobiel en belde Mette. Barbro liep weg met de boodschappentassen in haar handen. Stilton gebaarde naar Abbas dat hij haar achterna moest gaan.

'Mette Olsäter.'

'Hallo, met mij. Het kleinkind heet Erik Eklind.'

'Eklind? Niet Adolfsson?'

'Adolfsson?'

'Ja.'

'Wacht even.'

Stilton liep haastig naar Barbro toe.

'Wat is er nu weer?' zei ze.

'Erik Eklind, kan het zo zijn dat hij ook Adolfsson heet?'

'Op dit eiland heet hij Eklind, dat is zijn familienaam. Nadat hij naar de stad was verhuisd en zich vreemd ging gedragen noemde hij zichzelf Adolfsson.'

Barbro liep naar haar brommer, die voor de gesloten dorpswinkel stond. Stilton hield zijn mobiel weer tegen zijn oor.

'Het is dezelfde man,' zei hij.

Mette zat op haar bureau en Olivia stond bij de muur. Ze zag Mettes reactie en begreep wat Stilton had geantwoord.

'Dus Erik Adolfsson is Barbro's kleinkind?' zei ze.

Mette knikte en bleef met Stilton praten.

'We hebben de dader. Het is Erik Adolfsson. We zijn naar zijn woning in Bagarmossen geweest, maar daar is hij niet. Vraag aan Barbro of ze weet waar hij kan zijn.'

'Oké, je hoort van me.'

Mette verbrak de verbinding en keek naar Olivia.

'Adolfsson.'

'Een van de internethaters in Jians thread.'

'Hoe hebben we hem verdomme over het hoofd kunnen zien?'

Het was heel ongewoon dat Mette vloekte, zo ongewoon dat Olivia besefte dat iemand uit haar onderzoeksteam de wind van voren zou krijgen.

Ze hoopte dat het Bosse of Lisa niet zouden zijn.

Barbro had de tassen op de laadbak gezet en zat op het zadel toen Stilton en Abbas naar haar toe liepen.

'Barbro!'

'Ja?'

'Weet je waar Erik op dit moment is?'

'Nee. Waarom wil je dat weten? Waarom stel je al die vragen? Je bent toch geen agent? Dat was die vrouw toch?'

Stilton voelde dat hij in een positie was gekomen waarin het hem niet lukte om haar te blijven ontzien of zich eruit te praten, dus gaf hij ronduit antwoord.

'Omdat Erik wordt verdacht van drie moorden.'

Stilton had verwacht dat hij net zo'n verandering in haar ogen zou zien als de vorige keer, maar dat gebeurde niet. Barbro's gezicht bleef volkomen uitdrukkingsloos.

'We zijn hier in opdracht van de Rijksrecherche in Stockholm,' ging hij verder. 'Ze zoeken Erik. Weet jij waar hij is?'

'Hij woont in Bagarmossen,' zei Barbro op een bijna formele toon.

'Dat weten we, maar daar is hij niet. Kan hij ergens anders zijn?'

'Voor zover ik weet niet. Hij is soms hier, maar dat gebeurt niet zo vaak. Hij heeft een kamer in het huis.'

'Mogen we die zien?'

'Die zit op slot. Alleen hij mag daar komen.'

'Wij mogen dat ook. In deze situatie.'

Barbro keek eerst naar Stilton en daarna naar Abbas, en besefte waarschijnlijk dat het geen zin had om zich te verzetten.

Haar kennis van huiszoekingsbevelen was beperkt.

'Ga maar op de laadbak zitten,' zei ze.

Stilton en Abbas namen plaats op de laadbak. Abbas hield de boodschappentassen vast en Barbro reed weg. Net voordat ze naar de grindweg afsloegen zag Stilton dat de Drankbaron in zijn rolstoel bij de voordeur zat en naar hen knikte.

Ze waren al snel bij het huis. Barbro reed tussen alle rommel en planken door en remde voor de trap. Stilton en Abbas stapten af op het moment dat Clark de hoek om kwam.

'Waar heb je die twee opgepikt?' vroeg hij aan Barbro.

'In het dorp. Ze denken dat Erik een moordenaar is. Kun je de tegelkachel in mijn werkkamer opstoken?'

Barbro liep voor hen uit met de boodschappentassen, Stilton en Abbas volgden haar. Abbas bekeek het merkwaardige interieur op dezelfde manier als Olivia de eerste keer had gedaan. Stilton wilde naar Eriks kamer.

'Het is hier de trap op.'

Barbro zette de boodschappentassen bij de trap naar de bovenverdieping en maakte een gebaar met haar arm. Stilton liep de trap op met Abbas vlak achter zich. Hij keek over zijn schouder en zag dat Barbro iets tegen Clark fluisterde. Daarna liep ze achter hen aan.

'Het is de kamer helemaal achterin, maar de deur zit op slot en ik heb geen sleutel.'

Stilton was als eerste bij de deur en maakte plaats voor Abbas. Die haalde een compact zakmes uit zijn zak, klapte een klein werktuig uit en opende het slot binnen een paar seconden. Het was niet de eerste keer dat hij dat deed. Stilton pakte de kruk vast en duwde de deur open.

'Niemand mag naar binnen, dat heb ik al gezegd.'

Stilton draaide zich naar haar om. Barbro stond een paar meter achter hem.

'Jij ook niet?' vroeg hij.

'Nee. Ik ben al jarenlang niet meer in zijn kamer geweest.'

'Waarom mag niemand daar naar binnen?'

'Omdat het privéterrein is.'

'Maar het is de kamer van je eigen kleinkind.'

'Hij is al heel lang mijn kleinkind niet meer. Tegenwoordig is hij iets heel anders.'

Stilton zag dat Barbro haar ogen neersloeg. Hij liep samen met Abbas de kamer in.

Het kostte niet veel tijd om de onderliggende boodschap in wat Barbro had gezegd te begrijpen. Het was geen kamer waar een kleinkind in sliep.

Hier sliep een volwassen geweldsfetijist.

Aan de muren hingen vlaggen van verschillende fascistische bewegingen, het kleed was van rand tot rand versierd met een zwarte swastika. Op planken en tafels lagen wapens, zowel oude als nieuwe, voor het raam hing een zwartgeschilderd doodshoofd.

Stilton en Abbas keken een hele tijd zwijgend in de kamer rond. Uiteindelijk keken ze elkaar aan, nog steeds zonder iets te zeggen.

'Soms valt de appel heel ver van de boom,' zei Barbro. Ze stond in de deuropening en keek naar Stilton, de inrichting keurde ze geen blik waardig. Ze is hier binnen geweest en weet hoe het eruitziet, dacht hij. Ze is er niet verbaasd over.

'Wat bedoel je?' vroeg hij.

'Erik is hier opgegroeid, met mij. Hij is opgegroeid met Stellans idealen.'

'Dat lijkt er niet op als ik deze kamer zie,' zei Stilton terwijl hij om zich heen keek.

'Zo was het tot hij de tienerleeftijd bereikte. Hij was een heel stille jongen, maar lief en meegaand. Hij deed wat hem gezegd werd. Daarna veranderde hij.'

'Op welke manier?'

'Hij kreeg andere idealen. Waarom of waardoor weet ik niet. Hij ging zijn eigen gang en bleef tijdenlang weg. Als hij terugkwam, hadden we steeds minder contact met elkaar. Wie heeft hij vermoord?'

Ze zei het alsof het een feit was, alsof het een volslagen logisch gevolg was van de ontwikkeling van haar kleinkind. Als ze geschokt was, dan hield ze dat voor zich.

'We denken dat hij twee kinderen en een vrouw vermoord heeft,' zei Stilton.

Hij keek naar Barbro om haar reactie te peilen. Er kwam niets.

Abbas was voor een klein bureau bij de muur naast het raam gaan staan. Hij gebaarde dat Stilton moest komen en wees naar een dikke stapel papieren. Het bovenste vel papier zag eruit als een omslag, in het midden stond: A EUROPEAN DECLARATION OF INDEPENDENCE BY ANDREW BERWIC.

'Breivik,' zei hij.

Stilton knikte. Naast de stapel lag een schrift met de titel *Richtlijnen voor het nieuwe Rijk*. Hij wilde het net pakken toen een rammelend geluid van de benedenverdieping naar boven drong. Stilton en Abbas keken naar de vloer.

'Dat is Clark. Hij stookt de tegelkachel in mijn werkkamer op,' zei Barbro.

Ze hoorden Clark hoesten en Stilton constateerde dat het heel gehorig was en dat het absoluut mogelijk was om in deze kamer te horen wat er in de werkkamer werd gezegd. De kamer waar Barbro zijn hand had gelezen.

'Was Erik hier toen je mijn hand las?' vroeg hij.

'Dat herinner ik me niet, hij komt en gaat. Of Ja, dat was hij inderdaad.'

'In deze kamer?'

'Ja.'

Stilton liep naar het raam en duwde het doodshoofd opzij. Hij keek naar beneden en keek naar de plek waar Olivia en hij hadden gestaan toen ze over Rödlöga praatten.

'Heeft Erik een boot?' vroeg hij.

'Ja. Een oude Ockelbo.'

Daarmee was het mysterie opgelost.

Jenny's weeën waren een uur geleden begonnen, nu kwamen ze vlak na elkaar. Ze schreeuwde van de pijn en tijdens een kreet plakte de man tape over haar mond. Hij wilde haar geschreeuw niet horen.

Ze probeerde haar kreten te onderdrukken.

'Ik vraag me af of het een jongen of een meisje is,' zei de man. 'Ik heb een voorkeur voor een jongen. Ik kan me voorstellen dat zijn opa ook liever een kleinzoon wil hebben. Hij heeft tenslotte alleen een dochter. Met een jongen zou de mannelijke lijn voortgezet worden, dus doet het beslist meer pijn als hij een jongen kwijtraakt. Wat denk jij?'

Jenny probeerde iets te zeggen, maar er klonk alleen een onverstaanbaar geluid onder de tape.

'Wil je een cadeautje hebben?' vroeg de man. 'Steek je hand uit, dan krijg je een cadeautje.'

Jenny balde haar handen tot vuisten.

'Als je je hand uitsteekt, dan haal ik de tape van je mond af.'

Jenny ging anders liggen. Alles tolde in haar hoofd, de pijn, de stem van de man, de geuren, ze kon nauwelijks ademhalen door haar neus.

'Steek je hand uit.'

Jenny deed wat hij zei, haar hand trilde. Langzaam opende ze haar hand en voelde dat hij iets op haar handpalm liet vallen.

'Weet je wat dat zijn?' vroeg de man.

Jenny schudde haar hoofd.

'Het zijn twee bruine ogen. Van je pop, zodat die weer kan zien. Nu haal ik de tape weg als je belooft dat je niet meer schreeuwt. Beloof je dat?'

Jenny knikte met een bezweet gezicht. De man haalde de tape van haar mond, de tape op haar ogen liet hij zitten. Jenny haalde een paar keer diep adem, haar borstkas ging op en neer. De man keek naar haar.

'Het is bijna voorbij,' zei hij.

Jenny draaide zich naar de richting waar de stem vandaan kwam. Ze probeerde woorden te vormen, haar stem was hol, droog.

'Waarom doe je dit?' fluisterde ze.

'Wil je dat echt weten?'

'Ja.'

Het bleef stil. Jenny voelde dat de man naar haar toe kwam en kromp ineen.

'Dan zal ik je dat vertellen,' zei de man met een vreemd zachte stem. 'Het gaat over een kleine jongen die opgroeide bij zijn oma. Zijn moeder was verdronken en zijn opa was vermist. Hij wist niet wie zijn vader was. Daar was hij heel verdrietig over, omdat zijn moeder er niet meer was en zijn oma niet lief tegen hem was en zich niets van hem aantrok. Op een dag, toen hij volwassen was, kwam zijn oma zijn kamer binnen en vertelde dat zijn moeder helemaal niet verdronken was. Ze had zelfmoord gepleegd. "Waarom heeft ze dat gedaan?" vroeg de volwassen jongen. "Omdat haar vader, jouw opa, verdwenen was." Daarna kreeg de jongen een brief van zijn oma, een brief die zijn moeder geschreven had voordat ze zelfmoord pleegde. Een afscheidsbrief. Dat maakte de jongen nog verdrietiger. Toen zijn oma dat zag, vertelde ze dat zijn opa helemaal niet verdwenen was, zoals iedereen dacht, maar dat hij vermoord was, door slechte mensen, en dat het hun schuld was dat zijn moeder zelfmoord gepleegd had. De volwassen jongen werd heel boos, vooral op de gemene mensen die al het verdriet en alle ellende in zijn leven hadden veroorzaakt. Hij wilde dat ze net zo zouden lijden als hij had geleden.'

De man zweeg. Jenny hoorde een zwak geritsel.

'Hier is de afscheidsbrief die zijn moeder geschreven heeft.'

Jenny voelde papier langs haar hand strijken. Ze trok hem weg.

Op dat moment brak haar water.

*

De twee vrouwen stapten in de haven van Långvik van de taxiboot. Aditi betaalde, zij was degene die hier naartoe had gewild. De taxiboot voer uit en verdween in de baai.

Aditi keek langs de houten huizen naar de smalle grindweg en begon te lopen. Judith volgde haar. In de taxiboot hadden ze niet veel gepraat. Toen ze dat probeerden, moesten ze zo hard praten om boven het motorlawaai uit te komen dat de man die de boot bestuurde alles kon horen.

349

Dat wilden ze niet.

Nu was het echter stil. Ze liepen over het pad met aan beide kanten bos toen Judith begon te praten.

'Wat wil je tegen haar zeggen?'

'Ik weet het niet. Eerst wil ik haar zien. Ik wil zien hoe ze reageert als ze beseft wie ik ben.'

'Ze is vast geschokt.'

'Dat hoeft niet, Barbro is een raadsel. Of was, misschien is ze tegenwoordig anders.'

'Denk je dat ze wist wat Stellan met jou deed?'

'Misschien,' antwoordde Aditi. 'Misschien niet.'

'Maar zou ze het geaccepteerd hebben?'

Aditi gaf geen antwoord.

Het bos werd dichter. Het was nog steeds licht. Ze liepen niet zo snel. Jaren geleden hadden ze honderden keren over dit pad gelopen, soms samen met andere jongeren, soms alleen, op weg naar of van de haven met eten of post. Ze hadden geen contact met mensen buiten het collectief. Stellan en Barbro hadden het niet op prijs gesteld als ze met anderen praatten.

Nu liepen ze in hun verdwenen voetsporen.

'Ik ben je heel dankbaar dat je mee wilde gaan,' zei Aditi terwijl ze naar de strook gras midden op het pad keek. 'Ik weet niet hoe dit afloopt.'

Judith sloeg haar arm rond Aditi's taille, zoals ze had gedaan toen ze jong waren en dachten dat ze de wereld konden veranderen.

Ten goede.

Judith wist dat Aditi, die anders zo sterk was, steun nodig had en de band tussen hen moest voelen. Ze moest Judiths kracht voelen.

In elk geval tijdelijk.

*

Barbro was voor Stilton en Abbas de trap af gelopen. Ze had geaccepteerd dat Eriks kamer, en misschien zelfs het hele huis, doorzocht zou worden door technisch rechercheurs.

'Dat moet dan maar,' had ze gezegd.

Ze pakte de boodschappentassen, die bij de trap stonden, en liep naar de keuken.

Stilton en Abbas keken een beetje besluiteloos naar elkaar. Ze hadden gedaan wat Mette hun had gevraagd. Wat zouden ze nu gaan doen? Naar Rödlöga vertrekken?

'Wil je je hand laten lezen?' vroeg Stilton aan Abbas zonder een spier te vertrekken.

'Mijn hand laten lezen?'

'Door Barbro. Ze is handlijnkundige en heel goed. Achter de bibliotheek heeft ze een werkkamer.'

'Heeft ze jouw hand gelezen?'

'Ja.'

'Hoe ging dat?'

'Heel goed. Ze zag dat ik een jonge Arabier uit de ellende heb gehaald en hem erbovenop heb gekregen. Vreemd, vind je niet?'

Abbas keek naar Stilton.

'Heeft ze ook gezien hoe die Arabier een dakloos wrak uit de goot heeft gehaald?'

Stilton besefte dat Abbas zijn hand niet wilde laten lezen.

'Er komt iemand,' klonk een toonloze, donkere stem uit de bibliotheek. Stilton en Abbas draaiden zich om. Clark Ståhl wees naar de tuin.

'Barbro!' riep hij. 'Er komt iemand!'

Stilton en Abbas keken naar buiten. Ze zagen twee vrouwen van middelbare leeftijd de tuin in lopen. De een had haar arm rond de taille van de ander geslagen. Ze kenden de vrouwen niet. Barbro kwam de keuken uit met een schort rond haar middel en keek naar de tuin.

'Wie zijn dat?'

'Misschien willen ze hun hand laten lezen,' opperde Stilton.

Barbro deed haar schort af en draaide zich naar Clark.

'Heb je de tegelkachel in mijn werkkamer opgestookt?'

'Ja.'

Barbro streek haar haar glad, liep naar de voordeur en trok die open. Stilton en Abbas gingen bij het raam staan. Barbro liep naar buiten en glimlachte naar de twee vrouwen.

'Welkom.'

De vrouwen gaven geen antwoord. Ze liepen langs het roestige schommeltoestel naar de trap.

Wanneer of hoe het precies gebeurde is moeilijk te zeggen, maar terwijl ze naar de trap liepen zag Barbro iets onwaarschijnlijks. Iets wat volkomen onmogelijk was. Iets wat niet waar kon zijn.

Iets wat haar bevattingsvermogen te boven ging.

'Linnea?'

Haar dochter had zevenendertig jaar geleden zelfmoord gepleegd. Op vijftienjarige leeftijd. Nu liep er een vrouw naar haar toe met lang blond haar, zoals Linnea had gehad, en dezelfde amandelvormige ogen die zij zelf had.

Dat was echter niet het enige.

Het was ook iets heel anders, iets wat niets met fysieke kenmerken te maken had, maar met instinct. Barbro herkende haar dochter.

Toen Aditi bij de trap was, keek ze omhoog naar haar moeder. Judith was een paar meter achter haar blijven staan.

'Hallo, Barbro. Dit is Judith,' zei Aditi met een gebaar naar Judith. 'Zij zat ook in het collectief. Mogen we binnenkomen?'

Barbro's mond was een vragend gat. Ze had grote moeite om het onmogelijke te accepteren, maar ze deed een stap opzij en maakte een vaag gebaar met haar hand.

'Dank je,' zei Aditi, waarna ze de trap op liep.

Judith liep naar voren en keek naar Barbro. Ze stond nog steeds in dezelfde positie, alsof ze was veranderd in een standbeeld van vlees en bloed. Judith passeerde haar en liep het huis binnen.

Aditi liep door de hal en zag Stilton en Abbas bij het raam staan.

'Wonen jullie hier?' vroeg ze.

'Nee. Wie ben jij?'

'Ik ben Barbro's dochter.'

Deze vrouwen wilden hun hand niet laten lezen, besefte Stilton. Het waren de vrouwen die 's ochtends bij Mette waren geweest. Een van hen was de moeder van de moordenaar Erik Adolfsson.

'We zijn hier in opdracht van de Rijksrecherche,' zei hij.

'Kunnen jullie buiten wachten?' vroeg Aditi vriendelijk maar beslist. Stilton knikte en maakte een gebaar naar Abbas. Ze liepen samen de kamer uit. In de deuropening moesten ze opzij stappen voor Barbro, die naar binnen liep alsof ze in trance was.

Stilton liet Abbas voorgaan en liet de deur op een kier staan: hij wilde niets missen van wat zich in het huis afspeelde. Hij pakte een houten kruk en ging in de buurt van de deur zitten.

Abbas liep naar de tuin.

Aditi liep de bibliotheek in het midden van de woning in, Judith volgde haar. Ze observeerde Aditi's lichaamstaal, de ijskoude blik waarmee ze rondkeek in de kamer, als een laserstraal van haat.

Op dit moment had ze geen steun nodig.

Barbro kwam de kamer in en bleef vlak bij de deur staan. Op weg hiernaartoe had ze geprobeerd het feit dat haar dochter leefde te verwerken. Linnea leefde! Ze was hier! De gevoelens die in haar opkwamen kregen plotseling vorm. Ze deed met uitgespreide armen een paar haastige stappen in de richting van haar dochter.

'Raak me niet aan!'

Aditi's stem raakte Barbro midden in de voorwaartse beweging. Haar lichaam schoot naar achteren alsof ze een elektrische schok had gekregen.

'Maar Linnea,' stamelde ze.

'Ik heet Aditi. Linnea is dood. Stellan heeft haar vermoord.'

'Stellan?'

'Ja.'

'Wat bedoel je?'

Barbro stond in het midden van de kamer, Judith was bij de muur gaan staan. Aditi begon langzaam om Barbro heen te lopen, als een roofdier dat zijn prooi omsingelt.

'Mama,' zei ze.

'Ja?'

Barbro hield haar hoofd stil, maar probeerde Aditi's bewegingen met haar ogen op te vangen.

'Herinner je je nog wat je zei toen je merkte dat ik zwanger was?'

'Nee, helaas, het was zo...'

'Ik herinner het me wel. Ik was nog maar veertien en jij zei dat het mijn eigen schuld was.'

'O. Ja, dat was misschien een stomme opmerking, maar...'

'Het was niet stom, het was meedogenloos. Weet je waarom je dat zei?'

'Nee. Kun je stil blijven staan? Het is zo verwarrend als je...'

'Je zei dat omdat je je ogen sloot voor alles wat er om je heen gebeurde,' onderbrak Aditi haar. 'Je sloot je ogen voor alles wat papa deed.'

'Stellan?'

'Ja.'

Barbro glimlachte even. Ze was het gewend om hiermee om te gaan, met mensen die Stellan en zijn grootsheid niet begrepen. De anderen. Degenen die niet ingewijd waren. De twijfelaars. Ze vond het jammer dat Linnea een van hen was geworden, maar ze begreep dat het de schuld van Judith moest zijn. Judith was niet alleen een twijfelaar, maar ze was ooit een slecht mens. Stellan had haar nooit gemogen. Ze had zijn handelingen in twijfel getrokken, had zijn goddelijkheid nooit begrepen, had voortdurend geprobeerd om de anderen tegen hem op te zetten.

En nu heeft ze mijn eigen, geliefde dochter vervuld met haat tegen Stellan en alles waarvoor hij stond, dacht ze. Het is allemaal Judiths schuld. Maar ik zal Linnea terugwinnen, ik moet gewoon de waarheid vertellen.

'Lieve Linnea,' begon ze. 'Luister naar me. Stellan was uitverkoren. Als iemand iets anders heeft gezegd, dan is dat omdat diegene geprobeerd heeft om je te misleiden.'

Barbro keek over haar schouder naar Judith, die haar blik beantwoordde zonder weg te kijken.

'Hij heeft nog nooit iets gedaan waar geen hogere bedoeling achter zat,' ging ze verder.

Aditi bleef achter Barbro staan en lachte hard. Barbro schrok door het plotselinge geluid.

'Een hogere bedoeling?' zei Aditi. 'Welke hogere bedoeling had het om zich aan vrouwen op te dringen? Behalve het bevredigen van zijn eigen behoeften?'

'Dat is niet waar. Je bent misleid. Zo was het niet.'

'Nee?'

'Nee, Stellan was ruimhartig, hij...'

'Hij heeft me verkracht en zwanger gemaakt! Hoe kun je dat verdomme ruimhartig noemen!' riep Aditi in het gezicht van haar moeder. De woorden werden als harde wiggen in Barbro gedreven. Haar reactie bleef een paar seconden uit. Daarna waren Aditi en Judith getuige van dezelfde bliksemsnelle verandering in haar ogen als Stilton had gezien: ze werden zwart.

'Je liegt!' schreeuwde ze tegen Aditi. 'Dat heeft hij niet gedaan! Het was een van de anderen! Nils of Klas! Degenen die Stellan samen met haar hebben vermoord!'

Barbro draaide zich om en wees met een trillende vinger naar Judith.

'Zij hebben alles geruïneerd! Moordenaars! Jullie hebben een heilige man vermoord! Maar jullie zullen jullie straf niet ontlopen! De moeder van het universum ziet alles!'

Barbro begon naar Judith toe te lopen, maar bleef stokstijf staan toen ze Aditi's volgende opmerking hoorde.

'Ik heb hem vermoord, mama. Zij hebben dat niet gedaan.'

Barbro bleef staan en draaide zich naar Aditi om.

'Ik heb zijn schedel verbrijzeld met een steen,' zei ze. 'Toen hij me verkrachtte. Ik heb hem...'

'Je liegt!'

Barbro schreeuwde zo hard dat Abbas, die op het schommeltoestel zat, het kon horen. Hij stond op van de verweerde rubberen band en zag dat Stilton de deur een stukje verder had geopend, voldoende om een glimp van de grote zaal te kunnen zien.

Barbro was op haar knieën op de vloer gezakt, wiegde met haar boven-lichaam en hield haar handen voor haar oren. Aditi stond een meter voor haar en keek naar haar moeder. Na een paar seconden ging ze voor Barbro op haar hurken zitten.

'Stellan was een bedrieger en een verkrachter,' zei ze bijna fluisterend. 'En jij hebt hem geholpen. Je zei tegen Judith dat ze seks met Stellan moest hebben, dat het de enige manier was om zijn goddelijkheid te ontvangen. Wat gewoon flauwekul was. Het was alleen iets wat hij be-dacht had om seks te krijgen. Hij dacht alleen aan zichzelf. Er zat geen greintje goddelijkheid in hem. Hij vergreep zich zelfs aan mij, zijn ei-gen dochter.'

Barbro hief haar hoofd en keek naar Aditi. Ze begreep het niet. Waar kwam de haat vandaan waardoor haar dochter zulke onaangename dingen zei? Dingen die niet waar waren. Het was verschrikkelijk. Het enige wat Stellan en zij hadden gedaan, was haar opvoeden volgens de enige ware leer. Linnea is net als haar zoon, dacht ze. Hij had Stellans boodschap ook nooit begrepen. Hij vroeg zich af waarom hij bepaalde dingen moest doen en schreeuwde en gilde als ze hem strafte. Hij be-greep niet dat de straf een noodzakelijke reiniging was om de godde-lijkheid van de moeder van het universum te kunnen ontvangen. Nee, Erik kan Stellans zoon absoluut niet zijn. Dan zou hij het begrepen hebben. Net als Linnea het begrepen zou hebben als ze zijn kind was geweest. Het waren allemaal leugens.

Barbro voelde haar krachten terugkomen. Stellan zou haar hier door-heen helpen, daarvan was ze overtuigd. Ze haalde diep adem en glim-lachte mild naar haar dochter. Ze moest toegeeflijk tegen haar zijn, ze was tenslotte misleid.

'Stellan was geen bedrieger,' zei ze kalm. 'En jij bent zijn dochter niet.'

*

Mette liep als een gefrustreerde ijsbeer door de kamer. Lisa en Olivia zaten allebei op een stoel en hadden niet veel bij te dragen, dus zwegen ze. Puur uit drang tot lijfsbehoud. Stilton had net gebeld om te vertel-len dat Barbro Eklind er geen idee van had waar haar kleinzoon was.

Mette had haar mobiel nog steeds in haar hand. Af en toe duwde ze hem tegen de muur, alsof ze zo een gezegende tip van de onderwereld zou krijgen over de verblijfplaats van Erik Adolfsson, hoewel het ei-genlijk meer was om steun te zoeken. Lisa, die erbij was geweest toen Mette een hartaanval had gekregen tijdens een inval in Gärdet, was bezorgder dan Olivia. Dit kon helemaal verkeerd aflopen.

Plotseling kwam het.

'Svensson heeft Måns Berntsson vanochtend gearresteerd!'

Mette was plotseling voor het bureau blijven staan. Ze keek naar haar jongere collega's alsof ze een verbaal bombardement voorbereidde.

'Ja,' antwoordde Olivia. 'Ik weet het.'

Svensson had Olivia voor de arrestatie gebeld en had haar meege-deeld dat Frans de vorige avond in het ziekenhuis had verteld wie hem hadden mishandeld. Dat was een schrale troost voor Olivia. Het troostte haar meer dat Frans zou herstellen zonder dat hij er iets aan over zou houden. Hij had bovendien de groeten aan Olivia gedaan, wat Olivia ertoe had gebracht om naar zijn mobiel te bellen. Hij nam niet op, maar ze sprak een bericht in dat eindigde met een eenvoudig voorstel: 'We kunnen met elkaar afspreken als ik weer in Höganäs ben.' Een beetje schijnheilig, vond ze, maar ze meende wat ze zei. Frans had meteen een sms teruggestuurd: EN MISSCHIEN EEN BIERTJE DRINKEN?

'Toen had hij blijkbaar een mobiel!' brulde Mette.

'Wat voor mobiel?'

Mette gaf geen antwoord. Ze toetste Svenssons mobiele nummer al in. Hij ging vaak over.

'Neem op, augurk!'

Lisa keek naar Olivia en vormde 'augurk?' met haar mond. Olivia haalde haar schouders op. Op dat moment nam Svensson op.

'Hallo, met Mette! Hebben jullie Berntssons mobiel in beslag genomen toen jullie hem arresteerden?'

'Ja.'

'Mooi! Heb je hem daar?'

'Nee, maar ik kan hem halen.'

'Doe dat! Ik wacht.'

Mette liet haar mobiel zakken en draaide zich om.

'Hij haalt Berntssons mobiel.'

'Wat wil je dat hij daarmee doet?' vroeg Lisa. Ze snapte niet wat Mette van plan was. Dat snapte Olivia ook niet, maar zij was niet opgeleid tot moordonderzoeker. Svensson was terug voordat Mette antwoord kon geven.

'Ik heb hem,' zei hij.

'Dan wil ik dat je het volgende doet,' zei Mette. 'Zoek Erik Adolfssons nummer op in Berntssons mobiel, ik weet zeker dat het erin staat, en dan stuur je hem een sms. Ik ga ervan uit dat Adolfsson niet weet dat Berntsson vanochtend gearresteerd is. Hij zal denken dat het een sms van Berntsson is.'

'Wat moet er in de sms staan?'

Mette gaf een kort antwoord.

'Bel me als je klaar bent,' zei ze en ze verbrak de verbinding.

Svensson stond in de gang van het politiebureau in Höganäs met Berntssons mobiel in zijn hand. Hij constateerde al snel dat Erik Adolfssons nummer was opgeslagen, net als Mette had gedacht. Met een enigszins trillende wijsvinger sms'te hij: BEN IN STOCKHOLM. MOET JE DRINGEND SPREKEN. WAAR BEN JE?

Daarna wachtte hij.

Als hij antwoord kreeg, moest hij improviseren, had Mette gezegd.

Na een tijdje kreeg hij een kort antwoord: NIET IN DE STAD. Svensson sms'te terug: KAN IK NAAR JE TOE KOMEN? ER IS HAAST BIJ. Adolfsson antwoordde deze keer meteen: NEE. BEN OP MÖJA. KOM MORGEN NAAR DE STAD.

Svensson belde Mette meteen.

'Möja?' zei ze aanzienlijk gejaagder dan de bedoeling was.

Aditi en Judith liepen naar de voordeur van het voormalige kolonie-huis. Stilton was een stukje opzij gegaan. Op het moment dat ze naar buiten kwamen, voelde hij zijn mobiel in zijn zak vibreren. Hij haalde hem tevoorschijn.

Het was Mette.

'Erik Adolfsson is op Möja! Waarschijnlijk heeft hij Jenny Unger bij zich. We komen eraan! Probeer uit te zoeken waar hij is, maar doe voorzichtig!'

'Oké.'

Stilton verbrak de verbinding en riep naar Abbas.

'Erik Adolfsson is op het eiland. Mette komt hiernaartoe.'

Abbas sprong op van de verweerde rubberen band en liep haastig naar Stilton toe.

Aditi was op de trap blijven staan.

'Is hij hier?' vroeg ze aan Stilton.

'Dat denken we.'

'Wat doet hij hier?'

'Hij heeft een zwangere vrouw ontvoerd. We denken dat hij wacht tot ze bevallen is en haar kind daarna vermoordt. Klas Ungers klein-kind.'

Clark bereikte de trap op hetzelfde moment als Abbas. Stilton draai-de zich naar Clark.

'Erik is op het eiland met een ontvoerde vrouw. Weet jij waar hij zich zou kunnen verbergen?'

'Nee.'

'Zijn er leegstaande woningen op het eiland?'

'Die zijn er inderdaad, maar niet in de buurt.'

Stilton wist hoe groot Möja was en hoe weinig mensen er in dit jaar-getijde woonden. Adolfsson kon aan de zuidkant zijn, ver hiervandaan. Aan de andere kant hield hij een zwangere vrouw gevangen en moest hij haar verborgen houden. Hij kon haar nauwelijks in een bebouwde omgeving vasthouden.

'Het moet een plek zijn waar hij geen risico loopt om ontdekt te wor-den,' zei hij.

'De Russische grot,' zei Aditi zachtjes, bijna tegen zichzelf. Stilton keek naar haar.

'De Russische grot?'

'Zo noemden we het. Het is een bergspleet bij natuurreservaat Björndalen, waardoor een grot is ontstaan. Als je niet weet waar hij ligt, dan is het bijna onmogelijk om hem te vinden.'

Aditi draaide zich snel naar Clark toe.

'Weet Erik waar de Russische grot ligt?'

'Ja. Hij heeft daar heel vaak gespeeld.'

Aditi keek naar Stilton.

'De grot.'

'Weet jij die te vinden?'

'Ja. Dat is de plek waar mijn vader me verkracht heeft.'

Stilton liep snel naar de voordeur terwijl hij zich tegelijkertijd naar Aditi omdraaide.

'Je moet ons de weg wijzen. Eén seconde.'

Stilton verdween in het gebouw. Aditi keek naar Abbas.

'Wat gaat hij doen?'

'Geen idee.'

Een minuut later kwam Stilton weer naar buiten en liep de trap af.

'Jullie blijven hier!'

Hij gebaarde met zijn hand naar Judith en Clark en liep naar het hek. Abbas en Aditi kwamen naast hem lopen.

'Wacht!'

Stilton draaide zich om. Clark liep naar hem toe met een staaflamp in zijn hand. Hij gaf hem aan Stilton.

'Het begint te schemeren.'

'Bedankt.'

'Ik wil graag mee.'

'Ik denk dat het beter is als je hier blijft. Hij kan hier elk moment opduiken. We weten tenslotte niet waar hij is.'

Clark knikte en Stilton keek naar Aditi.

'Kunnen we de brommer nemen?' vroeg hij.

'Nee, we moeten door het bos, langs het Storsjön. Voor zover ik het me herinner loopt er alleen een pad naar Björndalen.'

Voor zover je het je herinnert? dacht Stilton. Hij hoopte dat ze een goed geheugen had.

*

359

De Russische grot was een spleet in een rotswand. De opening was smal, eerder een scheur, maar een paar meter naar binnen verbreedde de spleet tot een bijna vierkante grot met een hoog plafond, het kleinste geluid echode van de rotswanden terug. Helemaal achter in de grot was nog een opening, die aan de andere kant uitkwam.

De grot was gedurende de jaren voor veel dingen gebruikt, als verstopplek tijdens de plunderingen van de Russen, om smokkelwaar te verbergen, als liefdesnestje en speelplek. In de tijd van het collectief had Stellan Eklind hem als zijn privétempel ingericht: de vrouwelijke leden van het collectief moesten hem naar de grot volgen om daar te worden ingewijd in zijn seksuele riten.

Nu lag er een andere vrouw in de grot, met hevige weeën. De man die tijdens zijn jeugd in de grot had gespeeld, zat een eindje bij haar vandaan op zijn hurken en keek naar de krampachtige samentrekkingen van het lichaam op de aarden vloer. Hij was ongeduldig. Hij voelde in zijn zak, waar hij zijn mes bewaarde. Een keizersnede? Hij kon het kind uit haar lichaam snijden, maar dan stierf de vrouw misschien ook. Dat wilde hij niet. Hij wilde haar niets aandoen, wilde geen wraak op haar nemen. Hij overwoog om de tape weer op haar mond te plakken; haar jammerende kreten waren zenuwslopend. Maar dat vertraagde de bevalling misschien, dacht hij. Misschien gaat het sneller als ze kan schreeuwen.

Hij wilde het achter de rug hebben.

Hij wilde afmaken wat hij moest doen.

Daarna zou hij verdwijnen. Als ze ronddwaalde zou ze beslist een woning vinden.

Dat was zijn probleem niet.

*

Aditi was een sportieve vrouw, niet alleen voor haar leeftijd. Ze had altijd goed voor haar lichaam gezorgd, onder meer met behulp van yoga. Nu liep ze snel over het pad dat langs het Storsjön liep. Tot nu toe wist ze de weg. Stilton en Abbas probeerden haar bij te houden. Stilton had de staaflamp in zijn hand. Het werd tijd om hem te gebruiken.

'We moeten waarschijnlijk deze kant op,' zei Aditi.

Het pad splitste zich en Aditi wees naar links.

'Weet je dat zeker?'

'Nee. Ik ben hier bijna veertig jaar geleden voor het laatst geweest. Het bos is in die tijd erg veranderd, maar ik denk dat ik gelijk heb. Mag ik de lamp?'

Aditi kreeg de staaflamp en deed hem aan. Ze liep op een holletje over het pad, met Stilton en Abbas achter haar. Wat gebeurt er als we haar niet vinden? dacht Stilton. Zo meteen is het aardedonker. Op dat moment struikelde hij over een uitstekende wortel en viel met een korte vloek in het struikgewas naast het pad. Abbas liep naar hem toe en trok hem met één hand omhoog terwijl Aditi zich omdraaide.

'Alles in orde?'

Ze richtte de lamp op Stilton.

'Ja.'

'Moet ik langzamer lopen?'

'Nee. Ik wil er zo snel mogelijk zijn.'

Aditi begon weer te lopen. Af en toe scheen ze achter zich met de zaklamp om de mannen een beetje licht te geven. Plotseling bleef ze staan en keek omhoog.

'Wat is dat?'

Ze luisterden.

'Een helikopter,' zei Stilton. 'Waarschijnlijk is het de politie. Laten we verder lopen.'

*

De donkere politiehelikopter landde op het weiland naast de tuin. De deur werd opzijgeschoven en twee zwaarbewapende mannen sprongen naar buiten. Een van hen hielp Mette op de grond, Olivia sprong zelf. Daarna landden er nog twee mannen op het gras.

'Hallo!' riep Olivia naar Judith, die op het verlichte voorportaal stond.

Clark zat op de trap. Mette en Olivia liepen naar het huis.

'Waar is Stilton?'

'Hij en zijn vriend zijn met Aditi mee. Ze laat hun zien waar de Russische grot is,' zei Judith.

'Wat is dat?'

Mette kreeg een korte uitleg van Clark.

'Weet jij waar die grot ligt?' vroeg ze.

'Ja,' zei Clark terwijl hij opstond.

'Dan vlieg je mee in de helikopter. Nu!'

Clark begon naar de helikopter te rennen en werd door twee mannen naar binnen geholpen.

'Meld het zodra jullie contact hebben!' riep Mette.

De helikopter steeg weer op. De vrouwen op het voorportaal moesten op hun hurken gaan zitten vanwege de wind die de propellers veroorzaakten. Toen de helikopter wegvloog draaide Mette zich naar Olivia.

'Ik wil Eriks kamer zien.'

*

Het trio in het bos kwam nu langzamer vooruit, de duisternis tussen de bomen was volledig. Ze volgden het pad dat volgens Aditi naar de rotsspleet in Björndalen leidde nog steeds. Ze voelde intuïtief welke richting ze moest nemen.

Ze voelde echter ook andere dingen, gebeurtenissen uit het verleden die omhoogkwamen naarmate ze dichterbij kwamen. Ze was op weg naar een plek waar ze afschuwelijke herinneringen aan had, verdrongen herinneringen die uit het verleden omhoog stroomden als zwarte gal, de herinnering aan haar vaders bezwete gezicht, zijn knokige borstkas, de handen die over haar trillende lichaam gleden, de klap die ze kreeg toen ze gilde. Alles kwam omhoog en ze moest vechten om te blijven lopen.

De steen, dacht ze, concentreer je op de scherpe rotssteen die je plotseling onder je hand voelde, die je vastpakte en tegen zijn achterhoofd ramde. Concentreer je op het verbrijzelen van bot, de kracht die je plotseling kreeg, de kracht om hem te doden, om jezelf te redden.

Aditi ging sneller lopen. Stilton en Abbas probeerden bij te blijven, maar zagen bijna niets meer.

'Zijn we er bijna?' vroeg Stilton hijgend.

'Ik denk het wel. We zouden er zo'n beetje moeten zijn.'

Aditi bleef staan en deed de lamp uit.

'Waar is het?' fluisterde Stilton.

'Stil!'

Ze stonden doodstil te luisteren. In de verte hoorden ze een helikopter, maar dat was niet wat Aditi had gehoord. Dat was een heel ander geluid. In de verte had een vrouw langdurig gegild, gevolgd door nog een kreet.

'Daarnaartoe!'

Erik Adolfsson was gaan staan om zijn benen te strekken toen hij het geluid hoorde. Het drong tussen de kreten van de vrouw in de grot door. Was dat een helikopter? Het duurde een paar seconden voordat hij besefte wat dat betekende. Of kon betekenen. Zijn schuilplaats was misschien ontdekt. Hij rende naar de opening, wrong zich naar buiten en keek naar de hemel. Het was een politiehelikopter. Op hetzelfde moment zag hij licht tussen de bomen. Hij was ontdekt. Hij wrong zich bliksemsnel door de opening naar binnen.

Stilton had de lamp van Aditi gepakt en rende als eerste naar de plek waar ze de kreten hadden gehoord. Aditi en Abbas renden achter hem aan, langs de dicht op elkaar staande bomen en met mos beklede steenhopen. Na een paar minuten bereikten ze een smalle spleet. Ze bleven staan.

Het was stil. Er klonken geen kreten.

Ze liepen de spleet in. Waar waren de kreten vandaan gekomen? Stilton scheen met de zaklamp over de grond naar de andere kant.

'Het is daar,' fluisterde Aditi. 'Mag ik de lamp?'

Aditi pakte de lamp en liet het lichtschijnsel over de rotswand aan de andere kant van de spleet glijden. Midden in de wand zat een smalle opening. Aditi deed de lamp uit.

'Wat doen we nu?' fluisterde ze.

Stilton en Abbas waren in Eriks kamer vol wapens geweest, dus hielden ze er rekening mee dat hij bewapend was. Abbas maakte een reflexmatige beweging met zijn hand, naar de plek waar hij de smalle, zwarte messen altijd bewaarde. Stilton zag de beweging en keek naar Aditi.

'Jij wacht hier,' fluisterde Stilton. 'Wij gaan eerst.'

Stilton pakte de lamp van Aditi aan en knikte naar Abbas. Voorzichtig liepen ze in de duisternis door de spleet naar de opening in de rotswand. Ze bleven staan en luisterden, maar hoorden niets. Stilton wrong zich als eerste naar binnen, Abbas volgde. Ze stonden in een grot. Stilton liet het licht van de zaklamp door de grot glijden.

Er was niemand.

'Ze moeten daarnaartoe gegaan zijn.'

Stilton wees naar een zwart gat.

'Wat zou daar zijn?' vroeg hij. 'Gangen?'

'Eén smalle gang,' zei Aditi. Ze had zich door de opening gewrongen en liep naar Stilton toe.

'Waar leidt die naartoe?' vroeg hij.

'Naar de uitgang aan de andere kant.'

'Is er nog een opening?'

'Ja.'

'Abbas.'

Stilton liep snel naar het gat, Abbas en Aditi volgden hem. Stilton draaide zich om naar Aditi.

'Jij blijft hier.'

'Waarom?'

'Hij kan gewapend zijn.'

'En hoe moeten jullie de weg naar de baai dan vinden? Jullie weten niet waar die ligt.'

'Welke baai?'

'Hij moet hiernaartoe gekomen zijn in een boot, en niet via Långvik, waar hij het risico loopt om gezien te worden. Waarschijnlijk heeft hij aangelegd in de baai die hier vlakbij ligt.'

'En waar is dat?'

'In westelijke richting. Het is niet ver.'

Jenny had weer tape over haar mond, haar stootsgewijze kreten drongen nauwelijks naar buiten door. Adolfsson wilde niet het risico lopen dat iemand haar hoorde. Hij hield haar stevig onder haar armen vast en probeerde zo snel mogelijk vooruit te komen. Het was een breed, vlak pad, maar Jenny zakte vrijwel elke meter in elkaar. Hij moest haar ondersteunen.

Het was echter niet ver meer. Ze waren bijna bij het strand.

Ze kan het kind in de boot krijgen, dacht hij.

De drie achtervolgers liepen zo snel mogelijk, maar toch voorzichtig, naar de baai. Ze wisten niet of Adolfsson daar met Jenny naartoe was gegaan. Hij kon onderweg zijn naar een andere plek of verstopte zich misschien in het bos.

Ze hadden echter niet veel keuze.

Aditi wist niets over het terrein, alleen in welke richting ze moesten lopen. Ze hadden het pad niet gevonden en liepen weer door het bos. Gelukkig verlichtte de maan Möja met haar blauwe schijnsel, waardoor ze iets konden zien. Ze hoefden de staaflamp niet te gebruiken.

Ze begonnen te rennen.

Clark had de politiehelikopter naar de grot geleid. Ze konden niet in de buurt landen, maar moesten op een weiland landen en terugrennen. Toen ze de grot in kwamen was die leeg.

'Weet je zeker dat het hier is?' vroeg een van de agenten. 'Zijn er nog andere grotten?'

'Nee. Voor zover ik weet niet.'

'En waar gaan we nu zoeken?'

Zodra ze op het strand kwamen, zakte Jenny in elkaar. De hevige wee-en namen bezit van haar lichaam. Adolfsson aarzelde. Hij had zijn gele Ockelbo vastgemaakt aan een dwergpijnboom. Hij maakte het touw los, keek naar de vrouw op het zand en besefte dat het hem niet zou lukken om haar in de boot te krijgen. Ze kon elk moment bevallen. Hij zag haar gespreide benen en keek naar het bos. Het helikoptergeluid was weg. Misschien hadden ze hem niet gezien? Hij keek weer naar Jenny en zag dat er een hoofdje tussen haar dijbenen verscheen. Misschien zou hij het redden?

'Daar is het water!'

Aditi wees tussen een paar rotsblokken. Ze had het gevonden. In de verte zagen ze de zee.

'Is dat de baai?' vroeg Stilton.

'Ik denk het wel. Die moet in elk geval in de buurt zijn.'

De baai was in de buurt. Dat werd duidelijk door een schelle babykreet die plotseling door de stilte sneed.

'Verdomme!'

Stilton rende naar het water terwijl hij tegelijkertijd een pistool tevoorschijn haalde. Abbas rende naast hem en zag het pistool.

'Waar heb je dat vandaan?' hijgde hij.

'Uit Eriks kamer.'

Stilton was bijna bij het strand toen Adolfsson de navelstreng van de baby doorsneed. Hij veegde het mes aan zijn jack af en stopte het in zijn zak. De vrouw op het zand was flauwgevallen. Nu zou hij afmaken waar hij aan begonnen was. Daarna zou hij de boot halen, hij had het touw tijdens de bevalling losgelaten. Hij pakte het kind op.

'Erik!'

Adolfsson schrok van de stem. Hij staarde in de richting waar de

stem vandaan was gekomen. Eerst zag hij niets, alleen donkere struiken. Daarna zag hij een man uit de duisternis naar het strand rennen.
De man had een pistool in zijn hand dat hij op hem richtte.

'Leg het kind op het zand,' zei Stilton zo kalm mogelijk.

Abbas en Aditi renden eveneens het strand op. Adolfsson deed een
stap opzij, naar het rotsblok dat daar lag. De zuigeling in zijn handen
huilde. Stilton liep langzaam over het strand met het pistool tussen zijn
handen. De loop was op Adolfssons hoofd gericht.

'Ik heb een beter voorstel,' zei Adolfsson. 'Laat het pistool vallen, ga
naar het water en haal mijn boot. Anders verbrijzel ik het hoofd van
deze schreeuwlelijk.'

Adolfsson hield de baby boven het rotsblok. Stilton bleef staan. Hij
wist waar Adolfsson toe in staat was, wat hij met de andere kinderen
had gedaan. Hij zou het hoofd van de baby zonder meer verpletteren
als hij zich daartoe gedwongen voelde.

'Laat het pistool vallen!'

Stilton dacht na. Hij durfde geen schot te lossen. Niet met een pistool
dat hij nog nooit had gebruikt, niet in dit zwartblauwe licht, niet naar
een doelwit dat een baby voor zich hield. Hij liet het pistool in het zand
vallen.

Niemand bewoog.

Ze zwegen allemaal.

De maneschijn omlijstte het tafereel. Het was een ijzingwekkend stilleven.

'Ik haal de boot,' verbrak Abbas de stilte. Stilton keek naar hem. Hij
had in alle situaties volledig vertrouwen in Abbas, vooral in dit soort
situaties. Hij wist wat hij met zijn messen kon doen. Maar de boot halen?

Abbas liep naar het water. Adolfsson volgde zijn bewegingen met de
baby nog steeds in zijn handen. Er was niet meer dan een reflex nodig
om het hoofdje op de steen te slaan. Abbas liep een stuk het water in,
kreeg het touw te pakken en begon de boot naar het strand te trekken, deels kreunend van de inspanning en deels met zijn rug naar het
strand. Adolfsson hield hem in de gaten, liet de baby een stukje zakken
alsof hij ontspande, draaide zich naar Stilton en kreeg een lang, zwart
mes in zijn zij.

Hij schokte en schreeuwde van de pijn, lang genoeg voor Stilton om
naar hem toe te rennen en de baby uit zijn handen te trekken. Adolfs-

son wankelde opzij, pakte het mes in zijn lichaam vast en trok het eruit. Het bloed stroomde over zijn lichtgrijze broek. Stilton gaf de baby aan Aditi terwijl Abbas uit het water waadde en naar Adolfsson liep.

'Raak me niet aan!'

Adolfsson zwaaide met Abbas' zwarte mes voor zich. Hij duwde een hand tegen zijn zij en zakte op het rotsblok.

'Jullie hebben alles verpest,' hijgde hij.

'Leg het mes weg,' zei Stilton.

Hij liep naar Adolfsson toe.

'We brengen je naar de Spoedeisende Hulp.'

Adolfsson lachte plotseling hard. Het geluid rolde over het water en stierf weg. Daarna hief hij het mes en hield het tegen zijn strottenhoofd.

'Erik!' riep Aditi. Ze had de baby in haar jas gewikkeld en deed een paar stappen in zijn richting. Stilton stapte opzij en dacht: laat hem zijn keel maar doorsnijden, ik zal er geen traan om laten.

Aditi bleef een paar meter voor Adolfsson staan. 'Haal het mes van je keel, Erik,' zei ze.

'Waarom zou ik dat doen? Wie ben jij?'

'Ik ben je moeder.'

'Mijn moeder?'

'Ja.'

Adolfsson begon weer te lachen, deze keer onzekerder. Toen hij klaar was staarde hij naar Aditi.

'Mijn moeder is dood,' zei hij. 'Ze heeft zelfmoord gepleegd toen ze vijftien was. En nu ga ik hetzelfde doen.'

'Ze heeft geen zelfmoord gepleegd,' zei Aditi.

'Niet? Hoe komt het dan dat ik haar afscheidsbrief hier heb?'

Adolfsson hield het mes nog steeds tegen zijn keel terwijl hij tegelijkertijd een beduimeld vel papier uit zijn binnenzak haalde. Aditi keek naar hem.

'De brief begint als volgt,' zei ze. '"Ik kan niet meer."'

Adolfsson keek naar het vel papier in zijn handen. Stilton zag dat Abbas achter Adolfssons rug naar hem toe sloop en maakte een afwerend gebaar.

'"Mijn geliefde vader is verdwenen en komt niet meer terug," ging Aditi verder. '"Zonder hem is het leven zinloos."'

Adolfsson volgde elk woord dat ze zei op het vel papier dat hij voor zich hield. Aditi ging verder: '"Ik vraag iedereen die ik pijn heb gedaan

om vergiffenis. Jullie Linnea." Daarna heb ik er een foto bij gedaan...'
'Stop!'

Adolfsson gooide de brief weg en stond op van de steen. Niemand wist wat hij van plan was geweest, want op dat moment viel hij flauw.

Abbas liep naar hem toe, pakte het mes, spoelde het af in het water en stopte het op de plek waar hij het altijd bewaarde.

*

Mette zat met Olivia en Judith aan de tafel in Barbro's keuken en leidde de operatie. Ze zei tegen Stilton dat hij in de baai moest wachten, stuurde de politiehelikopter daarnaartoe en belde een ambulancehelikopter: de baby was ongedeerd maar onderkoeld, Jenny was bij bewustzijn maar ernstig verzwakt door de onmenselijke bevalling.

Daarna richtte ze zich tot Olivia: 'Waar is Barbro Eklind?'

'Geen idee. In haar werkkamer misschien?'

'En waar is die?'

'Ga maar mee.'

Olivia liep de keuken uit en Mette liep achter haar aan. Judith bleef bij de tafel zitten. Ze wilde alleen zijn als ze Liv belde om te vertellen wat er was gebeurd.

Mette en Olivia liepen door de bibliotheek en openden de deur naar de werkkamer. Die was leeg, maar Olivia zag dat de zandloper met Stellans as weg was. Als ze maar niets stoms heeft gedaan, dacht Olivia. Ineens hoorde ze een geluid. Het klonk alsof iemand eentonig neuriede, maar waar kwam het vandaan? Olivia duwde haar oor tegen de muur.

'Barbro?'

Geen antwoord, maar het eentonige neuriën ging door.

'Ze is hierbinnen,' zei Olivia. 'Er moet een kamer achter deze muur zijn.'

'Hoe komen we daar?'

'Hierdoor misschien.'

Olivia liep naar de muur naast de tegelkachel en opende een smalle deur. Die leidde naar een kleine, donkere voorraadkamer. Barbro was er niet. Olivia wilde de deur net dichtdoen toen ze een streep licht op de vloer van de voorraadkamer zag. Ze boog zich naar voren en duwde voorzichtig tegen de muur. Die gaf mee en gleed open. Olivia en Mette wurmden zich door de opening, Mette met meer moeite dan Olivia.

De kamer werd verlicht door een grote kandelaber met brandende kaarsen en zag eruit als een gebedsruimte. Aan de muren hingen kleurige foto's en citaten uit Stellans schriften, aan het plafond hingen wonderlijke mobiles die zachtjes heen en weer zwaaiden en het rook naar wierook.

Barbro zat op een kleed in het midden van de kamer met de zandloper in haar armen. Ze wiegde zachtjes heen en weer en bleef eentonig neuriën. Haar witte jurk was vies en het lange haar zat in de war.

Olivia keek rond in de merkwaardige kamer, die een evenknie van Eriks kamer was, maar dan met een ander soort fanatisme. De appel viel dus toch niet ver van de boom. Mette liep naar de wiegende Barbro en ging moeizaam tegenover haar zitten.

'Barbro?'

Barbro stopte met neuriën en keek met een lege blik in haar ogen naar Mette.

'Deze kamer is privé,' zei ze.

'Dat begrijpen we, maar we willen met je praten voordat we vertrekken.'

'Hebben jullie Erik gevonden?'

'Ja.'

'Mooi.'

Barbro draaide de zandloper die ze in haar armen had en zette hem op de vloer naast zich.

'Waar wil je over praten?'

'Had je er geen idee van waar Erik mee bezig was?'

'Nee. We stopten met praten toen hij in de tienerleeftijd kwam en onhandelbaar werd. Hij weigerde volgens Stellans regels te leven en liep een paar keer weg, dus gaf ik het op. Hij mocht komen en gaan wanneer hij dat wilde, maar ik wilde zo weinig mogelijk met hem te maken hebben.'

'Hoe komt het dan dat hij besloot om wraak op Judith, Klas en Nils te nemen?'

Barbro keek vragend naar Mette.

'Heeft hij dat gedaan?'

'Ja.'

Barbro glimlachte.

Glimlacht ze? dacht Olivia. Wat valt er te glimlachen?

'Ik weet niet of je de ernst hiervan begrijpt, Barbro,' ging Mette verder. 'Erik heeft twee kinderen en een vrouw vermoord.'

'Dat is mijn schuld niet,' siste Barbro. 'Ik heb nooit tegen hem gezegd dat hij kinderen moest vermoorden.'

'Dat denken we ook niet.'

'Ik heb hem afgelopen herfst alleen verteld dat Stellan vermoord was en dat ik wist wie dat hadden gedaan en dat het hun schuld was dat zijn moeder zelfmoord had gepleegd.'

'Heb je hun namen ook verteld?'

'Ja.'

Mette keek naar Olivia.

'Waarom kijken jullie op die manier naar elkaar?' vroeg Barbro. 'Ze verdienden het om gestraft te worden.'

'Heb je dat ook tegen Erik gezegd?'

'Natuurlijk heb ik dat gezegd! Zij hadden Stellan en Linnea tenslotte van ons afgepakt. Hij had het recht om dat te weten.'

'Maar zo was het in werkelijkheid niet gegaan, nietwaar?'

Barbro gaf geen antwoord, ze keek naar de zandloper en begon weer te neuriën. Ze weigerde de waarheid onder ogen te zien.

Mette keek nog even naar Barbro voordat ze opstond. Ze besefte dat het gesprek niet veel verder zou komen.

'Je moet voorzichtiger zijn,' zei Barbro plotseling toen Mette stond.

'Waarmee?' vroeg Mette.

'Met je diabetes.'

Mette keek naar de merkwaardige vrouw.

'Het lichaam is je tempel die de moeder van het universum aan je heeft geschonken. Je ziekte is je straf omdat je je lichaam verwaarloosd hebt.'

Mette glimlachte even gespannen naar Barbro. Daarna begon ze naar de smalle opening te lopen waardoor ze binnen waren gekomen.

'Ik denk dat we hier klaar zijn,' zei ze tegen Olivia.

Olivia knikte.

'Ik wil Barbro nog één vraag stellen.'

'Ik ga alvast naar buiten.'

'Branden je ogen?' vroeg Barbro aan Mette. Mette negeerde haar en liep de kamer uit. Barbro keek naar Olivia.

'En wat wil jij weten? Wil je dat ik je hand lees?'

Olivia liep naar Barbro toe en ging op haar hurken zitten.

'Nee, ik wil weten wie Linnea's echte vader is.'

De zandloper was doorgelopen toen Olivia de kamer uit liep. Ze haalde Mette en Judith in de tuin in. Olivia hoopte dat Mette niet zou vragen waarover ze met Barbro had gepraat.

Ze moest het eerst zelf verwerken.

Erik Adolfsson werd verhoord in de kleding van de penitentiaire inrichting, een lichtbruin overhemd en een grijze broek. Hij droeg zijn
smalle bril. De wond in zijn zij was behandeld, het mes had geen vitale
delen geraakt. Het litteken zou een herinnering zijn aan wat er was
gebeurd.

Als hij daaraan herinnerd wilde worden.

Hij zat tegenover Mette Olsäter in een grijze verhoorkamer. Ze had
hem verteld waarom hij was gearresteerd en hij had alles bekend.

Het bewijs was overweldigend.

Nu wachtten ze op nog één persoon: Tom Stilton. Hij had geen formele functie in het onderzoek, maar omdat hij degene was die het oorspronkelijke onderzoek naar de moord op Jill Engberg had geleid, was
Mette van mening dat zijn aanwezigheid verdedigbaar was. Ondanks
Eriksson.

Ze wist dat het niet lang zou duren.

Stilton kwam de verhoorkamer in en ging naast Mette zitten. Hij ontweek het om naar Adolfsson te kijken.

'Dit is Tom Stilton,' begon Mette. 'Jullie hebben elkaar op Möja ontmoet. Hij wil je een vraag stellen. Tom...'

Stilton boog zich naar voren, legde zijn handen op de tafel en keek
voor het eerst in Adolfssons ogen.

'Waarom heb je Jill Engberg vermoord?' vroeg hij.

Adolfsson trok zijn wenkbrauwen op en haalde zijn schouders op.
'Het gebeurde gewoon. Eigenlijk was het een practical joke.'

Stilton keek naar Adolfsson. Na een paar seconden haalde hij zijn
handen weg en verstrengelde ze onder de tafel.

'Een practical joke?' vroeg hij.

'Ja, hoewel het een beetje misging. Ik was die avond jarig en vierde
dat met een paar vrienden in de bar van hotel Sheraton. Tegen middernacht kreeg ik een cadeautje, een kamersleutel van hotel Continental.

Ik moest naar die kamer gaan. Ze hadden een hoer voor me geregeld. Ik ging ernaartoe en opende de deur. Het was donker in de kamer, maar in het licht dat door het raam naar binnen scheen zag ik dat er iemand in bed lag. Ik kleedde me uit en ging naast haar liggen. Ik voelde dat er iets vreemds met haar haar was, dus deed ik het licht aan en zag dat er een naakte negerin in bed lag.'

'Een getinte vrouw.'

'Ik was natuurlijk geschokt en begreep dat ze in het Sheraton aan het lachen waren. Ze wisten tenslotte dat ik dat soort haatte. Het was heel frustrerend.'

'Was dat zo?'

'Ja.'

'Dus toen heb je haar vermoord?'

'Toen ze moeilijk begon te doen, ging het mis. Ik heb haar gewurgd.'

Mette zag dat Stiltons halsslagader klopte.

'Je hebt haar niet alleen gewurgd,' zei hij, 'je hebt haar ook geschonden. Ernstig. Waarom?'

'Ze was zwart.'

Adolfsson vertrok geen spier. Zijn blik was op Stilton gericht. Mette zag dat Stilton zijn grens bereikte, ze stak haar arm onder de tafel uit en legde haar hand op zijn dijbeen.

'Wie had Jill Engberg voor je geregeld?' vroeg Stilton. 'In het Continental?'

'Axel.'

'Sönnerman?'

'Ja.'

'Was Jonas Eriksson er die avond ook bij?'

'Ja.'

Stilton keek naar Mette, stond op en liep de kamer uit. Hij was klaar. Mette wachtte tot hij de deur had dichtgetrokken. Daarna keek ze naar Adolfsson.

'Ik wil ook iets weten. Waarom de kleinkinderen?'

'Waarom ik ze vermoord heb?'

'Ja.'

'Eigenlijk was ik van plan om Judith te vermoorden, een van degenen die verantwoordelijk waren voor de zelfmoord van mijn moeder. Ik was bij haar huis en toen fietste ze weg en ging ik haar achterna.'

'Naar de Anderssons.'

'Ja. Ik verstopte me bij de haag en zag een vrouw met een negerkind bij een zandbak spelen. Ik begreep dat het haar kleinkind was. Blijkbaar was ze geadopteerd en toen bedacht ik dat Judith niet zou lijden als ik haar vermoordde; dan was ze dood. Ik besloot om in plaats daarvan de kleine neger te vermoorden, haar kleinkind, zodat ze zou lijden.'

Mette keek naar de man tegenover haar. Hij had een onverschillige uitdrukking op zijn gezicht.

'Dus je motief voor de moord was wraak om wat er met je opa was gebeurd? En waardoor je moeder zelfmoord gepleegd heeft?'

'Ja.'

Mette dacht aan wat ze tegen Olivia had gezegd, de eerste keer dat ze met elkaar over de moord in Skåne hadden gepraat. Ze had geopperd dat het een moord op bestelling kon zijn. Wraak. Ze had helemaal gelijk gehad.

'Maar je moeder heeft geen zelfmoord gepleegd,' zei Mette.

'Nee, blijkbaar niet, maar dat wist ik toen niet.'

'Dus eigenlijk waren je daden zinloos?'

'Nee. Het was nog steeds wraak op degenen die mijn opa vermoord hebben.'

'Je moeder heeft je opa vermoord toen hij haar verkrachtte. Ze heeft hem doodgeslagen met een steen. Geen van de personen in het collectief waren betrokken bij zijn dood. Je daden waren volslagen zinloos.'

Adolfsson keek naar Mette zonder een spier te vertrekken. Uiteindelijk deed hij zijn bril af en begon hem met een punt van het lichtbruine overhemd te poetsen.

'Helemaal zinloos waren ze niet,' zei hij zonder op te kijken. 'Ook al waren mijn persoonlijke beweegredenen verkeerd. Mijn daden hebben toch een hoger doel gediend.'

'En welk doel is dat?'

'Het creëren van een etnisch homogene levensruimte. Ik heb personen geëlimineerd die het Zweedse ras verdund zouden hebben. Daar ben ik trots op.'

Hij hief zijn hoofd en keek recht naar Mette.

'Dat zou jij ook moeten zijn.'

*

374

Judith en Aditi zaten op de achterbank, Olivia reed. Ze had aangeboden om ze naar Bromma te brengen, waarvandaan ze naar Skåne zouden vliegen. Het aanbod van de lift was niet alleen pure vriendelijkheid, maar het was ook ingegeven door nieuwsgierigheid. Olivia wilde antwoord op een paar vragen hebben.

Een daarvan had te maken met Aditi's verdwijning en haar transformatie van Linnea naar Aditi. Hoeveel wist Judith daarover?

'Zodra ik bevallen was van mijn zoon, heb ik mijn zelfmoord in scène gezet,' zei Aditi vanaf de achterbank. 'Ik moest mezelf redden. De enige met wie ik contact opnam was Judith. Ik belde haar zodra ik op het vasteland was. Judith heeft me geholpen om naar het buitenland te gaan.'

'Je wist dus al die jaren dat Linnea niet dood was?' vroeg Olivia terwijl ze in de achteruitkijkspiegel keek. Ze zag Judith knikken.

'Ja,' zei ze. 'Dat wist ik. Maar ik ben de enige die het wist. Zelfs Liv was er niet van op de hoogte. Zij denkt dat we jeugdvriendinnen zijn.'

Wat zou het leven zonder familiegeheimen zijn? dacht Olivia.

Daar dacht ze nog steeds over na toen ze de twee vrouwen naar de vertrekhal van Bromma zag lopen, met hun armen om elkaars middel geslagen.

Ze dacht aan alle geheimen in haar eigen leven.

Die waren ook verwoestend geweest.

En binnenkort zou ze zelf een geheim moeten prijsgeven.

*

Mårten had erop gestaan om een etentje te geven. Hij wilde gasten hebben, een feest geven, hij verlangde ernaar om weer achter het fornuis te staan. Olivia! Abbas! Stilton! Mette had geprobeerd het uit zijn hoofd te praten door naar haar dieet en de gespannen relatie met Tom te verwijzen, maar vooral dat ze uitgeput was.

'Des te beter. Jullie moeten opgevrolijkt worden!'

Nu zaten ze allemaal rond de tafel, wat tamelijk lang geleden was.

Mette was vooral blij dat Abbas er was. Mårten en zij hadden voor Abbas gezorgd tijdens zijn donkere jaren, toen hij zijn criminele leven achter zich liet en croupier werd. De moeilijk toegankelijke man was langzamerhand een geliefd lid van de familie geworden. Het meest geliefd door Jolene, een liefde die ruimschoots beantwoord werd. Nu zat Jolene naast Abbas en maakte een tekening van Marrakech.

Ruim een uur lang genoten ze van de heerlijke gans die Mårten volgens een oeroud Skåns recept had klaargemaakt. Mette hield het bij een avocadosalade en rode wijn.

Toen Jolene naar de andere kamer ging om televisie te kijken, begon Mårten over Erik Adolfsson. Mette en Stilton hadden allebei over het verhoor verteld en hadden geconstateerd dat Adolfsson een psychopaat was, wat Mårten een veel te algemene benaming vond. Voor hem was de menselijke psyche te gecompliceerd om er een populairwetenschappelijk etiket op te plakken.

De link tussen religieuze en fascistische sekten vond hij echter interessant.

'Beide worden gedreven door fanatisme,' zei hij. 'Beide trekken gelijksoortige mensen aan, met een zwak zelfbeeld, die een sterke leider nodig hebben, die in iets groots willen opgaan, die denken dat hun geloof het enige juiste is. Of dat nu spiritueel of politiek is. Eriks opa leidde een religieuze sekte, zelf voelde hij zich aangetrokken tot een fascistische sekte. Dat is interessant.'

Eigenlijk was het voornamelijk interessant voor Mårten, dat was duidelijk te merken. De anderen hadden niet veel zin om door te gaan over het onderwerp, dus koos Mårten ervoor om een toost uit te brengen.

Toen ze klaar waren, draaide Stilton zich naar Mette en zei: 'Hoe konden jullie Adolfsson over het hoofd zien?'

Een heel gerechtvaardigde vraag van iemand die zich aan de rand van het onderzoek had bevonden.

'Hij had een alibi. Hij zei dat hij op Åland was toen Emelie vermoord was. Dat werd bevestigd door de collega met wie hij daarnaartoe was gereisd. Hij kon tickets laten zien en selfies die ze tijdens de reis hadden gemaakt.'

'Maar?'

'De collega heeft gelogen. De tickets waren op de juiste datum gekocht, maar Adolfsson is niet meegegaan. De foto's waren eerder genomen. Dat was een grote fout van ons.'

'Die bijna het leven van nog een kind heeft gekost,' zei Stilton, die het mes naar binnen dreef zonder dat het eigenlijk zijn bedoeling was. Misschien was het gewoon een constatering, maar het kon ook een onderbewuste reactie op Mettes reprimande bij de aak zijn. Hij wist dat er fouten werden gemaakt, dat de politie niet perfect was. Hij had zelf een paar ernstige fouten gemaakt.

Hij boog zich naar voren en legde zijn hand op die van Mette.

Ze trok haar hand weg.

'De hoofdzaak is dat we dat monster te pakken hebben,' zei hij.

Mette knikte en Olivia voelde dat de avond op zijn eind liep. Ze had gehoopt dat er een natuurlijke gelegenheid zou opduiken om te zeggen wat ze wilde zeggen, maar die was er niet geweest.

Ze moest het nu zeggen.

'Tom,' zei ze.

'Ja?'

'Toen we de eerste keer bij Barbro waren, vertelde ze dat Stellan de vader van haar dochter niet was, weet je nog?'

'Ja.'

'Ik heb haar gevraagd wie het wel was, toen we daar de laatste keer waren.'

'O ja? Wie was het?'

'Hans Västerman. Volgens haar was hij een boemelaar en vrouwen-jager. Een echte klootzak die zich aan vrouwen vergreep zodra hij de kans kreeg. Hij is in 1962 omgekomen bij een brand in een huis op Gällnö, ongeveer in de tijd dat Linnea geboren werd.'

Ze had het gezegd. Het geheim dat onthulde dat Stilton de halfbroer van Aditi was. Dat het monster Erik Adolfsson zijn neef was.

Iedereen aan tafel begreep de betekenis van wat ze had gezegd, iedereen wist wat er op Gällnö was gebeurd: de brand, Toms moeder die de man had vermoord die haar had verkracht. Hans Västerman, Toms vader.

Ze keken allemaal naar Stilton.

'Zo zie je maar weer,' zei hij terwijl hij opstond. 'Er is dus toch een verklaring voor het handlezen. Breng jij me naar de aak?'

De vraag was aan Abbas gericht. Die stond op en bedankte voor het eten. Stilton was de keuken al uit toen Abbas zich omdraaide. Hij keek naar Olivia.

'Wil je meerijden?'

'Ik denk dat ik dat beter niet kan doen.'

Abbas knikte en liep de keuken uit.

Een halfuur later verliet Olivia de woning. Ze had gezegd wat ze te zeggen had en dat had ze in de keuken in aanwezigheid van iedereen gedaan. Ze had het ook onder vier ogen kunnen zeggen, maar ze had het willen doen op de manier waarop Stilton het ooit had gedaan, toen hij over haar vermoorde moeder vertelde. In de keuken in aanwezigheid van iedereen. Mårten vond het waarschijnlijk onnodig, dacht ze, maar dat mocht hij vinden.

Ze zou de nachtbus naar de stad nemen en bij Lenni gaan slapen, en morgen zou ze naar haar moeder gaan om Thomas te ontmoeten. Dat gaf een goed gevoel.

Ze pakte haar mobiel en belde Jian.

'Hallo, Jian. Bel ik te laat?'

'Helemaal niet. Ik ben in mijn kantoor.'

'Werk je?'

'Min of meer. Ik heb net Axel Sönnermans internetpseudoniem bekendgemaakt op een openbaar forum, en ik heb zijn racistische commentaren erbij gevoegd. Waarom bel je?'

'Ik wil je bedanken. Jij hebt uiteindelijk de naam van de moordenaar ontdekt. Zonder die naam hadden we Jenny Ungers kind waarschijnlijk niet kunnen redden.'

Het bleef even stil. Olivia begreep dat Jian dacht aan het kind dat niet was gered.

'Pas goed op jezelf,' zei Jian, waarna ze de verbinding verbrak.

Olivia stopte haar mobiel in haar zak en dacht aan de racistische cel. Blanke Wraak. Eén lid zat vast voor poging tot moord, de tweede zat vast voor drie moorden, de derde was mishandeld en de vierde was op internet als racist te kijk gezet. Er is niet veel over van de cel, dacht ze terwijl ze naar de nachtbus liep.

Mette hielp Mårten met afruimen en pannen afwassen. Olivia's onthulling over Toms vader had haar plan verstoord. Ze vond dat Olivia een andere gelegenheid had kunnen kiezen, niet vanavond, in haar keuken, nu ze moest vertellen wat haar dwarszat.

Het was echter niet anders.

Toen Mårten het vaatdoekje voor de laatste keer over het fornuis haalde, besefte ze dat het zover was. Ze had nachtenlang bedacht hoe ze het moest vertellen, maar op dit moment was haar hoofd leeg. Dus zei ze: 'Kerouac is dood.'

Mårten keek naar haar, veel kalmer dan Mette had verwacht.

'Hoe is hij gestorven?'

'In de stofzuiger. Ik heb hem opgezogen. Het was een vergissing.'

'Dat begrijp ik.'

'Maar ik heb hem in de stofzuigerzak gevonden. Ik heb hem in de kelder neergelegd.'

Mårten liep voor Mette uit naar zijn muziekkamer in de kelder. Hij deed een van de vloerlampen aan en keek om zich heen. Mette bleef in de deuropening staan en wees naar een van de grote geluidsboxen, waar een lucifersdoosje op lag.

'Ligt hij daarin?' vroeg Mårten.

'Ja.'

Mårten liep naar het lucifersdoosje. Mette beet hard op haar onderlip. Mårten ging met het doosje in zijn hand op de versleten leren fauteuil zitten, schoof het voorzichtig open en keek naar de spin op de watten.

'Dat is Kerouac niet,' zei hij.

Mette liep de kamer in.

'Is het Kerouac niet?'

'Nee. Kerouac is een kelderspin, dit is een andere soort, een huisspin. Voor een ongetraind oog lijken ze veel op elkaar.'

Mette kon het niet helemaal volgen, waar had hij het over? Een huisspin?

'Dus ik heb Kerouac niet opgezogen?'

'Nee, je hebt Coelho opgezogen, zo heb ik hem genoemd, hij kruipt hier soms naar binnen en probeert dan interessant te doen.'

'Waar is Kerouac dan?'

'Dat zullen we zien.'

Mårten liep naar de geluidsinstallatie en stopte er een cd van Gram Parsons in. Na een paar maten zag Mette een paar zwarte poten uit een van de barsten in de muur verschijnen en even later kroop de spin over de muur. Kerouac kroop naar zijn favoriete hoek, naast de geluidsbox, en stopte daar.

'Daar is hij.'

Mårten draaide zich om en stak zijn armen uit naar zijn verbijsterde vrouw.

'Zullen we een joint delen?' vroeg hij.

*

379

Vanaf Söder Målarstrand gezien lag de donkerrode aak helemaal in de duisternis, het schijnsel van de lantaarn in de buurt van de loopplank was het enige licht dat zich over het dek verspreidde, de nevel boven het water hulde zowel de kade als de boot in een toverachtige waas. Voor een avondwandelaar kon het eruitzien als een oud donker olieverfschilderij van een Nederlandse schilder.

Midden in het schilderij stond Stilton, bij de reling. Hij stond daar al een tijdje en dacht aan Hans Västerman. Niet aan de man op zich, maar aan zijn necrologie. Hij vroeg zich af hoeveel kinderen de man had gekregen. Hoeveel halfbroers en -zussen hij had. Het interesseerde Stilton eigenlijk niet, het was voornamelijk een manier om niet aan iets anders te hoeven denken. Aan datgene wat zich in zijn geheugen had vastgezet. *Ik dacht dat er nog steeds een restant van de politieagent die ik heb gekend in je zat.*

Stilton streek met zijn hand over de reling. Hij wist dat Mette gelijk had. Hij had een geweldsmisdrijf gepleegd. Hij wist ook dat hij dat min of meer bewust had geprovoceerd. Waarom? Dat wist hij niet. Hij wist alleen dat het plotseling zwart was geworden. Dat was één keer eerder in zijn leven gebeurd. Toen was hij naar een booreiland in Noorwegen gevlucht. Daar kon hij nu niet naartoe.

Hij keek uit over het water, de golven, de Riddarfjärden. Zijn blik werd pas onderbroken door het stadhuis. Toch een heel eind, dacht hij. Halve vrijheid, zou zijn opa gezegd hebben.

De deur achter hem piepte en hij draaide zich om. Het was Luna. Ze liep naar de reling en ging vlak naast hem staan.

'Sta je hier al lang?' vroeg ze.

'Lang genoeg. Slaapt Justus?'

'Ja.'

Luna stak haar hand uit en legde die boven op die van Stilton. Hij voelde hoe warm haar hand was.

We bedanken Camilla Ahlgren voor haar bereidwillige research.

We bedanken Estrid Bengtsdotter voor het toegewijde en grondige lezen van de tekst.

We bedanken Lena Stjernström van Grand Agency, alsmede Susanna Romanus en Peter Karlsson van Nordstedt voor de inspirerende en professionele manier waarop ze met ons hebben samengewerkt.